KB196527

자도 瓷道 1

문학나무소설선 046
자도❶

1쇄 발행일 | 2017년 1월 25일

지은이 | 송하훈
펴낸이 | 윤영수
펴낸곳 | 문학나무

편집 · 기획실 | 03085 서울 종로구 동숭4나길 28-1 예일하우스 301호
이메일 | mhnmoo@hanmail.net

출판등록 | 제312-2011-000064호 1991. 1. 5.
영업 마케팅부 | 03673 서울 서대문구 명지대1라길 24-4 지하 1층(남가좌동 5-5)
전화 | 02-302-1250, 팩스 | 02-302-1251

값 15,000원
잘못된 책은 바꾸어 드립니다

ISBN 979-11-5629-045-2 04810
ISBN 979-11-5629-044-5 04810 (전3권)

송하훈 대하소설

문학나무

| 작가의 말 |

강진고려청자의 소설

유년시절, 그러니까 60년대 초 나는 양자(養子)를 간 큰어머니댁이 강진 대구면 당전(堂前)마을이었기 때문에 방학 때면 곧잘 가곤 했었다. 그때 잊히지 않는 추억이 있다면 드문드문 돌무더기가 보이는 척박한 자드락밭둑에 청자파편이 쉽게 눈에 띄었다는 사실이다. 나는 사촌 누나랑 그 파편을 삼태기에 주워 모아 이 주일에 한 번 꼴로 오는 엿장수에게 건네주고 달착지근한 엿을 먹었었다.

그렇게 청자파편을 만질 때마다 나는 신비로움 속에 빠져들곤 했다. 그 파편에는 봉황무늬, 모란무늬, 연꽃무늬 등이 그려져 있었고 색깔 또한 놋쇠그릇과 막 나온 스텐그릇만 보아온 어린 나로서도 경이로운 푸른 빛 도자기의 파편들이었다. 그 청자파편들은 천하제일의 강진고려청자의 역사였고 증거였는데, 나는 유년시절부터 강진고려청자의 현장을 대면했던 것이다.

청자를 처음 만들어낸 곳은 중국의 월주요(越州窯)였다. 장보고는 당시 최고급품인 월주요의 생산기술을 가져와 강진 당전에 생산기지를 만들었다. 청해진에서 1시간이며 도착할 수 있는 천혜의 땅 당전에서는 9세기부터 14세기에 이르는 동안 청자가마터가 현재까지 180여 곳이 넘게 확인되고 있고, 국보급을 많이 생산해 낸 청자의 성지이다.

칭기즈칸은 거침없이 대륙을 가로질러 유라시아의 육로 물류 네트워크를 구축하였다면 장보고는 통일신라시대에 중국과 한반도, 그리고 일본의 3국을 연결하는 해상항로를 장악한 해상 물류 네트워크를 구축하였다. 그러므로 칭기즈칸은 좋은 말(馬)을 이용해 대륙을 장악했다면 장보고는 뛰어난 신라 배와 항해술로 바다를 지배하여 해상왕이 되었다.

장보고는 강진에서 생산되는 신라 도자기를 주요 수출품목으로 삼았다. 장보고가 뿌린 신라 도자기는 고려시대에 세계적인 도자기로 거듭나면서 그 예술성이 뛰어났는데, 특히 청자의 세련미를 자랑하는 상감청자(象嵌青瓷)는 몽골군의 침공에도 굴하지 않고 제작되었다.

장보고. 그는 분명 강진고려청자의 비밀 속에 묻힌 위대한 인물이었다.

나는 강진에서 태어나고 자랐다는 점에 자부심을 느끼면서 장보고의 이야기와 함께 강진고려청자를 소설로 써보고 싶었다. 부족함이 많지만 이 글을 정수사(靜水寺) 도조사(陶祖祀)의 고려시대 무명 도공들께 바치고 싶다.

바람재 송림방(松林房)에서

송하훈

송하훈 대하소설 ❶

차례

자도

제1장

국정감사

1

내가 김준국 여당 국회의원을 만나기 위해 강진(康津)을 출발한 것은 한 해가 저물어가는 지난 달 초였다.

강진에서 서울까지 논스톱으로 가는 우등고속버스에 몸을 싣고 서울 강남터미널에 도착하자 시골과는 달리 벌써부터 크리스마스 분위기가 물씬 풍겨나고 있었다. 백화점과 크고 작은 가게에서는 산타 할아버지들이 반갑게 손짓을 하고 있었고, 교회마다 밤이면 불을 밝힐 대형 트리가 장식되어 있었다.

나는 천천히 버스터미널을 빠져나와 택시에 몸을 실었다.

내가 김준국 의원 보좌관인 나경석 씨로부터 뜻하지 않게 전화를 받은 것은 전날 오후 늦게였다. 일주일에 한 번씩 내는 지역 주간신문이지만 발간을 하고 나면 그날만큼은 해방된 기분이어서 가까운 지인들과 함께 한 잔 하려고 막 사무실문을 나섰을 때 전화가 온 것이었다.

“안녕하십니까? 저는 김준국 의원 보좌관 나경석입니다.”

“아, 예예.”

나는 당황한 나머지 처음엔 목소리가 제대로 나오지 않았다.

“남도제일신문사 이서채 대표님 맞으시죠?”

그는 상대방을 확인하고 나서 용건을 말하겠다는 듯 내 신분부터 물었다.

“그렇습니다만, 무슨 일이십니까?”

나는 상대방의 속셈을 뻔히 알면서도 능청스럽게 물었다. 물어보나마나 그는 최근 연속 5주간 1면으로 다룬 기사 때문에 전화를 했을 게 분명했다.

“안녕하세요? 저는 김준국 의원의 나경석 보좌관입니다.”

그는 다시 한 번 자신의 신분을 밝혔는데, 이상하리만큼 정중했고 예의가 있어 보였다. 연속 5주간 김준국 의원에 대해 지나치다 싶게 비판기사를 썼는데도 그의 말투는 부드러웠다. 천리나 떨어진 먼 곳인데도 항의성 전화가 결코 아니라는 것을 느낄 수 있었다.

“다름이 아니라 김준국 의원님께서 이 대표님을 한 번 뵙고자 하십니다.”

“무슨 일로 저를 만자자고 하실까요?”

나는 거듭 능청을 떨었다. 내가 쓴 기사에 대해서 불만이 있다면 언론중재위원회에 이의신청을 하면 되는 일이고 명예훼손에 해당된다고 생각한다면 검찰에 고발하면 될 일이었다. 또 다른 방법으로 반론보도 요청을 하든지 정정보도 요청을 하면 될 일인데 굳이 지방에 있는 사람을 만나자고 한다는 것은 뭔가 갈등을 풀고 해빙무드를 갖겠다는 의사가 분명해 보였다.

"의원님께서는 이번 일로 허심탄회하게 대화를 나누고 싶어 하십니다."

"어차피 제가 쓴 기사에 대해 말씀을 하시겠지요?"

"아닙니다. 의원님께서는 이 대표님을 만나 청자라는 문화재에 대해 대화를 하실 것 같습니다. 좀 더 심도 있는 대화라고나 할까요."

"만나겠습니다. 만나고 말구요."

나는 거절할 명분을 찾지 못한 채 만날 약속시간과 장소를 정했다.

그러니까 김준국 여당 국회의원은 두 달 전인 10월 초에 문화체육관광부 국정감사에서 '강진청자박물관의 고려청자 매입 바가지 논란'을 일으켰었다. 그는 강진청자박물관에서 지난해에 구입한 '청자상감연화목단절지문과형주자(靑瓷象嵌梅蘆鶴蝶文四耳壺)'와 그 이듬해에 구입한 '청자상감모란문정병(靑瓷象嵌牧丹文淨甁)'이 실제 1억 원에 불과한데도 10억 원에 매입했다며 의혹을 제기했던 것이다. 검사 출신으로 알려진 그의 날카로운 질문에 강진청자박물관장은 펄쩍 뛰며 사실이 아니라고 우겨댔지만 누가 보아도 수세에 몰리는 꼴이었다.

그러자 청자박물관장은 '고려청자 매입 바가지 논란 관련 강진군의 입장표명 기자회견'을 열기에 이르렀다.

그날 청자박물관장은 전남도내 일간지 주재기자들과 지역방송국 기자들이 앉아 있는 회견장에서 미리 준비한 기자회견문을 담담히 읽어나갔다.

"우리는 국정감사에서 김준국 국회의원이 제기한 고려청자 두 점의 매입 바가지 논란에 대해 한 점 의혹이 없을 뿐 아니라 떳떳합니다."

그는 이렇게 말문을 연 후,

"김 의원은 우리가 구입한 청자가 10억 원을 주고 구입했으나 실제로는 1억 원밖에 되지 않는다고 주장하고 있습니다. 감정을 한 두 분의 선생님께서 가격을 엄청나게 부풀려서 온갖 부정을 저지르고 있다는 것입니다. 김 의원의 주장으로 우리 군은 명예와 이미지가 훼손되고 실추되었습니다. 그런데 김 의원이 이같이 주장한 내용은 새빨간 거짓말임이 밝혀졌습니다. 왜냐하면 아무런 근거도 없이 억지 주장을 하였을 뿐만 아니라, 자기들이 알고 있는 사실과 정보까지 교묘하게 왜곡해가면서 신성한 국감장을 사기와 기만의 폭로장으로 만들었기 때문입니다. 그래서 5천만 국민을 우롱하고 우리 군민에게 씻을 수 없는 불명예와 굴욕감을 안겨주었습니다."

하고 강하게 반박했다. 지방 박물관장치고는 대담하고 용기 있는 반격이었다.

기자회견장은 찬물을 끼얹은 듯 조용했다. 보도용 카메라 불빛만이 청자박물관장의 얼굴을 가까이 비추고 있을 뿐이었다. 나는 열심히 수첩에 적으려다 말고 곧장 멈추었다. 이미 책상 위에는 보도자료와 함께 회견 낭독문이 놓여져 있었기 때문이었다.

"계속 말씀 올리겠습니다."

청자박물관장은 생수병을 들고 몇 모금 물을 마시고 나서 다시

회견 낭독문을 읽어 내려갔다.

"김 의원은 몇 차례 국정감사에서 구입한 청자가 1억 원밖에 안 된다는 자기주장의 근거로써 고미술협회라는 곳의 감정평가액수를 인용하고 있습니다. 그런데 여기에서 우리는 중대한 사실을 발견할 수 있었습니다. 그것은 그 고미술협회가 감정을 하면서 '실물감정'을 한 것이 아니라 '종이감정'을 한 것으로 밝혀졌기 때문입니다. 다시 말씀드려서 강진청자박물관에 전시되어 있는 실물 청자를 보고 감정평가를 한 것이 아니라, 서울 인사동에 가만히 앉아서 도록에 있는 사진 한 장 달랑 놔두고 그것을 보고 감정평가를 한 것입니다."

"그게 사실입니까?"

내가 중간에 그의 말을 끊고 물었다. 오늘 기자회견장에서의 가장 핵심이 바로 여기에 있다는 생각에서였다. 누가 생각해 보아도 실물을 보고 감정을 해야지 도록을 보고 감정을 한다는 것은 어불성설이라는 생각이 들었다.

"그렇습니다. 5백만 원짜리 도자기를 한 점 구입할 때에도 실물을 보고 만져보고 확인하면서 사는 것이 상식 아니겠습니까? 장가 갈 총각이 평생 함께 살을 섞으며 살아갈 처녀를 청혼할 때 얼굴 한 번 안 보고 할 수 있느냐는 겁니다. 따라서 사진만 보고 덜컥 장가갈 사람은 아마도 없을 것입니다."

박물관장은 회견 낭독문에도 없는 총각 처녀를 인용하면서 자신의 주장을 강하게 표현하자 조용하던 기자회견장에 웃음이 한바탕 터졌다.

"국립중앙박물관의 관계자들도 상식적으로 이해할 수 없고 납득하기 어려운 행위라고 말하고 있습니다. 지난 10월 서울 프레스센터에서 청자박물관이 개최한 '공개 재감정 행사'에서 나온 김 의원 측의 고미술협회 관계자도 '제대로 된 감정평가를 하려면 진품 유물을 옆에 놔두고 때로는 열흘, 또는 보름 정도까지 시간을 갖고 살펴보아야 제대로 된 감정평가를 할 수 있다'고 강변한 바 있습니다. 실물을 놓고 열흘, 보름 걸려야 한다는 사람들이 아예 실물은 보지 않고 사진 한 장 달랑 놓고 감정평가를 했다면 이같은 일이 속임수와 사기가 아니고 무엇이 사기이겠습니까? 이처럼 말도 안 되는 종이감정의 결과를 가지고 1억이니, 10억이니 하고 국감장에서 떠들었던 김준국 의원은 대한민국 국민을 상대로 사기극을 벌인 것이라고밖에 달리 표현할 길이 없습니다."

청자박물관장은 긴장을 한 탓인지 또 생수병을 치켜들고 꿀떡꿀떡 마시기 시작했다. 아무래도 지방공무원의 신분으로 국회의원의 국정감사를 정면으로 비판한다는 것은 결코 쉬운 일이 아닐 터였다.

"또 하나, 김준국 의원은 지난 10월 국감장에서 2007년 강진 청자박물관이 구입한 고려청자가 1992년 미국과 세계적 경매기관인 소더비 경매시장에 1만 5천 달러에 출품되었다고 주장한 바 있습니다. 미국 경매시장에서 1500만 원밖에 안 된 청자가 어떻게 10억 원에 팔릴 수 있겠느냐는 자기 주장을 정당화하기 위한 것이었습니다. 이에 대해 K공립박물관장은 그 미국 경매시장에서 최종 가격은 48만 달러, 즉 약 5억 원이었다고 반박하였습니다. 그랬더니 김 의원은 48만 달러가 아니라 15만 4천 달러, 약 1억 5천만 원이었다고 황급히 말을 바꾸었습니다. 처음에는 1만 5천 달러라고 주장했다가 불과 이틀 뒤에 그 열 배인 15만 4천 달러라고 입장을 바꾼 것입니다. 청자박물관과 기자들이 어떻게 해서 그렇게 입장이 바뀔 수 있느냐고 김 의원 측에 반문하자, 그들은 '우리는 경매시장의 출품가격이 1만 5천 달러라고 했을 뿐이다. 최종낙찰가가 얼마라고 밝히지 않았을 뿐이다'라는 황당무계하고 뻔뻔스럽기 그지없는 변명 같지 않은 변명을 하고 나왔습니다. 한 마디로 말하면 세계적 경매시장에서 15만 4천 달러에 팔린 청자 작품을 1만 5천 달러밖에 안 되었던 작품이라고, 10분의 1을 축소시켜 국감장이라는 곳에서 폭로하고 주장했던 것입니다. 1억 5천만 원에 팔렸다는 사실을 알면서도 마치 1500만 원에 팔린 것처럼 여론을 호도하고 언론을 우롱한 처사를 일삼은 것입니다."

청자박물관장이 잠시 말을 멈추고 좌중을 한 바퀴 둘러보았다. 나는 드디어 수세에 몰리기만 하던 청자박물관이 드디어 대반격을 시도하고 있다는 생각이 들었다. 김 의원이 국감장에서 폭로한 청자고가매입 사건으로 인해 솔직히 군민들의 민심은 현 군수의 정직성에 의혹을 갖기 시작했다. 군민들은 단순하게 김 의원이 청자고가매입 폭로를 근거 없이 하겠느냐는 생각을 갖고 있었다. 분명 그 속에는 비리가 숨어 있을 것이라고 단정하려는 분위기였다. 무엇보다도 국감장에서의 발언이요, 폭로라는 점에서 김 의원의 말을 신뢰하고 있었다.

'국감장에서의 말이 사실이라면 군수가 10억 중 2억 정도는 챙겼을 것이다.'

군민들은 이렇게 생각하고 있었다. 그래서 군수의 지지도는 추락하는 새처럼 사정없이 곤두박질치고 있었다. 이 상태에서 선거를 한다면 재선에 성공하기는커녕 맨 하위가 될 게 뻔했다. 민심까지 흉흉해지고 있었다. 가뜩이나 먹고 살기가 힘든 세상인데 군수는 2억이란 큰돈을 꿀꺽 삼킨 것으로 믿고 있었다. 당장 반격을 하지 않으면 수사를 시작하기 전에 군수직을 그만 두어야 할지도 모를 일이었다.

청자박물관장이 말을 이어나갔다.

"당연히 온 국민과 전체 언론기관에서는 김 의원의 이 부분을 엄중이 문책하고 사과를 준열히 추궁해야 할 것입니다. 이번 부도덕의 극치를 이루는 엉터리 국회의원은 국민의 이름으로 반드시 국회에서 퇴출시켜야 할 것입니다."

참으로 대단한 대반격이었다. 게다가 '국민의 이름으로 반드시 국회에서 퇴출시켜야 한다'는 말은 김 의원에게 있어서 굴욕이요, 치명적 수모가 아닐 수 없었다.

"이처럼 말도 되지 않은 김 의원의 저질 국감 발언으로 인해서 강진군과 강진 청자산업과 강진 군민의 명예는 적잖이 실추되었습니다. 자세한 내막을 알 길이 없는 일반인들께서는 강진군이 무언가 잘못한 일이 있거나, 아니면 바가지를 썼으리라 하고 생각하기 십상일 것입니다. 그래서 강진군은 김 의원이 진실 앞에 무릎을 꿇을 것을 요구하는 바입니다. 거짓과 기만과 속임수로 엉터리 발언을 일삼은 김준국 의원은 강진군과 강진군민은 물론 이거니와 자기 자신의 지역구인 시민들을 포함한 모든 국민 여러분께 무릎 꿇고 백배 사죄해야 할 것입니다. 그렇게 하는 것만이 본인의 저질 사기 국감의 잘못을 어느 정도 경감시킬 수 있을 것입니다. 최근 강진군 청자협동조합의 도예작가들이 항의 방문했을 때에도, 강진군 시민단체 대표들이 항의 방문했을 때에도, 그리고 군의회 의장과 군의원들이 항의 방문했을 때에도 김 의원 측은 아예 면담 자체를 거부하거나, 이런 핑계 저런 구실로 방문 성격을 폄하하였는가 하면, 심지어는 취재차 동행하는 지역 신문 기자를 청원경찰을 동원하여 끌어내는 등, 도저히 민주사회의 국회의원이 할 수 없는 고압적이고 안하무인적인 행태를 되풀이 해오면서, 강진군과 군민들의 정당한 요구를 외면하고 무시하는 작태를 거듭하고 있습니다. 김 의원은 자신의 실수와 실책과 과오를 솔직하게 시인하고, 진실 앞에 무릎을 꿇어야 할 것입니다. 전국의 국민들과 언론기관에 대하여 용서를 빌고, 강진군과 군민 여러분께 공개 사과를 해야 할 것입니다. 호미로 막는 일을 가래로도 못 막는 어리석음을 저지르지 말아야 할 것입니다. 강진군과 강진 군민들은 진실이 승리할 때까지 싸울 것입니다."

기자회견은 이것으로 끝났다. 더 이상 질문은 없었지만 기자회견장은 몹시 웅성거렸다.

'김 의원은 자신의 실수와 실책과 과오를 솔직하게 시인하고, 진실 앞에 무릎을 꿇어야 할 것입니다'

청자박물관장이 결백을 주장하는 한편 김 의원더러 무릎을 꿇어야 한다고 주장했기 때문인지 기자들은 적잖이 충격을 느끼는 표정들이었다.

기자회견이 있기 전에는 청자협동조합 도예작가들과 시민사회단체 대표들이 김준국 의원실에 항의 방문을 한 적이 있었다. 그러나 그들은 한 번도 김 의원을 만나지 못했다. 면담 자체를 아예 거부하거나 아니면 이 핑계 저 핑계를 대면서 만나기를 꺼려했기 때문이었다.

그러다가 군의회 의원들이 항의 방문했을 때 나는 취재차 동행한 적이 있었다. 군의원 몇몇과는 형님 동생 하며 지내는 처지였는데 함께 가자는 권유를 딱 잘라 거절하기가 어려워 동행했던 것이었다. 그런데 국회에 있는 김준국 의원실을 찾아갔을 때 김 의원은 출타 중이었고, 나경석 보좌관이 사무실을 지키고 있었다.

"모든 일은 국정감사에서 다 밝혀질 텐데 어쩌자는 겁니까?"

나경석 보좌관은 짜증 섞인 목소리로 말했다.

"할 말이 대체 뭡니까? 우리가 국정감사를 하면서 아무런 근거도 없이 하는 줄 아십니까?"

그는 거듭 불쾌하다는 어조로 말했는데, 어딘가 모르게 고압적인 태도였다.

"우리는 다만 항의 서한을 전달하기 위해 왔습니다."

군의회 의장이 손에 들고 있던 커다란 봉투를 내밀었다.

"무슨 내용입니까?"

"'우리의 입장'이라는 항의 서한입니다. 폭로와 의혹 제기로 강진군과 강진청자산업이 수천억 원의 피해를 입었습니다. 따라서 김준국 의원은 강진청자와 군민들의 명예가 크게 훼손당한 것에 대해 공개 사과하라는 내용입니다."

나는 수첩에 그들의 말은 기록하지 않았지만 조용히 듣고 있었다.

나경석 보좌관이 안경을 고쳐 쓰며 애써 침착하려는 기색이 역력했다.

"지금 고려청자를 실물이 아닌 도록으로 감정을 했다고 항의하시는 것이 맞지요?"

"그렇습니다."

군의회 의장이 고개를 끄덕거렸다.

"이번에 우리 측에서 감정한 청자는 서울 인사동에서 워낙 유명한 작품이었기 때문에 도록만 보고도 충분히 감정이 가능합니다."

"강진으로 내려와서 실물을 직접 보고 감정을 했어야 옳을 일이 아니었을까요?"

군의회 의장의 말에 갑자기 나 보좌관은 말문이 막히는 것 같더니,

"제가 제안을 하나 하겠습니다. 언론 재감정을 하시는 게 어떻겠습니까?"

하고 뜻밖의 제안을 했다.

"언론 재감정이라면 무엇을 뜻하는 말입니까?"

"언론에 공개해서 문제의 청자를 재감정 하자는 말입니다. 이것은 저희 의원님의 생각이기도 합니다. 그래야 '폭로'니 '의혹'이니 하는 말이 나오지 않을 게 아닙니까?"

기습적인 나경석 보좌관의 말에 군의회 의장은 잠시 침묵을 지켰다. 한 치도 물러날 수 없다는 그의 당당한 제안이었다.

"좋습니다. 저도 이 사실을 관계자에게 알려서 언론 재감정이 제대로 될 수 있도록 하겠습니다."

항의 방문이 의외로 쉽게 가닥이 잡히는 순간이었다. 나는 그제야 수첩에 메모를 시작했다.

"지금 메모를 하고 계신 분은 누구십니까?"

나경석 보좌관이 힐끔 나를 쳐다보면서 싸늘하게 말했다.

"저는 강진의 지역신문에서 일하는 사람입니다."

나는 담담하게 대답했다.

"사진은 왜 찍는 것입니까?"

그의 목소리는 순식간에 격앙돼 있었다.

"그야 취재를 해서 보도를 하기 위해서이지요."

"강진지역신문? 신문이라면 똑바로 보도를 해야지 엉터리 기사를 써도 되는 겁니까?"

그가 의자에서 벌떡 일어나 손가락으로 나를 가리키며 고함을 질렀다.

"뭘 잘못 쓰기라도 했나요?"

"지난번 신문에 '잘못된 감정으로 명예훼손을 했다'는 기사를 1면에 다뤘지 않습니까?"

"맞습니다. 저는 그렇게 기사를 쓴 적이 있습니다."

나는 분명하게 시인하였다. 그러자 그는 바로 전화기를 들더니 국회 경위를 다급하게 불렀다.

"여기는 김준국 의원실입니다. 국회 밖으로 끌어내야 할 사람이 있으니 어서 와 주십시오."

짧은 시간에 국회 경위들이 우르르 사무실로 들이닥쳤다.

"왜 이러십니까? 내가 뭘 잘못했다고 이러시는 거예요?"

나는 큰소리로 항의를 했지만 국회 경위들에 의해 양 팔을 붙들린 채 국회 밖으로 쫓겨났다. 불쾌하고 억울하다는 생각이 들었지만 주먹은 가깝고 법은 먼 법이었다. 그러나 그 다음번 신문에도 역시 '강진군 군의원들 항의 방문, 군민들 명예훼손 누가 책임지나'란 제목으로 대서특필한 것은 두 말할 나위조차 없었다.

그 일이 있고나서 일주일 뒤 고려청자 재감정이 서울 프레스센터 19층 매화홀에서 오전 10시 30분, 언론인들의 입회하에 공개 재감정이 실시되었다. 양측 모두 공개적으로 재감정을 실시함으로써 자신들의 주장을 만천하에 정당하다고 말할 수 있는 좋은 기회였다. 강진군측에서는 공개 재감정을 실시하기 전 억울함을 호소했다.

"이번 일로 화산재를 뒤집어 쓴 형국이 되어버렸습니다. 우리는 명예를 되찾고 싶으며 강진군의 입장은 불편부당(不偏不黨)한 객관적 진실을 원합니다."

이제 강진군의 억울함이 만 천하에 밝혀질지, 아니면 김준국 의원의 국정감사 지적이 맞을지 그 속살이 벗겨질 것이었다.

'고려청자 고가매입 바가지 논란이 전입가경이 되어 가는군.'

나는 이렇게 중얼거리며 고려청자 공개 재감정장을 지켜보았다. 재감정 평가위원들은 모두 네 사람이었다. 미술사학과 교수, 문화재위원, 인사동 화랑대표, 문화재과학과 교수 등이 참여한 공개 재감정장은, 그러나 감정평가가 엇갈렸다. 청자 유물을 둥근 탁자 위에 올려놓고 열띤 토론을 벌였으나 미묘한 의견 차이로 결론을 도출하는 데는 실패하고 만 것이었다. 결론을 내리기 전, 청자 유물을 감정평가했던 3명을 대표해서 S공립박물관장의 소견서가 낭독되었고, 김 의원측에서는 감정평가를 의뢰한 사단법인 한국고미술협회 관계자가 설명을 했다.

"청자상감모란문정병은 국보 제66호와 견주어도 손색이 없는 명품 중의 명품입니다."

가장 먼저 미술사학과 교수가 말했다. 그러자 몸집이 작은 다른 문화재과학과 교수가 여지없이 반박하고 나섰다.

"진품임에는 틀림이 없다는 것에는 전적으로 동의합니다. 그러나 뚜껑이 없고 손잡이가 휘어져 있으므로 2억 원 미만이 타당하다고 생각합니다."

각 중앙방송사와 각 중앙일간지의 기자들이 잠시 술렁거렸다. 이번엔 문화재위원이 앞에 말한 미술사학과 교수의 의견에 찬성했다.

"뚜껑이 없는 것은 흠이지만 간송미술관에 있는 국보 제66호인 청자상감유죽연로원앙문정병과 견주었을 때 조금도 손색이 없는 명품 중의 명품입니다. 따라서 구입가격인 10억 원이 적정합니다."

그는 다시 말을 이어갔다.

"'과형주자' 역시 9억 내지 10억 원이 적정한 가격이라고 생각합니다."

이 때 인사동 화랑대표가 반대 의견을 냈다.

"저는 교수님 의견과 문화재위원의 의견에 반대합니다."

10억 원이 적정 가격인 것으로 기울어지나 했더니 인사동 화랑대표가 찬성할 수 없다고 반대의견을 낸 것이었다.

"이 작품은 1993년 국제경매에서 1억 3000만원이었습니다. 그래서 3억 내지 4억이면 최고가격이라고 생각합니다."

결국 네 사람의 의견이 반반으로 갈라진 채로 재감정 평가는 끝이 났다. 사회자가 마무리 발언을 했다.

"네 분의 위원님들께서 제시한 가격들은 의견으로 받아들이겠습니다. 단 재감정장소에서 녹화된 자료와 녹음테이프는 경찰과 검찰에 제출하는 등 수사에 적극 협조해서 진실을 밝히는데 최선의 노력을 다하겠습니다."

나는 이와 같은 내용을 상세히 보도했다.

「김준국 의원은 공개사과 해야 옳다」

1면 제목을 이렇게 뽑은 다음, '청자유물 언론인 입회하에 공개 재감정 실시, 결론 못 내렸으나 고가매입 의혹 상당부분 해소'란 소제목으로 재감정 평가위원들의 말을 그대로 보도했던 것이다. 언론매체라고 하기에는 낯간지러운 지역신문이었지만 전국을 대상으로 하는 매스컴에서도 이같은 사실을 일제히 보도했다. 5단짜리로 청자 두 점에 대한 엇갈린 재감정 평가를 기사화했던 것이다. 방송에서도 짧게나마 보도를 했으므로 일단 고가매입의 의혹은 벗어난 셈이었다.

나는 전철을 타기 위해 미로 같은 전철역을 향해 걸어 나갔다. 퇴근 시간이 아직 멀었는데도 많은 사람들이 계단을 오르내리며 부산스레 움직이고 있었다. 국회로 가는 전철을 기다리고 있을 때 월탄 박종화가 지은 〈청자부〉가 벽에 붙어 있는 것이 보였다.

〈청자부青瓷賦〉
선은
가냘픈 선은
아리따움에 그을려
보살같이 아담하고
날씬한 어깨여

4월 훈풍에 제비 한 마리
방금 물을 박차 바람을 끊는다.
그러나 이것은
천년의 꿈 고려청자기!

빛깔 오호 빛깔!
살포시 음영을 던진 갸륵한
빛깔아
조촐하고 깨끗한 비취여
가을 소나기 마악 지나간
구멍 뚫린 가을 한 조각
물방울 뚝뚝 서리어
곧 흰구름장 이는 듯하다.
그러나 오호 이것은
천년 묵은 고려청자기.

술병, 물병, 바리, 사발,
향로, 향합, 필통, 연적,
화병, 장고, 술잔, 베개,
흙이면서 옥이더라.
구름무늬, 물결무늬,
구슬무늬, 칠보무늬,
보상화문, 불타무늬,
도공이요, 화가더냐

진흙 속 조각가다.
그러나 이것은
천년의 꿈 고려청자기.

아름다운 강진청자의 우수성과 예술성을 잘 대변한 한 편의 시였다. 청자를 노래한 시 외에도 눈에 익은 다른 시들도 군대군데 벽에 걸려 있었다.

북에는 소월, 남에는 영랑이라는 말이 있듯이 소월의 시도 있었고, 영랑의 시도 있었다. 강진이 낳은 영랑의 〈모란이 피기까지는〉 시를 보았을 때에는 왠지 가슴이 뭉클해왔다. 그리고 시민들의 정서함양을 위해 이 나라 문화부처에서 걸어놓은 시 가운데 청자란 시가 유독 내 시선을 붙잡았던 것이다. 지나치는 역에도 신중신이 지은 또 다른 청자 시가 눈에 보였다.

〈청자모자원형연적〉
마음 함께 비취빛이었을
고려적 웬 사내
햇볕 좋은 봄날
전대미문의 연적 하나를 구워냈다네.
그의 심성 익살궂었던지
사철 양반네 머리맡에 놓일 그것
그 시늉만으로도 해살질이 진득 묻어나는
앙증맞은 잔나비상을,
사내 심사 또한 따스하여

그것도 새끼 보듬은 원숭이 모양을,
애오라지 천연스럽고 정감 하나인
저 청자모자원형연적 구워냈다네.
— 저것 보아, 저것 좀 보아!
어미 정수리로 부어넣은 물이
새끼 뒤통수께로 흘러나와
먹물을 간다 미소가 번진다
삼짇날 저물녘, 비색(翡色) 이내 같은 것이 설핏한가 싶더니
남녘마을 선비 마음을 적셔
인연 굽이굽이 강을 짓느니.

그 시와 함께 청자모자원형연적의 사진도 보였는데, 어미 원숭이가 아기 원숭이를 꼬옥 껴안고 있는 모습이었다. 아기 원숭이는 제 어미 젖가슴에 손 하나를 넣고 애교를 부리고 있었다. 자식을 바라보는 원숭이의 눈길에 사랑스러움이 넘쳐흐르고 있었다. 자식 사랑에 사람이나 동물이나 다르지 않다는 것을 느끼게 하는 청자였고, 가슴을 찡하게 해주는 명품이 아닐 수 없었다.

원숭이는 자식 사랑이 유별나다던가. 또한 재주와 지혜가 많아서 출세의 상징으로도 삼는다고 한다는데, 어미 정수리에 넣은 물이 자식의 뒤통수께로 흘러나와 그 물로 먹물을 갈며 공부를 했던 그 선비는 어떤 벼슬을 했을까. 과거급제를 해서 지방수령으로 돌아다니다가 말았을까, 아니면 암행어사를 거쳐 일인지하 만인지상의 자리까지 올라갔을까.

'저것 좀 보아, 저것 좀 보아! 어미 정수리로 부어넣은 물이 새

끼 뒤통수께로 흘러나와 먹물을 간다 미소가 번진다.'

나는 이 대목을 거듭 반복해 읊조리면서 천 년 전 저 연적을 만들었던 고려 도공의 마음이 전해져 오는 것 같아 나 역시 미소를 지었다.

그 곁에 또 다른 청자 시, 〈꽃 궁전에 들다〉가 걸려 있었다.

참외 넝쿨에 레이백 스핀을 건 한 송이 꽃.
굽 높은 구두 받쳐 신은 잘록한 허리에
외주름치마 둘러 입었다.
긴 목덜미에는 활짝 핀 참외 꽃잎 여덟 장
향긋한 속내 드러내는데
호접몽 꾸는 밤이면 너는 나비처럼 날아 들거라.
꽃 왕조의 궁전이니
온갖 꽃모가지 꺾어 네 무릎에 놓아 주마
누대의 하늘과 입 맞춰 온 내 본성은
죽음의 무도회를 지난 꽃.
활활 타는 불길로 중심을 비운 가장 아리따운
꽃병이지 않느냐
덥석, 안지 말고 사쁜 접(接) 하거라.
빙렬(氷裂) 없는 사람도 부서지면
시퍼런 칼날 겨누는 조각달 될 뿐이니
그리운 고려 하늘 흠집 나지 않겠느냐.

강영은 시인의 시였다. 꽃병이 금은보화보다 아름다웠기에 인종은 무덤까지 가져갔던 바로 그 청자 참외 모양 병을 두고 쓴 청자 시였다. 이 병은 12세기 고려청자를 대표하는 최고의 예술품이라던가. 주름치마와 비슷한 높은 굽과 참외 모양의 유려한 몸체, 부드러운 긴 목의 청자 참외 모양 병을 보고 시인은 '덥썩 안지 말고 사쁜 접하거라' 하고 노래하고 있었다.

나는 고개를 끄덕였다. 세상의 문장가들이 이렇듯 청자예찬을 아낌없이 하고 있다는 것을 다시 한 번 느낄 수 있었다.

'그런데 무슨 일로 김준국 의원은 날 보자고 했을까?'

따지고 보면 그들은 내가 쓴 기사에 대해 항의를 했었고, 내 취재를 방해하기 위해 국회 경위들을 불리들인 사람들이었다. 그들의 국정감사에 대해 동의하기는커녕 잘못된 감정으로 군민들에게 명예훼손을 시켰다고 강하게 지적기사를 쓴 내게 좋은 감정이 있을 리 만무했다. 신문기사 내용대로 실물을 놓고 감정을 한 것이 아니라 도록으로 감정을 했다는 것은 10억 대의 청자 작품을 그림책 보듯이 했다는 것과 마찬가지였다.

「국립중앙박물관 관계자, '유물은 실물 감정이 원칙'이다」

당시 국립중앙박물관 직원은 원칙적인 말만 반복해서 들려주었다. 유물을 감정했을 때 실물을 보면서 여기저기를 꼼꼼하게 살핀 후 감정을 하는 것이 원칙이라는 것이었다. 그래서 나는 어린애처럼 그림책 같은 도록을 보고 평가를 했다며 엉터리 감정이었음을 기사로 지적한 거였다.

그렇다면.

명색 이 나라 국회의원 쯤 되는 나리께서 문화관광체육부를 상대로 하는 국정감사가 엉터리였다고 해도 과언이 아니었다. 국회

의원의 체면이 여지없이 구겨지고도 남을 일이었다. 그래서 달가울 리가 없는 나를 만나자고 하는 저의가 무엇일까.

국회의사당 앞에서 내린 나는 나경석 보좌관에게 전화를 걸었다.

"혼자 오셨습니까?"

그가 물었다. 미리 의원에게 이쪽 상황을 보고하기 위해 묻는 것 같았다.

"그렇습니다."

"바로 모시러 가겠습니다."

나 보좌관은 내 전화를 받자마자 국회의사당 정문으로 재빠르게 나왔다.

"의원님께서 기다리고 계십니다."

서로 명함을 주고받고 나서 그가 나를 안내했다. 나는 그를 따라 김준국 의원사무실을 향해 걸었다.

"그런데 한 마디 물어보겠습니다."

내가 계단을 오르면서 나 보좌관에게 말했다.

"말씀하십시오."

그가 잠시 발걸음을 멈추고 나를 쳐다보았다.

"궁금해서 그러는데 무슨 일로 의원님께서는 절 보자고 하시는지……."

"이 대표님께서 쓰신 기사 때문이 아니겠습니까?"

그는 너무도 당연한 질문을 왜 하느냐는 듯 웃어보였다.

"항의를 직접 면전에서 하겠다는 뜻인가요?"

"만나보시면 아시게 될 겁니다."

그는 이렇게 말하면서 안내를 했는데, 문득 검사실로 취조를 받으러 가는 피의자가 된 기분이었다.

"어서 오십시오. 저 김준국 의원입니다."

의원 사무실로 들어가자 김 의원이 의자에서 일어나 반갑게 악수를 청해왔다.

"안녕하십니까?"

내가 고개를 약간 숙여 보이며 인사를 하자 김 의원이 의자에 앉기를 권했다.

"강진에서 서울까지는 거리가 먼데 뵙자고 해서 미안합니다."

"아닙니다. 고맙습니다."

나경석 보좌관이 여직원 대신 녹차를 내오자 김 의원이 먼저 찻잔에 손을 댔다.

"우선 차 한 잔 하시지요."

"네."

그러나 나는 찻잔에 손을 대지 않은 채 김 의원을 빤히 쳐다보았다. 그가 나를 어떻게 생각하고 있는지가 궁금했기 때문이었는데, 아무리 머리를 굴려보아도 나를 호의적으로 대해야 할 하등의 이유가 없었다. 자신을 비판하는 기사를 좋아할 사람은 이 세상에 단 한 사람도 없기 때문이었다.

"제가 뵙자고 한 것은 고려청자의 본산이 강진이고, 바로 이 선생의 고향이 강진이기 때문입니다. 강진에는 현재 청자박물관이 있고, 명품 강진산 고려청자가 국보 14점, 보물 6점, 기타 12점, 도합 32점이 우리나라에 소장되어 있습니다. 이 선생의 고향은 바로 그런 강진이 아닙니까?"

"그렇습니다만……."

나는 당황스러웠다. 강진산 청자를 연구라도 한 듯 국보 몇 점, 보물 몇 점까지 줄줄 꿰고 있는 김 의원의 저의를 알아차리기가 힘들었다.

"저는 고려청자에 대해 이 선생과 얘기를 나누고 싶어 뵙자고 한 것입니다. 이 선생께서 쓰신 '고려청자고가매입 바가지 논란'에 대해 얘기를 나누려고 먼 길을 오시라고 한 것은 아닙니다."

나는 잠시 어리둥절했다. 나는 지역신문을 운영하는 운영자이면서 기사를 쓰는 신문쟁이에 불과한 사람이었다. 청자나 백자를 연구하는 전문가는 아니므로 그에 대해 아는 것이 전혀 없는 문외한이었다.

"청자에 대해 무슨 얘기를 나누자는 겁니까?"

"말 그대로 청자에 대해서입니다. 청자는 전문가만이 알아야 하고, 연구하는 사람만이 알아야 한다고 생각하지 않습니다. 고려청자는 우리의 역사요, 자랑 아니겠습니까? 누구나 우리나라 역사를 배워야 하듯이 청자 역시 국민이라면 알아야 한다고 생각합니다."

"의원님!"

나는 밑도 끝도 없는 그의 말에 웃음이 나왔다. 그의 말은 영락없이 학생들을 가르치는 교사나 진배없었기 때문이었다. 그가 말을 이었다.

"청자에 대해 잘 모르지만 알만큼은 알고 있습니다. 고려청자가 세계적으로 우수하다는 것 쯤 누가 모르겠습니까? 초등학교 학생들도 교과서에서 배우기 때문에 잘 알고 있지 않을까요? 그러나 청자의 우수성만 알았지 뼈아픈 역사는 우리 국민들이 잘 모르고 있을 것입니다. 뼈아픈 역사를 알았을 때 비로소 청자의 우수성은 더욱 빛을 발하게 되어 있습니다."

"의원님. 청자가 고려시대에 꽃을 피웠는데, 지금까지 그 명맥이 이어지고 있지 않아서 그런 말씀을 하시는 것은 아니겠지요? 그 때문에 뼈아픈 역사가 되었다는 말씀은 아니겠지요?"

청자의 뼈아픈 역사라니. 나는 국사를 전공한 사람이 아니었으므로 그의 말을 쉽게 이해할 수 없었다.

"고려청자 최대 장물아비는 누군 줄 아십니까?"

나는 그의 질문에 아무런 대답을 할 수 없었다.

"이토 히로부미였습니다."

그는 단언하듯이 목소리에 힘을 주며 말했다.

"이토 히로부미는 초대 통감이 아닙니까? 그러니까 1906년 개성 지역에서 고려도기가 다수 출토되었는데, 이토 히로부미는 이를 마구 사들였습니다. 그리고 도쿄로 가지고 돌아갔는데, 한 번은 귀경을 하게 된 이토 공이 정차장에 마중 나온 사람들에게 인사를 하며 '열차에 조선의 토산물이 많이 있으니 가져가도록 하시오' 하자 이들은 입이 깨진 병이며 조각난 청자발(鉢)을 나누어 가지고 돌아갔다는 것입니다."

"그럼 그 많은 고려도기를 누가 출토를 했단 말입니까?"

"당시 개성에서 출토된 고려도기는 모두 도굴품이었는데, 이토 공이 워낙 좋아하다 보니 통감의 위세를 등에 업고 도굴꾼들이 설치고 다녔던 겁니다."

대화는 이상하게도 일제강점기의 도굴 얘기로 흘러가고 있었다. 그러나 나는 옛 시대의 얘기가 그리 싫지만은 않았다.

"그렇다면 일제강점기에 고려도기가 엄청 일본으로 넘어갔다는 말이 아닙니까?"

어느 틈에 내 목소리가 커졌다.

"그렇습니다. 이토 히로부미가 고려도기를 사 모으기 시작했고, 이왕직(李王職:일제강점기 李王家와 관련한 사무 일체를 담당하던 기구)에서 박물관을 설립하게 되자 코미야(小宮) 차관이 고려도기에 주목하게 되었는데, 그 때부터 유물이 왕성하게 발굴되는 시대가 막을 열었습니다. 이 무렵, 아카오(赤尾)라는 사람은 경매까지 시작했는데, 인기가 높아 매일같이 일본인들이 몰려들었습니다. 일이 이렇게 흐르다 보니 청자도기가 담긴 조록싸리(朝鮮萩)가 매일같이 경성으로 몰려들었습니다. 이러한 청자도기는 경매에 부쳐졌는데, 청자사발 하나를 경매대에 올려놓고 10원이라고 외치면 25원까지 올라가는 등 배가 넘는 금액에 낙찰되곤 했습니다. 그런데 그 청자사발이 다음날 얼마에 팔린 줄 아십니까? 자그마치 10원에 내놓은 청자사발이 70원에 모 재판관에게 팔렸다는 것입니다. 지금 제가 말씀드린 것은 경성고미술골동매립회의 기록을 살펴보고 말씀을 드리는 것입니다."

"일본인들이 그리 좋아했습니까?"

"그렇습니다. 러일전쟁(1904.2~1905.5) 무렵이었는데, 당시 일본인 2~3백 명은 경성 토지에는 관심이 전혀 없었고 오로지 고려도기로 일확천금을 꿈꾸었으니 얼마나 인기가 컸다는 것을 알 수 있는 사실이지요. 어떤 조선 사람은 고려도기 한 점에 손가락 두 개를 치켜세우며 20원 짜리를 200원에 팔아볼 요량이었는데 2천 원을 주고 간 사람도 있었다는 일화가 있습니다. 그래서 그 조선인은 그 고려도기를 사간 일본인이 다시 찾아올까봐 한 달 동안 인천으로 도망다녔다는 것입니다. 그렇게 보면 조선인도 고려도기를 팔아 돈벌이를 한 셈이지요."

"일제강점기에 고려도기가 그렇게 인기가 좋았는지 몰랐습니다."

"아니, 이 선생의 고향이 강진 아닙니까?"

처음 대화를 시작했을 때에도 고향이 강진 아니냐고 되묻던 그가 다시 그 말을 되풀이하며 껄껄 웃었다.

"자꾸 강진이 고향이냐고 왜 물으십니까?"

"일제강점기 때 강진에서도 일본인들이 청자를 사기 위해 늘 들락거렸던 곳이 아닙니까. 그런 사실을 모르고 계셨습니까? 지역의 역사인데……."

나는 침을 꿀꺽 삼켰다. 강진 지역의 역사라면 어지간히 꿰뚫고 있다고 해도 과언이 아니었다. 강진 고려청자에 대해서도 알 만큼은 안다고 자부하는 터인데 지역의 역사를 모른다고 타박을 하다니.

"그 정도는 알고 있습니다. 특히 대구면 사당리 앞 밭에 지천으로 널려져 있는 청자파편을 수집해 가곤 했었지요."

"혹, 청자 거북이 모양 주전자를 아시지요?"

"알고 있습니다. 그렇잖아도 제가 그 모조품을 소장하고 있습니다."

언젠가 청자박물관에서 판매하는 청자 거북이 모양 주전자를 구입한 적이 있었다. 청자박물관에서는 민간요가 있는데도 관요 성격으로 여러 가지 전통청자를 판매하고 있었다. 청자 거북이 모양 주전자는 연꽃 모양의 하단부에 거북이가 등우리를 치고 있는 모습이 마치 어미 닭이 알을 품고 있는 모습과도 흡사했다. 거북 등에는 실재 거북등처럼 정교하게 선이 그어져 있어 더욱 거북임을 실감할 수 있는 주전자였다. 바로 이 거북주전자 역시 이토 히로부미가 통감으로 있을 때 일본으로 가져가 당시 메이지천황에게 직접 진상한 작품이었다. 그러다가 1960년 5월 일본 국립박물관에서 우리나라로 건너왔는데 바로 그 작품을 말하고 있었다.

"모조품을 갖고 계신다니 그 주전자로 술 한 잔 따라서 먹고 싶은 충동은 있었겠습니다그려. 그런데 이 청자 거북이 모양 주전자 외에도 이토 히로부미에게 진상했던 97점의 고려청자가 우리나라로 되돌아왔다는 사실입니다."

나는 그가 청자에 관해 박학다식하다고 느끼지 않을 수가 없었다.

나는 문득 머릿속에서 청자에 대한 얘기 한 토막이 떠올랐다. 강진에서 있었던 일제강점기의 일로 이미 마을사에 나와 있는 얘기였다.

강진 대구면에 사는 한 촌부가 선산(先山)의 선대 묘를 이장(移葬)하는 과정에서 수십 점에 달하는 고려청자를 발견했다. 그 고려청자는 무덤을 파묘했을 때 출토된 것으로 여러 형태의 유물을 그냥 버리기가 아까워 집으로 가져왔다. 그러나 일가친척 가운데 어르신들은 한사코 무덤 속에서 나온 고려청자를 집으로 들여서는 안 된다고 충고했다.

"사람이 묻힌 무덤에서 나온 것들은 모두 귀신이 붙은 것들이여. 집에 갖다놓으면 화가 미친다니께."

"당장 밖에다 내다버려사 돼야. 그 물건을 놔뒀다가 집안에 우환이라도 생기면 으짤 것이여!"

일가친척 어르신들의 말에 촌부는 하는 수 없이 고려청자를 대문 밖에 우선 놓아두었는데, 신기한 물건이 무덤 속에서 나왔다는 소문을 듣고 근동 사람들까지 몰려들었다. 그리고 한 마디씩 귀띔을 해주었다.

"내 들으니 읍내에 사는 일본 사람한테 갖다 주면 솔찬하게 돈을 준다는 말이 있다등만. 어서 갖다 주시게."

"맞어. 나도 누구한테 들었는디 그 일본 사람이 고려청자라고 하면 얼척없이 좋아한다고 그러대. 몇 푼이라도 건진다면 다 그것이 조상님 은덕이 아니고 뭣이겠능가."

"내 처가가 대구 사당리인디 말이여. 그 너른 자갈밭에 지천으로 쌓여 있는 청자 쪼가리도 일본 사람들이 자루째 사가드란 말을 들었네. 어서 갖다 주고 돈을 맹글소. 아무 짝에도 쓸모없는 것이 돈이 되니께 얼마나 좋은 일인가."

그런데 막상 그 고려청자를 바지게에 짊어지고 시오리도 넘는 읍내에 가서 일본인을 찾았더니 들었던 얘기와는 딴판이었다. 이 물건을 어디서 구했느냐고 묻기에 이만저만해서 얻은 물건이라고 했더니 왜 귀신 붙은 그릇을 가지고 왔느냐며 싸늘하게 대하는 것이었다. 괜히 한 나절 품만 버렸다고 생각한 촌부가 마악 뒤돌아서려니까 일본 사람이 그를 불렀다.

"잠깐만!"

촌부가 의아해하며 일본 사람을 바라보자 그는 봉투 하나를 내놓으며 말했다.

"여기까지 가져온 성의도 있고 하니 그냥 놔두고 가시오."

촌부는 우선 마을 사람들한테 창피를 면하겠다 싶어 두 말도 않고 바지게에 담은 청자를 죄 내려주고 집으로 돌아왔다. 그런데 일본 사람이 준 봉투를 슬그머니 열어보니 그 속에는 나락 열 섬 값이 들어 있었다. 놀란 촌부는 이 무슨 횡재인가 싶어 그 돈을 장롱 속 깊이 묻어놓고 두 달 가까이 두문불출했다. 행여 일본 사람이 다시 찾아와 물건을 물릴까 두려워서였는데, 끝내 나타나지 않자 크게 안도의 한숨을 내쉴 수 있었다.

"그런데 일본인들은 비단 고려청자뿐만 아니라 1922년 4월에는 경성미술구락부를 설립해 우리 문화재를 수 없이 가져갔습니다."

김 의원이 차를 한 모금 삼키며 말했다.

"경성미술구락부라면 무슨 일을 한 곳입니까?"

내가 물었다.

"조선 최초로 설립된 하나밖에 없는 미술품 경매 회사입니다. 수 만 번의 붓질로 완성된 단원(檀園) 김홍도의 '표피도(豹皮圖)' 같은 작품도 경매에 나왔다가 나중 북한의 국보가 되는 일도 있었습니다."

"일본인들은 누구나 골동품을 무척 좋아했다고 볼 수 있겠습니다."

"그렇습니다. 골동(骨董)은 조선시대에 고동(古董)이라고 했지요. 그러나 지금은 고미술품 전반을 가리키는 용어가 아닙니까. 조선시대에는 야반들의 고동서화 취미가 생활의 한 부분으로만 인정되었는데, 18세기 조선 후기에 들어서는 박지원(朴趾源), 박제가(朴齊家) 등이 연경(燕京)을 다니면서 골동품점에 출입하고 그 문헌을 소개하면서부터 당시 선비들에게 큰 영향을 끼쳤었습니다. 박지원은 서화고동의 감상을 '구품중정(九品中正)의 학(學)이라 했고, 박제가는 서화고동의 존재의의를 청산·백운(靑山·白雲)이 먹는 것도 입는 것도 아니지만 사람들이 다 그것을 사랑한다'며 사람의 심미감을 강조했는데, 일제시기에는 일본인 고미술상에 의해 미술품 경매회사인 경성미술구락부가 조직되어 고미술품 교환과 거래가 이루어졌다는 것입니다. 1920년부터 체계화되어 해방 전까지 20여 년간 경성미술구락부에 의해 경매라는 것을 이용, 수많은 우리 미술품들이 거래되었을 뿐 아니라 다른 여러 나라로 유출되었다는 사실입니다."

"규모가 어떠했을까요?"

"마침 자료집이 나와서 세세히 알 수 있었는데, 어마어마했다고 봐야겠지요. 조선서화(朝鮮書畵), 고려 및 이조시대 도기 목공류 등 너무 가지 수가 많으니까 고려청자만 몇 가지 얘기해 보겠습니다. 그들은 초창기부터 고려청자음각주병(高麗靑磁陰刻酒甁), 회고려백흑유병(繪高麗白黑釉甁, 고려청자운학상감병(高麗靑磁雲鶴象嵌甁), 고려목단상감대향합(高麗牧丹象嵌大香盒) 등을 경매했는데, 고려청자 뿐 아니라 이조자기도 함께 경매를 했지요. 경매시장에 나왔던 상당수의 작품들은 현재 국립중앙박물관이나 일부 사립박물관에 소장되고 있음을 확인할 수가 있지만 아직도 많은 작품들의 행방이 묘연합니다. 당시 일제는 주식회사 경성미술구락부를 만들어 경매를 할 때 그 목록을 일목요연하게 정리했기 때문에 당시 작품들의 소재를 파악할 수가 있었던 것이지요."

김 의원이 말을 마치고 나더니 벌떡 일어났다.

"밖으로 나갑시다. 술시도 되고 했으니 한 잔 마시면서 얘길 나눕시다."

"알겠습니다."

나는 순순히 그를 따라 나서면서 그의 박학다식한 청자 지식에 거듭 놀라움을 금치 못하고 있었다. 마치 청자 연구가처럼 느껴지는 것이었다.

도로는 어느 틈에 휘황찬란한 불빛으로 가득 차 있었다. 줄줄이 이어지는 자동차의 헤드라이트 불빛과 높고 낮은 건물에서 뿜어내는 네온사인 불빛으로 인해 시골에서 올라온 나는 오랜만에 딴 세계에 온 것 같았다. 승용차는 미끄러지듯 큰 도로를 달리기 시작했다.

"도시란 낮엔 남자의 모습이었다가 밤엔 여자로 변합니다. 낮엔 예의바르고 신사도를 갖춘 남자의 모습이었다가 밤엔 무희가 무대에서 춤을 추는 여자의 모습이지요. 그렇지 않습니까, 이 선생!"

"그런 것 같습니다."

나는 못이긴 척 그의 말에 동의했다.

"그런데 이 선생!"

김 의원이 내 어깨를 툭 치며 말했다.

"나는 청자를 볼 때마다 매병은 여자 같고 주병은 남자 같다는 생각을 많이 했습니다. 청순하고 아리따운 여자의 어깨에서 허리까지를 그대로 그린 듯 곡선이 있는 것이 매병이지요. 가슴은 풍만해서 터질 것 같은데, 허리는 벌의 가느다란 허리처럼 가늘고 그 아래는 뒤태를 보이려다 그만 여자의 엉덩이를 연상케 하는 것이 매병 아니겠어요? 대신 주병은 가슴이 떡 벌어진 사내가 엄청난 두 다리를 가진 힘 센 남자 같다는 생각입니다. 더구나 주병은 남자들이 술을 담아 먹는 술병이기도 하지만 말입니다."

"재밌는 말씀입니다. 하하하."

나는 그의 말이 재미가 있어 웃어주었다.

"제가 청와대에서 이명박 대통령과 만찬을 가진 적이 있었는데, 강진에서 만들었다는 청자주병에 막걸리가 나와서 매우 인상적이었습니다."

강진청자가 청와대에 납품된 사실을 나도 알고 있었다. 그런 사실이 중앙 언론에 보도되자 물건이 없어서 팔지 못할 만큼 인기가 있었다. 나는 그때 중앙 일간지나 지방 일간지보다 더 크게 대서특필하면서 강진청자가 대중화되어야 한다고 주장했었다. 전통청자를 고집하면서 한쪽으로는 누구나 청자를 사용할 수 있도록 밥그릇, 국그릇, 반찬그릇, 다기 등이 실용화되어야 한다는 점을 강조했던 것이다.

"참, 2005년 노무현 대통령 시절에 부산 APEC 정상회담 국빈선물용 만찬식기를 강진에서 제작했었지요?"

"그렇습니다. 강진청자박물관에서는 국보 220호인 청자상감운학국화문합을 제작해 제13차 APEC 21개국 정상에게 국빈선물로 증정을 한 비 있습니다. 당시 청자박물관에시는 시간적 여유가 없어 처음엔 상당히 당황했던 것으로 알고 있습니다. 처음엔 용과 봉황, 모란 무늬의 청자상감용봉모란문개합을 만들려고 했답니다. 그러나 워낙 다급하다보니 구름과 학, 국화무늬가 있는 청자상감운학국화문합을 만들기로 직원들끼리 합의를 보았답니다. 어쨌든 그렇게 결정을 하고 나서 작업에 들어갔는데, 첫 번째 순서는 성형작업이었습니다. 수 백 개의 제품 규격이 일정해야 되기 때문에 석고를 짠 다음 만들기 시작했습니다. 국보급 합 모양이나 크기, 형태 등을 그대로 만들기 위해서였지요. 이렇게 성형작업이 끝난 작품은 문양 작업을 하는 조각이었는데, 시간이 워낙 촉박하다 보니 퇴근도 없이 날마다 밤 10시까지 작업에 매달려야만 했습니다. 20일간을 야간작업 하던 끝에 950도 정도에서 초벌구이가 끝난 작품에 유약을 발랐습니다. 이른바 시유작업이라는 것이지요. 그 과정에서 문양작업이 끝난 작품은 완전히 말라야만 했는데 덜 마른 상태에서 가마재임을 한 다음 초벌구이를 하자 그릇이 터지고 균열이 생겨났습니다. 그런 가운데 초벌구이는 강행되었고 문양작업 또한 본격적으로 시작했는데 작품이 되는대로 초벌구이를 했고 초벌구이에서 작품을 선별해 시유작업을 하는 일들이 계속되었습니다."

"그래서요?"

"본벌구이를 할 때는 전날 가마재임을 한 후 그 다음날 새벽, 가까운 정수사(靜水寺)의 도조사(陶祖司)에 전 도공들이 기도를 하였답니다."

"도조사란 말은 처음 들어보는데요?"

김 의원이 물었다.

"도조사는 정수사에 있는 건물로 '고려시대 무명도공조상 위패'를 모신 곳입니다. 신라시대 도선국사가 창건했다는 정수사는 옛 이름이 쌍계사였습니다. 청자를 굽던 가마가 밀집된 당시 대구소와 몇 발짝 떨어지지 않은 곳에 자리한 절이었기 때문에 도공들의 안식처가 되었을 것으로 추측하고 있습니다. 불심에 의지

해서 최상품의 청자를 만들고자 했던 도공들의 심신 수련 도량이었던 것입니다. 바로 그 절에 무명도공조상의 위패를 모셔놓고 해마다 청자축제가 열리는 날이면 행사 전날 축제의 성공을 기원하는 곳이기도 합니다. 바로 그 도조사에서 청자박물관의 모든 도공들이 아무 탈 없이 비취색의 청자상감운학국화문합이 나오게 해달라고 기도를 했던 것입니다."

"어허!"

김 의원이 혀를 내둘렀다.

"불이 댕겨지고 무섭게 장작이 타오르기 시작했는데 불을 땐 후 사흘간 가마를 식히면서도 도공들의 마음은 애간장이 타들어가는 기분이었답니다. 왜냐하면 납기일에 맞추어 청자를 납품해야했기 때문이었겠지요. 그러나 이같은 일은 강진청자를 대내외적으로 알릴 수 있는 절호의 기회였습니다. 구름과 학, 국화무늬의 청자상감운학국화문합이 재현되자 각 언론사에서 인터뷰가 쇄도했기 때문입니다. 그런데 여러 차례 신문 방송에 기사가 나가자 전국 각지에서 주문이 몰려들기 시작했습니다. 하지만 몰려드는 주문을 다 소화시킬 수가 없자 민간요에서 만들어 팔기 시작했는데, 청자박물관은 물론 민간요까지 대박을 터뜨렸습니다. 대박 말입니다! 생각해 보십시오. 21개 정상들이 받은 선물 그대로 많은 사람들이 사고 싶어 했으니 3년간 강진청자는 흥행이었다니까요."

나는 큰 자랑이라도 된다는 듯 큰소리로 설명했다.

"바로 그것입니다. 국보급 청자를 재현했을 때 많은 사람들이 호응을 하지 않았습니까? 그러나 옛 청자의 재현에만 그칠 것이 아니라 현대판 청자도 많이 만들어야 합니다. 즉 재현과는 다르게 창의성을 갖고 작품을 만들 때 청자발전이 있지 않을까요? 또 어떤 사람도 청자를 구할 수 있도록 일반화가 되어야 합니다. 그러려면 식기라든지 애완용품이라든지 또 실용성이 있는 것 등을 제작해야 됩니다."

"그 점은 저도 동감입니다."

나는 고개를 끄덕였다.

2

"이 음식점은 모든 식기를 청자로 사용하고 있습니다. 좀 특별한 식당이라고 볼 수 있지요."

김 의원이 한옥으로 된 한정식 식당 앞에서 차를 세우게 한 후 앞장서 들어가며 말했다. 한정식집 간판은 '미포나루'라고 적혀 있었다.

"간판이 '미포나루'라고 한 것은 무슨 사연이라도 있는 것 같은데요?"

'미포나루'라는 말이 무엇을 뜻하는지 모르십니까?"

나는 얼굴이 붉게 물들여졌다. 마치 알아야 할 말을 모르고 있다는 것에 핀잔을 주는 것 같았기 때문이었다.

"귀에 익은 말이긴 합니다만."

나는 발걸음을 멈추고 귀밑을 긁어내렸다.

"제가 알고 있는데 이 선생께서 모르시다니."

"어서 말씀을 해주십시오. 혹 강진과 관련이 있는 지명이 아닌가요?"

"맞습니다."

나는 한 방 얻어맞은 듯한 느낌이었다. '미포'는 강진에서도 청자도요지가 있는 대구면 바닷가에 있는 조그만 포구를 일컫는 지명이었다. 나중에야 생각났기 때문에 나는 부끄러움을 느끼지 않을 수 없었다.

그렇다면, '미포(彌浦)'는 청자운반선이 들락거렸던 바로 그 나루가 아니겠는가. 2009년 강진에서는 청자운반선을 재현한 '온누리호'라는 돛단배가 강진 앞바다를 왔다 갔다 한 적이 있었다. 그리고 태안반도를 거쳐 인천 앞바다까지 옛 뱃길을 다녀오기까지 했었다.

"한정식 주인은 청자를 생각해서 식당 이름까지 미포나루라고 지었던 것입니다. 미포부곡(彌浦部曲)이란 말은 『신증동국여지승람』에도 나와 있습니다. 탐진현의 남쪽 30리에 있다고 말입니다. 그 미포나루는 청해진 장보고 대사가 고려자기의 세계적 무역항으로 이용하기도 했지요."

"미포나루는 이해가 됩니다만 왜 갑자기 장보고 대사 얘기가 나옵니까?"

"완도에서 북동쪽으로 20킬로 정도 떨어진 강진군 대구면 미포나루에서 장보고 대사가 설치했던 청해진까지는 배를 타고 1시간 안에 도착할 수가 있습니다. 돛단배를 타도 1시간이면 도착할 수가 있다는 거지요. 그만큼 가깝다는 것인데, 대구면에는 흙과 물이 좋기도 하지만 가마에 지필 나무가 풍족하고 운송도 용이한 곳입니다. 도공들이 쉽게 도자기를 옮길 수 있어야만 최적지가 되는 것인데 이 모든 조건들이 충족되는 곳이 대구면이라는 겁니다. 그 뱃길을 장보고가 이용했다는 것인데, 장보고 이름이 나올 수밖에 없는 것은 중국의 해무리굽 청자 파편이 그동안 청해진이 있었던 완도 장도(조음도)와 통일신라 안압지, 청룡사지, 미륵사지, 충남 부여 부소산 등에서 발견되었기 때문입니다. 해무리란 태양의 주변에 둥그렇게 형성되는 띠 형태를 말하는 것으로 자기 바닥에 동그랗게 양쪽으로 튀어나온 부분을 말하지요. 이와 같은 증거로 이미 중국의 해무리굽 청자가 신라 때부터 유통되었다는 것을 알 수 있는데, 월주요(越州窯) 특징인 해무리굽 청자가 강진 도요지에서 생산되었다는 게 아닙니까? 그러므로 강진 도요지에서 웨저우요(월주요) 방식으로 생산된 자기는 장보고가 청해진을 본영으로 두고 활동했던 9세기까지 거슬러 올라가야 맞겠지요. 특히 이를 증명할 수 있는 삼흥리 3호 등에서 신라시대 해무리굽 형태의 자기를 생산하는 가마가 발견되었기 때문에 더욱 확신을 가질 수 있질 않겠습니까?"

나는 그의 해박한 청자 지식에 다시 한 번 놀랐다. 그보다도 정작 강진에서 살고 있는 나보다 더 잘 알고 있다는 사실이 부끄러웠다.

한정식 내부는 일반 식당과 달리 특이했다. 너른 입구에는 국보 제95호인 청자칠보투각향로(青瓷七寶透刻香爐)의 모형이 다리가 길고 날렵하게 생긴 탁자 위에 놓여 있었고, 벽면에는 주병과 매병이 세워져 있었다. 그리고 상다리가 부러질 만큼 반찬 수가 많은 한정식은 김 의원의 말대로 모두 청자식기를 사용하고 있었다.

"참, 강진에 있는 식당들은 청자 그릇을 사용하고 있습니까?"

김 의원이 청자칠보투각향로의 모형을 손가락으로 가리키며 물었다.

"몇 군데만 하고 있습니다."

"저런! 제 생각에는 강진이야말로 청자도요지이기 때문에 모든 식당들이 청자식기를 사용해야 한다고 봅니다. 그래야만 자기 고장을 알릴 수 있는 좋은 기회가 아닐까요?"

"그렇다고 강제성을 띄울 수는 없질 않겠습니까?"

"계도를 해야겠지요, 계도를……. 참, 우리 임진왜란 때 얘기 좀 해봅시다."

김 의원이 술을 한 잔 따라주며 입을 열었다.

"임진왜란 때라면 조선 도공들이 일본으로 많이 끌려간 그 말씀이신가요?"

"그렇습니다. 2008년의 일인데 일본인 고미술품 수집가 후지이 타카아키 씨 유족이 '추철회시문다완'을 기증한 바 있습니다. 그 다완에는 임진왜란 때 일본으로 끌려간 도공이 쓴 것으로 짐작되는 글이 있는데, 그 글귀가 자못 가슴을 뭉클하게 하더군요."

"뭐라고 썼길래……."

"'저 멀리서 개 짖는 소리가 들린다. 그리운 고향에 돌아가고 싶다.' 바로 이런 글이 한글로 적혀 있었다는 것입니다. 그런데 제가 이 말을 끄집어내는 이유는 16세기 당시 유명한 다완 하나에 쌀로 1만 석의 가치가 있었다는 사실입니다. 조선 다완은 현재 마흔 두 점이 남아있다는 보도를 접한 바 있는데 자그마치 400억 원을 호가하는 작품도 있다 들었습니다. 임진왜란 때 끌려간 도공들이 특별한 대우와 보호를 받으면서 다완을 만들었는데 그 찻사발이 도자산업을 일으켰던 것이지요. 지금도 일본에서는 아리타 도자축제가 열리고 있습니다. 1백회가 훨씬 넘을 만큼 이삼평도조제(李參平陶祖祭)도 열리고 있지요. 아리타는 임진왜란 때 충청도 공주에서 가토(가등청정) 휘하에 있던 나베시마 왜장에게 잡혀간 이삼평을 비롯한 조선인들이 정착했던 곳으로 현재는 14대손에 이르도록 도자기를 만들고 있습니다. 이삼평은 아리타에서 좋은 양질의 백자석이 대량으로 발견되자 이곳에 요를 설치하고 일본 최초로 백자를 만들었습니다. 나베시마 왜장은 잡혀간 도공들에게 창씨 개명을 강요하면서 일본인들과 결혼을 하도록 종용했지만, 가고시마 영주인 시마즈에게 잡혀간 전라도 도공들은 이마마(米山)에서 현지 사람들과 격리되어 살도록 했습니다. 그래서 수백 년 동안 조선 이름을 쓰고 조선인들끼리 결혼을 하며 지낼 수 있었으나 아리타 지역에서는 정착하자마자 조선 성과 조선 문화를 잊고 살아야만 했습니다."

나는 고개를 끄덕이며 그의 말을 경청했다.

"어쨌든."

그는 입술을 꽉 깨물더니 다시 말을 이어 나갔다.

"임진왜란으로 인해 끌려간 도공들은 낯선 나라에서 그야말로 죽을 고생을 하며 도자기를 만들었습니다. 일본 도자기 상인들은 영주의 비호 아래 도자기를 팔아 떼돈을 벌었는데, 그 후 유럽시장에서 상류계급층들의 도자기 수요가 늘어나자 도자기로 엄청난 번영을 누리게 되었습니다."

"조선의 도자기 기술로 부를 축척하게 되었군요."

"그렇습니다. 우리 선조 도공들은 명인이 될 수 있는 끈기와 자질을 갖추었습니다. 그러기에 고려청자가 고려불화와 함께 세계적인 명품이 되었지 않겠습니까? 일본에서는 다음과 같은 얘기가 전해오고 있습니다. 일본 오카야마(岡山) 번주(藩主)인 이케다(池田) 후작의 몇 대 손인지 모를 당주는 평소 무도(武道)를 열광했던 모양입니다. 그래서 달인들을 불러 모아 시합을 즐기곤 했는데, 하루는 늑대 한 마리를 대울타리 안에 가두고 궁술의 명수들에게 늑대를 쏘아 맞추라고 했답니다. 그래서 제법 솜씨 있는 궁사들이 말 위에서 멋들어지게 늑대를 쏘아 맞추겠다고 벼렸지만 그 때마다 늑대는 교묘하게 요리조리 도망을 쳐 성공을 하지 못했습니다. 서너 사람이 나섰지만 모두 실패로 끝나자 번주는 몹시 기분이 상했습니다."

이 때 사부로(三郞)란 젊은이가 나섰는데, 그는 먼저 늑대가 달리는 방향대로 울타리 밖에서 두 바퀴를 돌았다.

"저 친구는 늑대가 피로하기를 기다렸다가 쏘려고 저렇게 빙빙 도는 게로구먼."

구경꾼들은 사부로의 속셈을 알아차리고 웃음을 터뜨렸다. 그러나 사부로는 이윽고 달리는 늑대와 말이 보조를 맞추었을 때 시위를 당겼다. 사부로의 화살은 여지없이 늑대의 목덜미를 명중했고, 늑대는 몇 차례 숨을 헐떡거리더니 눈을 감았는데, 번주는 크게 만족하고 사부로에게 상을 내렸다.

그런데 다음날, 자신의 검도 실력을 자신하는 무사 한 사람이 사부로에게 승부를 걸어왔다. 사부로는 그의 청을 거절하지 않고 시합장으로 나갔다.

"사부로야! 이길 자신이 있느냐? 만일 그 무사와 싸워서 이기면 괜찮지만 지게 되면 어제의 네 명예가 땅에 떨어질 것이니라."

사부로의 조부가 걱정스러운 목소리로 물었다.

"승부는 순간의 운입니다."

사부로는 태연하게 대답을 한 후 시합장으로 나갔는데, 사부로가 쏜 화살을 무사가 검으로 두 동강을 내버렸다. 시합에서 이긴 무사는 오만한 눈빛으로 사부로에게 말했다.

"시합에서 졌으면 당연히 할복을 해야 되지 않는가?"

그러나 사부로는 조금도 얼굴빛을 바꾸지 않았다. 이 때 번주가 사부로를 불러 쇠로 만든 과녁을 꿰뚫어보라고 명했다. 만일 실패한다면 목을 치겠다고 말했다. 과녁을 꿰뚫지 못한다면 늑대를 쏘아 맞힌 것은 요행에 불과한 실력임을 입증하기 때문이었다.

"반드시 해내겠습니다."

사부로는 번주의 활을 빌려 정확히 과녁을 꿰뚫자 번주는 크게 기뻐했다. 그리고 무사를 불러 사부로의 활 솜씨가 있었음을 칭찬했다. 그러자 무사는 사부로의 패배를 그런 식으로 감싸주면 되겠느냐고 따졌다. 번주가 이에 대답했다.

"그대는 자기 맘대로 승부를 걸어놓고 이겼다하여 패한 이가 할복을 하게 된다면 아까운 무사 한 명을 잃게 되는 법. 그대는 내게 와서 충성을 맹세하며 나의 어떤 명도 따르겠다고 했으면서 이유를 대는가?"

무사는 화를 벌컥 내며 말했다.

"번주께서는 무사를 알아보는 안목이 적습니다. 번주와 같은 옹졸한 사람은 제가 주인으로 섬길 수가 없겠습니다."

무사는 번주의 곁을 떠나고야 말았다. 사부로가 번주에게 말했다.

"제가 무사의 뒤를 쫓아가 다시 한 번 화살을 쏘아보겠습니다. 진정한 실력이 있으면 제 활을 받아내지 않겠습니까?"

사부로는 활을 들고 무사에게 외쳤다.

"화살을 받아보라!"

무사가 사부로의 고함소리에 화살뿐 아니라 사부로의 목까지 치겠다며 칼을 뽑아들었다. 사부로는 가지고 있던 단 한 대의 화살을 무사를 향해 날렸다.

피웅.

화살은 무사를 향해 날아갔는데, 지난번처럼 무사는 화살을 막아내지 못하고 그만 가슴에 관통하고 말았다. 사부로는 아무도 모르게 처음 사용했던 활보다 두 배가 더 강한 활을 만들었었고, 그 활은 두 명의 힘이 필요할 만큼 강했다. 그래서 무사는 강궁에 쓰러지고 말았는데, 오만한 무사는 자신의 검 실력을 과신한 까닭이었다. 무예는 뛰어났으나 무도(武道)는 익히지 못한 탓에 사부로의 손에 목숨을 잃은 것이다.

"그러므로 자기수양을 하지 않으면 남을 얕보게 되니 작은 성공에 만족하지 말고 언제나 정신 수양에 힘써야 명인이 될 수 있다고 들었습니다. 우리 선조 도공들은 그런 정신으로 자기를 만들었다고 생각합니다."

김 의원이 내게 술을 따라주었다. 나는 거듭 고개를 끄덕이며 그의 말을 경청했다.

그런데 한정식 음식으로 배가 불룩하게 채워지고 있을 무렵 위

아래로 한복을 곱게 차려 입은 주인여자가 술 한 병을 들고 안으로 들어왔다.

"두 분이 진지하게 대화를 나누시길래 조금 지체되었습니다. 제 술 한 잔씩 받으시지요."

주인여자가 나비처럼 앉더니 술 주전자를 두 손으로 치켜들었다. 그런데 그녀가 들고 있는 술병이 고려청자여서 내심 놀라지 않을 수 없었다.

"이 술병 이름이 무엇입니까?"

김 의원이 신기하다는 듯 뚫어져라 바라보며 물었다.

"고려청자음양각수주(高麗青磁陰陽刻水注)라고 합니다. 하두 맵시가 호박처럼 풍만하면서도 뚜껑이 정교해서 모형을 만들어달라고 했어요."

"모형일지라도 고려청자 술병으로 술을 마시니까 환상적입니다!"

김 의원의 입이 크게 벌어졌다.

"술도 환상적일 걸요, 김 의원님!"

주인여자는 특별히 지리산 깊은 계곡에서 캐온 귀한 산삼주라면서 술을 가득 따랐다. 교태는 없어 보였으나 어딘가 모르게 상대방을 빨아들이는 흡인력이 있었다. 게다가 서울 한복판에서 한정식집을 운영할 만큼 뛰어난 미모였다. 이목구비가 뚜렷했고 중년의 나이이면서도 허리가 가늘었다.

"산삼주라."

김 의원이 단숨에 들이키더니 내게도 마실 것을 권했다. 나도 김 의원처럼 조금도 남기지 않고 마셨다. 특이한 향내가 온 뱃속을 채우는 것 같았다.

"최 여사님!"

김 의원이 갑자기 진지해지면서 주인여자를 불렀다. 그녀는 대답 대신 조용히 미소를 띠며 웃어보였다.

"오늘 특별한 손님을 모시고 이곳을 찾아온 이유가 있어요."

"저분이?"

최 여사가 나를 쳐다보았다.

"전라도 강진에서 온 분입니다."

김 의원이 나를 가리키며 소개를 했다.

"안녕하세요? 최화강이라고 합니다. 저도 강진이 친정이예요."

"졸지에 고향 분을 뵙습니다. 반갑습니다."

나는 주머니에서 명함을 꺼내 그녀에게 건넸다.

김 의원이 이번엔 최 여사를 가리키며 말했다.

"여사장님은 탐진최씨입니다."

"아, 그렇군요."

탐진최씨는 강진에 시조묘와 '강덕서원(康德書院)'이 있어 성씨에 조금만 관심이 있는 사람이라면 쉽게 알 수 있는 일이었다.

"탐진최씨 시조는 최사전(崔思全)이란 분입니다."

김 의원이 갑자기 탐진최씨 시조에 대해 말을 꺼냈다.

"탐진최씨 시조에 대해 아시는 바가 있습니까?"

내가 물었다. 청자에 대한 식견만 있는 줄 알았는데 갑자기 강진지역의 성씨를 운운하는 말투가 예사롭지 않았다.

"최사전은 고려시대 때 인종을 쫓아내려던 이자겸(李資謙)의 난을 해결한 사람입니다. 또한 최사전은 장흥임씨를 인종의 비에 천거하여 공예태후가 되게 하였습니다. 공예태후가 의종(毅宗), 명종(明宗), 신종(神宗)을 낳으니 이 세 왕들이 도자발전에 크게 도운 것으로 나타나 있습니다. 그렇게 청자가 만들어지면서 예술적으로 극치라 할 수 있는 상감청자(象嵌青瓷)가 바로 강진에서 탄생되었으며 80년간이나 꽃을 피웠습니다."

김 의원은 잠시 말을 멈추고 나서 술잔을 들어 단숨에 들이마셨다. 그리고 말을 이어나갔다.

"그런데, 인종 장릉에서 출토된 청자가 어떤 청자였느냐가 중요합니다. 그래야만 최사전과 인종의 관계를 통해 청자발전이 어떻게 이뤄졌는지 알 수 있기 때문입니다. 인종 장릉에서는 인종 시책(諡冊)과 함께 청자 4점, 청동 내합, 석제 외합, 청동 인장, 은제 숟가락과 젓가락이 출토된 바 있었습니다. 그 또한 도굴꾼들에 의해 청자와 그 밖의 물건들이 세상에 드러나게 되었지만, 결국 일본인 골동품상이 조선총독부박물관에 팔아넘기고 말았습니다. 나중 국립중앙박물관으로 들어오게 되었지만 말입니다."

"그토록 잘 아시니 청자 넉 점은 어떠한 것들이었습니까?"

내가 물었다.

"아시고 싶으십니까? 뭔고 하니 '청자 참외 모양 병', '청자 합', '청자 뚜껑 있는 잔', '청자 받침대'였습니다. 특히 몸통이 참외 형태로 주둥이가 나팔꽃처럼 벌어진 '청자 참외 모양 병'은 당시 청자의 아름다움을 유감없이 보여준 청자의 꽃이라고 말할 수 있습니다. 1123년 송나라 휘종 황제의 사신인 서긍(徐兢)이 개경을 방문하면서 청자의 비색(翡色)을 극찬한 적이 있었는데, 바로 '청자 참외 모양 병'을 보고 말했지 않았을까 여겨집니다."

김 의원의 말대로 고려청자가 중국으로부터 인정을 받은 것은 중국 사신 서긍의 안목 때문이었다. 그는 개성에서 한 달 간 머물면서 고려의 생활상을 상세히 기록했는데, 그것이 「선화봉사고려도경(宣和奉使高麗圖經)」이었다. 서긍은 관찰력이 뛰어나 나전칠기가 말안장에 장식된 것을 보고 이렇게 말했다.

극정교세밀가귀(極精巧細密可貴).

이 말은 지극히 정교할 뿐 아니라 세밀해서 가히 귀하다고 할 만하다, 라는 뜻이었다.

이는 일부분에 불과할 만큼 그는 300여 항목으로 고려의 모든 것들을 기록하고 그림까지 그려서 휘종황제에게 받치기까지 했던 것이다. 그러자 휘종황제는 크게 기뻐하며 상을 내리기까지 하였다.

그런 서긍이었으므로 당연히 청자에 대한 말이 없을 수 없었다. 그는 『고려도경』을 통해 청자향로인 산예출향(狻猊出香)이 고려비색 중에서 최고로 빼어난 작품이라고 평했는데, 연꽃 위에 사자가 쭈그리고 앉아 있는 청자향로를 보고 절로 감탄이 터져 나왔던 모양이었다. 서긍이 어찌 산예출향만 보았을까. 그는 청자 술단지인 도준(陶樽)을 보고 도기의 빛깔이 푸른 것에 대해 고려인은 비색(翡色)이라고 부른다며 더욱 솜씨가 나아졌다고 했다.

김 의원은 말을 마치고 나서 나를 빤히 쳐다보며 다시 이어갔다.

"그런데 이규보(李奎報)란 사람을 아십니까?"

"청자와 관련이 있는 사람입니까?"

"그렇습니다. 그는 고려 때 문신입니다. 어찌나 술을 좋아했던지 술을 마시지 않고서는 시를 지을 수가 없을 정도였는데 술에

다가 선생이란 칭호를 붙여 '죽선생전'이란 가전체 문학을 짓기도 한 사람입니다. 그는 청자 술잔에 대해 이렇게 노래했습니다.

청자로 술잔을 구워내
열에서 우수한 멋 하나를 골랐으니
선명하게 푸른 옥빛이 나는구나.
몇 번이나 연기 속에 파묻혔기에
영롱하기는 수정처럼 맑고
단단하기는 돌과 맞먹는단 말인가.
이제 알겠네 술잔 만든 솜씨
주인이 좋은 술 있으면
너 때문에 자주 초청하는구나.

아마도 고려 때에는 술을 알고 멋을 아는 사람들은 청자 술잔을 마련해 놓고 술을 마셨던 것 같습니다. 이규보는 또 '동자모양청자연적'의 시를 지었는데 기가 막힐 만큼 잘 표현했습니다.

저 청의(靑衣)동자
고운 살결 옥과 같구나.
허리 굽힌 모습은 공손하고
이목구비는 청수하네.
종일토록 게으름 없이
물병 들고 벼룻물 공급하니
네가 내 곁에 있어준 뒤로는

내 벼루엔 물이 마르지 않았단다.
네 은혜 무엇으로 갚을 건가
잘 간직하여 깨트리는 일 없게 하겠노라.

이렇게 말입니다."

"참으로 멋지게 지은 시입니다. 옥처럼 고운 살결을 지닌 동자가 종일 물병을 들고 물을 공급하니 벼루에 물이 마르지 않는다고 감탄하는 시로군요. 저도 청자동자연적이란 말을 들은 바 있습니다만 혹 일본 오사카 시립동양박물관에 소장되어 있는 작품이 아닌가요?"

"맞습니다. 초립을 쓴 동자가 물병을 보듬고 앉아있는 모습이지요. 이렇듯 청자가 고려시대에 번성할 수 있었던 것은 최사전이 있었기 때문이라고 확신하고 있습니다."

이때 최 여사가 빈 잔에 술을 채워주며 말했다.

"의원님 말씀이 맞습니다. 몇 년 전 최사전 탐진최씨 시조께서 이자겸 난으로 인해 어려운 정국을 해결하셨을 뿐 아니라, 고려청자 발전의 초석이 되셨다는 말을 듣고 한정식집 명칭을 미포나루라고 정했습니다. 더군다나 최사전 시조의 묘와 사당이 강진에 있어서 강진 출신으로 더욱 사무심이 생기더라구요."

"그래서 제가 이 집을 가끔 찾는 게 아니겠습니까?"

김 의원이 최 여사를 바라보며 웃었다.

"저는 의원님께서 저희 집 음식을 좋아하시기 때문에 오신 줄 알았는데요?"

"하하! 최 주인도 좋고 한정식의 음식도 좋고 청자도 좋고 다

좋습니다."

"부디 변심만 말아주세요."

최 여사가 하얀 이빨을 드러내며 환하게 웃었다.

"이 선생! 참, 우리나라 보물인 청자복숭아연적을 아십니까? 언젠가 삼성미술관에 갔더니 그 청자가 있었는데 매우 감동을 받아서 드리는 말씀입니다."

"예, 기억이 납니다."

"그 연적을 보는 순간 참으로 옛 도공들의 예술혼을 거듭 느낄 수가 있었습니다. 명품 중에 명품인 복숭아연적은 말 그대로 복숭아를 닮았는데 말입니다. 복숭아는 무엇을 연상케 합니까? 바로 농익은 여인의 육체가 아니겠습니까?"

이때 최 여사가 슬그머니 끼어들었다.

"그럼 그 연적을 하루 종일 손바닥에서 놓지 않고 지냈던 선비들의 마음은 어땠을까요?"

"보나마나 그 연적으로 여인을 떠올리며 글씨를 썼겠지요. 마치 주인님처럼 피부 한 번 고운 여인의 젖가슴처럼 생긴 연적을 만지작거리며 말입니다. 물이 흘러나오는 주둥이가 꽃봉오리처럼 생겼으니 남자의 사랑스러운 손길에 벙긋 웃는 것 같은 모습이지요."

"어머나! 의원님 말씀이 더 재밌네요. 호호호."

"옛 선비들이 그렇게 생긴 연적을 가지고 놀았으니 고려시대의 선비들은 자유분망한 가운데 학문을 했지 않았을까 생각합니다."

내가 말했다.

"그래서 피천득 수필가는 '수필은 청자연적이다'라고 말했겠지요. 호호호."

최 여사가 맞장구를 치며 대화를 이끌어나가자 자리는 훨씬 화기애애해졌다.

"술을 마실 때는 뭐니뭐니해도 여자가 곁에 있어줘야 술맛이 나거든요. 그렇지요, 수필은 청자연적이라. 피천득 수필가는 수필을 청자에 비유했군요."

내 말이 끝나고 연거푸 술잔이 몇 순배 돌아간 후 김 의원이 내 얼굴을 빤히 바라보며 정색을 하고 말했다.

"이번 일은 그냥 넘어가려고 합니다. 무엇보다도 강진군이 청자를 통해 군의 발전은 물론 나아가서 한국을 빛내고자 하는 의지를 보았기 때문입니다. 일본 순회전을 시작으로 미국, 유럽 등에 청자순회전을 갖는 것을 보고 그것을 느꼈습니다."

"그렇게 정리해 주시니 감사합니다."

"하긴 강진군의 반격도 만만치 않더군요. 이 선생 같은 언론인들도 일제히 저를 공격해댔으니 말입니다. 그러나 저는 그 이야기를 하고자 만나자고 한 것은 아닙니다. 기왕 국정감사 때 청자 고가매입에 따른 말이 나오긴 했지만 그것을 기화로 이 선생께 최사전이란 인물을 말해주기 위해서 만나자고 했습니다. 청자도 요지가 있는 강진에 그 분의 무덤이 있고, 그 분을 시조로 모시는 강덕서원이 있으며, 그 분의 행적을 기록한 비석이 있는데도 강진에서는 전혀 부각이 되고 있지 않기 때문입니다. 이상한 일이 아닙니까? 정작 고려청자의 발전을 위해 숨은 공이 있는 사람이 잊혀지고 있다니요?"

나는 비로소 왜 김 의원이 날 만나자고 했는지 이해가 되었다.

생각 같아서는 자신의 입장과는 전혀 다르게 기사를 쓴 내가 미울 수밖에 없을 것이었다. 그런데 그를 만나고 난 느낌은 청자를 사랑하는 사람이라는 점이었다.

다음날 아침, 나는 머리가 개운한 정신으로 깨어났다. 산삼주란 술을 마셔서인지 조금도 숙취가 없었다. 가까운 모텔에서 잠을 잔 나는 김 의원에게 전화를 해서 잘 내려가겠다고 말하려다 그만 두었다. 그리고 택시를 탄 후 용산역으로 향했다.

목포행 KTX는 잘 달렸다. 마치 낮은 비행기를 탄 느낌이었다. 나는 잠이 오지 않는데도 줄곧 눈을 감고 앉아서 생각에 잠겼다.

김 의원은 정녕 청자를 말하고자 나를 만나자고 했던 것일까?

그는 내게 일제강점기 때 청자가 경매를 통해 팔려나간 얘기는 왜 했을까? 그리고 최화강 여사가 경영하는 한정식집으로 데려가 탐진최씨 시조인 최사전에 대해 얘기한 것은 한 마디로 내게 청자에 대한 화두를 주기 위함이 아니었을까. 그는 청자의 전성기를 만든 인종에 대해 많은 말을 했을 때 시책이란 뜻을 물었다.

"시책이란 무엇을 말하는 겁니까?"

불치하문(不恥下問)이라고 했던가? 아랫사람은 아니지만 묻는 것을 굳이 부끄러워할 필요는 없는 일이었다.

"인종 장릉에서 출토된 출토품들은 고려 도자의 역사를 알 수 있는 중요한 증거물이지요. 시책이란 왕과 왕후가 붕어한 후에 시호(諡號)을 올리게 되는데, 여러 편의 옥에 시호는 물론 살아생전의 덕행을 새겨 책으로 만든 것을 말합니다. 인종 장릉에서 출토된 시책의 석문은 그 내용이 칭송 일색이었습니다. 마침 그 자료를 내가 가지고 왔습니다. 해설문이 있으니 읽기가 쉬울 것입니다."

나는 김 의원이 건네 준 자료를 읽어 내려갔다.

황통(皇統 남송 고종 연호) 6년인 병인년(1146) 3월에
고려국왕 현(晛 의종 이름)이 삼가 재배를 올리고 머리를 조아리며
옥책을 올리나이다.
대행대왕(인종)께서는 총명하시고 관유(寬裕)하셨으며 대순(大醇)하셨습니다.
백성의 마음을 진심으로 이해하고 수많은 국사를 처리하시느라
식사도 잊고 밖으로는 화려하게 장식하는 일을 물리치셨고
안으로는 탐락을 좇는 일이 없었습니다.
덕을 근본으로 삼아 일신(日新)하시면서 거동은 예를 따랐습니다.
뛰어난 재능은 천부적이었고 글씨는 신(神)과 같았습니다.
형벌은 신중하셨고 백성을 긍휼히 여기셨으며 간언을 구하고
당신의 과실을 들음에 즐거워하셨나이다.
한 해에 두 차례씩 조상들께 제사를 지내고
국가경영을 논하시면서 원구(圓丘)에 제사를 지냈으며
화목을 도모하고 맹약을 공고히 하셨으며
묘청의 난을 진압하셨고
적의 괴수를 섬멸하여 백성을 안정시키면서 궁궐을 새로이 짓고
농업과 잠업을 일으켜 백성에게 이익을 주셨나이다.
대왕께서는 확고부동한 나라의 기초를 세우셨고
은택이 온 나라에 비치면서 정치가 안정되고 공적이 이루어졌나이다.

오래 사시어 태평시대의 업적을 누리시면서
왕위에 계셨어야 했으나
나라를 위한 근심에 병환이 오래 지속되니
끝내 하늘나라로 갑자기 가셨나이다.
부족한 저는 대왕께서 남기신 유언을 경건히 계승하겠으니 북받치는 슬픔 또한 커서 통곡하며 붙들고 싶나이다.
시호를 올리기 위해 남기신 업적과 자질에 근거하여 논의를 참작하였고
일러서 공(恭)은 덕행의 기초이고
효(孝)는 행위의 근본이어서 귀히 여겨야 할 것은 더 나은 것이 없나이다.
개부의동삼사(開府儀同三司)
검교태부(檢校太傅) 수태위(守太尉) 문하시랑(門下侍郞)
동중서문하평장사(同中書門下平章事)가 시호를 올려
공효대왕(恭孝大王)이라 하고 묘호는 인종(仁宗)이라 하나이다.
남기신 무성하고 풍성한 업적은 논의할 바가 아니나 생전의 모습을 추모하여 특별히 남기신 자취를 널리 알리도록 하겠나이다.
영명하신 혼이 계신다면 올리는 이 글을 받으시고 무한한 복을 내여주시옵소서.
시호를 올리는 의식을 성대히 거행하나이다.

"인종 시책의 신장상도 있었습니다. 일종의 왕과 왕실의 위엄을 표상하는 '호국신장상(護國神將像)이라고 볼 수 있지요. 특이한 것은 두 신장상이 도끼를 들고 있는데, 이는 임금이 행차할 때 호

위하는 의장대가 금도끼를 들고 다녔다는 사실로 미루어 볼 때 자연스러운 결과라고 보고 있습니다."

"알겠습니다, 의원님!"

"인종의 얘기를 많이 했는데 인종 때의 인물 최사전을 만나 보십시오. 최사전을 만나면 장보고(張保皐)도 만나게 될 것입니다. 최사전과 장보고는 고려청자를 발전시킨 사람들입니다. 강진 사람이라면 그 두 사람을 조명하는 한편, 고려청자 발상지로서의 자긍심과 함께 발전시키는 것이 우리 시대를 살아가는 사람의 소명이 아닐까요?"

그는 헤어질 때 내 손을 꽉 잡으며 이렇게 당부까지 했었다.

"장보고는 신라시대 때 인물로 해상왕인데 왜 만나라고 하십니까?"

"오늘 끝까지 설교를 해야만 되겠군요. 강진 대구면이 장보고가 거주했던 완도 청해진에서 불과 20km밖에 안 떨어져 있다는 것쯤은 잘 아시겠지요. 도자기 역사를 연구하는 학자들의 말에 의하면 장보고가 활동했을 때 말입니다, 강진 지역에서 발견된 해무리굽 자기파편이 생산된 시기와 겹쳤다는 겁니다. 중국 도자기 연구의 권위자는 이렇게 말한 것으로 기억됩니다. 청해진 인근에서 발견된 자기의 파편은 월주요의 생산품과 일치하는데, 특히 유약의 색이나 굽는 방법이 같다고 말입니다. 그러니까 월주요가 가장 활발하게 생산되었던 시기와 장보고의 상단 준비 기간이 일치하다는 것인데, 그것으로 볼 때 장보고가 최고급품인 월주요 생산기술을 한반도에 가져왔다는 겁니다. 따라서 장보고는 단순히 신라와 당나라, 동남아와 이슬람 세계를 연결했던 중개무역도 하였지만, 중국으로부터 도자기 기술을 들려와 청해진 일대에 그 생산기지를 만들었다고 본다는 겁니다. 그렇다면 신라 때 만들어진 도자기가 장보고의 주요 수출 품목이었다는 겁이다. 좀 더 자세하게 학자들이 말했던 것을 말씀드려 보지요. 후쿠오카 일대에서 출토된 해무리굽 청자파편이 강진 대구면 일대에서 대부분 생산된 것이라고 추정해 볼 때 9세기에 강진의 청자가 일본으로 건너간 것이라는 겁니다. 또한 중국의 양저우 나성 터에서 출토된 한반도산 청자가 고려시대에 만들어진 고려청자가 아니라 강진 일대에서 만들어진 신라시대 청자일 가능성이 크다고 주장하고 있습니다. 통일신라는 당나라의 월주요를 원본 삼아 청자를 만들었고, 고려 초에는 고려에서 중국지역으로 교역된 물품 목록 중에 청자가 포함돼 있으므로 신라 말기부터 이미 청자는 한반도에서 중국 지역으로 수출했을 가능성이 있다는 겁니다."

"아! 그랬군요."

나는 갑자기 뒤통수를 맞은 듯 머리가 띵해 오면서 술이 확 깨는 느낌이었다.

"이러니 제가 장보고까지 만나보시라고 말씀드린 겁니다."

"알겠습니다. 만나고 말구요. 최사전도 만나고 신라시대 장보고까지 만나보겠습니다."

나는 역사학자가 아니면서도 큰소리로 말했다.

"고맙습니다. 청자고가매입 사건으로 나와 이 선생이 만나게 되었지만 다 이것도 인연이 아니겠습니까?"

그는 이렇게 말한 후 미리 대기한 승용차에 올라타고 도심 속으로 사라졌다.

3

최사전은 역사적 인물이었다. 100년 200년 전의 인물도 아닌 500년도 더 되는 고려시대의 인물로서 한 시대를 움직인 사람이었다.

그런데 500년이 넘는 인물일지라도 그의 무덤은 고려청자의 발상지 강진에 있다. 강진과 확연히 인연이 있는 역사적 인물이 아닌가.

나는 등잔 밑이 어둡다는 옛 말을 실감하면서 최사전이란 인물을 추적하기로 결심했다.

내가 탐진최씨 시조 장경공(莊景公) 최사전의 묘가 있는 비파산(琵琶山)을 찾아간 것은 한 달 뒤인 11월 중순이었다. 금릉팔경(金陵八景) 중 제7경이 파산제월(琶山霽月)인데 비파산을 가리키는 것으로 그 내용은 다음과 같다.

걷히는 구름이 파산 위로 달을 받들어
하늘 위로 두둥실 순수한 얼굴 떴네.
사람들 마음이 깨끗해지길 기다려
호연히 천지사이에서 마주 대하고파.

강진의 산(山)과 수(水)를 노래한 금릉팔경은, 제1경 고성사의 저녁 종소리를 말하는 고암모종(高庵暮鍾), 제2경 금사리의 새벽 안개를 가리키는 금사효무(金砂曉霧), 제3경 금강의 우는 여울을 말하는 금강명탄(金江鳴灘), 제4경 구강포의 고기잡이 불을 가리키는 구강어화(九江漁火), 제5경 만덕산 개인 날의 이내를 가리키는 만덕청람(萬德晴嵐), 제6경 신학산의 지는 해를 가리키는 서산낙조(西山落照), 제7경이 바로 비파산 위로 떠오르는 달을 가리키는 파산제월이고, 제8경은 대섬(竹島)으로 돌아오는 배를 가리키는 죽도귀범(竹島歸帆)이었다.

그런데 금릉팔경 중 제7경에 해당되는 비파산 기슭에 최사전의 묘가 자리하고 있었다. 게다가 강진읍을 감싸고 있는 보은산(寶恩山) 우두봉(牛頭峰)은 황소의 머리인데 그 우두봉에서 좌측으로 뻗어 내린 용맥이 크게 과협(過峽)을 하게 되니 그것이 까치내재이다. 그런데 여기서 비파산이 홀연히 우뚝 솟아 머리 부분은 약간 솟아올라 보이지만 몸뚱이는 타원형으로 탐진강을 향해 내처 달린다. 옛날 도인이 둥근 달이 떠오를 때면 비파를 탔다고 해서 이름 지어진 비파산 낮은 자락에 장경공 최사전의 만년유택이 있었다. 그리고 좀 더 안쪽으로 들어가면 장경공의 영정과 위패가 모셔진 강덕서원이 웅장한 모습으로 서 있었다.

"계십니까?"

나는 마당에 선 채로 문임(門任)을 불렀다. 강덕서원으로 오기 전 문임이란 사람과 전화통화를 했으므로 그가 안에 있을 것으로 짐작했기 때문이었다. 그러나 안에서는 아무런 인기척이 나지 않았다.

"혹시 이 선생님 아니시까라?"

등 뒤에서 말이 들려와 고개를 돌렸는데 할아버지 한 분이 나를 지그시 바라보며 웃고 있었다.

"제가 이서채입니다."

나는 허리를 굽혀 정중히 인사를 한 후 명함을 건넸다. 그가 명함을 찬찬히 보고 나서 말했다.

"남도제일신문 대표시구만이라. 나도 그 신문을 보고 있소."

"감사합니다."

나는 거듭 머리를 숙여 감사를 표했다. 그의 안내로 사랑방으로 들어가자 최부(崔溥)가 중국의 수도 북경으로 가는 모습이 그려진 큰 그림이 벽에 걸려 있었다.

"저 그림은 최부의 그림이 아닌가요?"

"그렇구만이라. 그 어르신이 역사적으로 유명하신 분인가 싶습디다. 그래서 후손들이 이런 그림을 걸어놓고 있구만이라."

나는 그림을 바라보며 잠시 최부에 대한 생각에 빠졌다. 최부는 『표해록(漂海錄)』으로 널리 알려진 인물이었다. 1488년 추쇄경차관으로 임명되어 제주도에서 직무를 수행하다가 부친의 별세 소식을 듣게 되었는데, 그때 고향인 나주로 건너오다 표류를 당하고 말았다. 그리고 북경과 산해관, 요동과 의주를 통과해 조선으로 돌아와 임금 성종에게 일지형식의 보고서를 썼는데 그것이 『표해록』이다.

그런데 최부는 단순히 135일에 걸쳐 겪은 『표해록』의 저자만이 아니라, 조선의 꿋꿋한 선비정신을 보여준 사람이었다. 특히 최부를 비롯하여 마흔 세 명은 죽을 고생을 하며 끝없이 표류하다가 14일 만에 중국 강남의 절강에 이르렀는데, 해안에 닿았어도 왜구로 의심을 받아 죽을 고비를 맞이해야만 했다.

최부 일행은 드디어 조선 사람임이 밝혀져 북경으로 가게 되었는데, 운하를 따라 항주와 소주 등 강남 지방의 문화를 경험할 수 있었다. 다시 중국의 내륙을 보면서 북경에 도착, 황제를 알현한 후 요동반도를 거쳐 약 여섯 달 만에 압록강을 건널 수 있었다. 이러한 경험을 쓴 『표해록』은 당시 중국의 시대상을 엿볼 수 있는 귀중한 자료가 될 수 있었다.

그러나 최부는 44세에 사신으로 중국을 다녀오는 등 역량을 발휘하고 있을 때 무오사화로 인해 귀양살이를 하게 되었다. 권력을 쥐고 있던 훈구파와 선비 세력인 사림파와의 갈등에서 희생을 당한 것이었다. 특히 최부는 높은 벼슬아치들의 잘못을 비판하기도 하고 심지어는 임금의 잘못도 지적하는 사간(司諫)의 직에 있다 보니 미운털이 될 수밖에 없었다.

최부는 함경도 단천으로 귀양을 떠났고 나중 훈구파가 갑자사화를 일으켜 결국 죽음을 맞이하게 되었는데 그의 나이 51세였다. 그러나 『조선왕조실록』에서는 그의 죽음이 억울했음을 밝혀 놓았다. 공평하고 청렴 정직했으며, 사서(史書)를 널리 익혔을 뿐 아니라 문사(文詞)에도 넉넉했고, 사간으로 있을 때에는 아는 것은 반드시 입을 열었고, 회피하는 일이 없었다는 것이다. 그래서 그가 갑자사화로 인해 죽임을 당하자 조정이고 재야고 간에 모두 애석해 했다.

최부는 특히 표류를 당하던 절박한 순간에 조선 선비의 기상을 유감없이 발휘한 인물이었다. 타고 있는 배에 물 한 그릇이 없어 밥도 지을 수가 없을 때 배의 행장을 다 뒤져 황감 50여 개와 술 두 동이를 창고에 보관했다. 그리고 한 나라 사람으로서 정은 골육지친과 같으니 살아도 같이 살고 죽어도 같이 죽어야 한다며 황감과 술을 나누어 마시게 했다. 하지만 그것도 며칠이 지나자 모두 없어지고 말았다. 어떤 사람은 마른 쌀을 잘게 씹고 제 오줌을 받아 마셨지만 얼마 안 가서는 오줌마저도 없어지자 죽을 지경에 이르렀다. 이때 마침 비가 내리자 봉옥의 처마를 들고 거기에 떨어지는 물방울을 받기도 하고 돛대와 노를 세워 중간에 종이끈을 묶어 떨어지는 빗방울을 받아먹기도 하는 등 겨우 살아날 수가 있었다.

이렇듯 절박한 상황에서도 '신에게 죄가 있다면 신의 몸에만 벌이 떨어지면 될 일인데 같이 배를 탄 사십여 명은 죄도 없이 물에 빠져 죽게 되었다'며 '하늘에서 이 사람을 불쌍히 여겨 부디 바람과 파도를 거두어 주시오. 지금 살려주시어 신의 아비를 장사지내게 하고 늙은 어미를 봉양하게 하며 궁궐에 엎드려 임금을 받들 수 있도록 하신다면 이후 골백번 죽더라도 달게 받겠습니다'라고 말했다.

최부는 망망대해에서 일행들을 격려해가며 가혹한 시련을 이겨냈을 뿐 아니라 해적을 만났을 때에도 침착하게 대처하였으며, 기지와 순발력을 발휘하여 온갖 고난을 이겨낸 선비였다.

또한 중국 벼슬아치 앞에서도 조선 선비의 기개를 잃지 않았고, 열린 눈으로 중국의 곳곳을 살펴보는 안목도 있었다. 북경에 도착했을 때 황제를 알현하려면 상복을 벗어야 한다는 중국 예부의 말도 처음엔 완강히 거절할 만큼 당당하기도 했다. 황제를 알현할 때만 잠시 벗고 예복을 입는 것으로 타협을 보았지만 추호도 자신의 신념과 의지를 굴하지 않았던 것이다.

최부는 중국 내륙을 깊숙이 관찰하면서 수차를 눈여겨보았는데, 그 수차 사용 기술을 조선의 농업에 이용하고자 했다. 새로운 문물을 접했을 때 그냥 지나치지 않고 활용방법을 생각해 낸 그였다.

이러한 관찰력을 통해 작성된 『표해록』은 국제 상황과 정세를 알 수 있는 귀중한 자료가 되었는데 그 가치를 가장 먼저 안 국가는 일본이었다. 일본은 '당토행정기(唐土行程記)'란 제목으로 번역 출판되었고, 그 책을 통해 중국에 대한 지식을 얻어냈다. 최부의 『표해록』은 중국 역사상 3대 기행문의 하나가 되어 명나라 당시 강남에 관한 상세한 기록에 중국 사람들도 놀라움을 금치 못했다.

탐진최씨 문중에서는 이러한 최부 선조의 업적을 기리기 위해 최부가 북경을 방문하는 그림을 걸어놓고 있었다.

"다름 아니라 시조로 모시고 있는 최사전 할아버지의 유품을 보러 왔습니다."

나는 기대감을 갖고 찾아온 용건을 말했다. 그러자 문임은 고개부터 절레절레 흔들며,

"유품이라뇨? 그런 것 없는디요."

하고 의아한 표정으로 나를 쳐다보았다.

"그 분이 지은 문집 같은 거 없을까요?"

"전혀 없구만이라."

나는 적이 실망하지 않을 수 없었다. 강덕서원을 찾아가면 분명 고려청자를 알 수 있는 뭔가를 얻을 수 있다고 김준국 의원은 말하지 않았던가.

"글쎄, 선대로부터 내려온 아무런 물건이 하나도 없다는 말씀입니까?"

"그나저나 뭣땜새 그런 물건을 찾으신당가요?"

"고려청자와 연관된 근거나 흔적을 찾을 수 있다기에 이렇게 뵈러 온 것입니다."

"신문에다 쓰실라고 자료를 찾는 것이오?"

"아닙니다. 우선 알아보려구요."

"내 유식한 말씀 한 마디 해도 되겠소?"

"하십시오. 얼마든지 하십시오."

"우리 강진이 오늘 날 청자를 만든 고장이다 해갖고 청자문화제를 하는 등 청자를 팔아먹고 살고 있잖습니까?"

"그선 그렇습니다만."

"그게 다 최사전 할아버지 덕택이라는 것이지라. 아마도 알고 계신께 여그까지 오신 것 같소마는 강진에서 향토사학을 하신 분들도 그런 사실은 인정을 하고 있고 책으로도 기록을 해놓고 있등만요."

"귀동냥으로 들어서 알고 있습니다."

"그 양반이 어떻게 태어났고 어떤 벼슬을 했으며 어떤 일을 했다는 것은 족보에 다 나와 있구만이라. 또 우리 문중에서 그 분의 공을 기리는 비석을 세웠는디 그 비석문과 함께 해설을 해놓은 책자는 있구만이라."

문임은 나를 제각의 협실로 안내했다. 하얀 백지를 바른 협실로 들어가자 웬 여인이 커피를 내왔다.

"손님이 오신 것 같아서 커피 좀 갖고 왔구만이라."

"워따, 뭣하게 커피를 다 갖고 오요? 미안스럽게……."

여인이 방 안에서 나가자 문임이 그 여인에 대해 설명했다.

"우리 제각에서 사는 사람이구만이라. 젊은 사람들이 먹고 살라고 얼매나 열심히 일을 하는지 항상 고맙게 생각하고 있는 사람입니다."

"요즘에는 제각에서 살려고 하는 사람들이 없다고 들었습니다만."

화제가 엉뚱하게 제각지기 얘기로 흘러갔다.

"서울에서 사업을 하다가 실패를 해갖고 고향 찾아 내려왔능갑습디다. 우리 문중답이 많응께 그걸 벌면서 좌우지간 새끼털하고 살아볼라고 으찌나 부지런한지 몰르것만이라."

"아, 예."

나는 고개를 끄덕거렸다.

그는 장롱에 넣어둔 족보부터 꺼내 내게 건네주었다. 그리고 최사전의 묘지명 탁본을 보여주었다. 동경제국대학박물관(東京帝國大學博物館)에 소장되어 있던 것을 탐진최씨 후손들의 노력으로 반환하여 지금은 국립광주박물관에 소장 중이라고 설명했다. 그 내용 중에는 '최사전의 선조는 탐진현(耽津縣) 사람이다'라고 적혀 있었다.

최사전.

나는 최사전이란 역사적 인물에 빠져들기 시작했다. 도대체 최사전이란 역사적 인물이 어떻게 해서 청자를 발전시켰다는 것인지 추적을 해보아야만 알 수 있는 일이었다.

제2장

장경공 최사전

1

이자겸(李資謙).

그는 그의 둘째 딸이 예종의 비로 들어가면서부터 출세의 길이 빠르게 열린 사람이었다. 윤관을 앞세운 여진정벌이 실패로 돌아가고 그가 또 사망하자 예종은 이자겸의 딸을 맞아들여 당시 최고 문벌이었던 인천이씨와 다시 손을 잡게 된 것이 그 동기였다.

『고려사』에서도 그 기록이 있듯이 이자겸의 조부인 이자연(李子淵)이 자신의 세 딸을 문종의 비로 삼게 하고, 그 후 순종-선종-헌종-숙종-예종-인종에 이르기까지 이자연에서부터 이자겸까지 그 집안의 딸들을 왕비로 삼았다. 단, 숙종만 예외였다. 이자겸은 정2품 문하평장사에 이르고 그의 아들 역시 승진을 거듭했는데, 그러나 이자겸은 철저하게 중립 정치를 하는 예종 때문에 별로 힘을 발휘하지 못하다가 외손자 인종이 왕위에 오르기가 무섭게 권력을 손아귀에 쥘 수 있었다.

인종 2년 7월, 인종은 이자겸에게 조선국공(朝鮮國公)으로 봉하고 그의 집을 숭덕부(崇德府)라 하여 좌우에 관속을 두었다. 이자겸의 부인 최씨를 진한국대부인(辰韓國大夫人)으로 정한 후 큰아들에게는 추밀원부사, 둘째에게는 형부시랑, 셋째에게는 공부낭중, 넷째에게는 호부낭중, 다섯째에게는 전중대급사, 여섯째에게는 합문지후의 벼슬을 내렸다. 바야흐로 이자겸의 시대가 열린 것이었다. 이자겸이 사는 숭덕부에서 조정의 일이 이뤄지고 있었으므로 사실상 고려 조정을 좌지우지 하는 사람은 이자겸이었다.

1122년. 이자겸은 권력을 쥐자마자 정적부터 제거하기 시작했다. 역모죄를 물어 왕의 작은아버지인 대방공보(帶方公俌)와 한안인(韓安人)·문공인(文公仁) 등 50여 명을 죽이거나 귀양을 보냈다. 그들과 대립의 각을 세우게 된 것은 예종의 뒤를 이어 누가 왕위를 물려받아야 될 것인지 앞날이 불투명했을 때부터였다. 정적들은 필시 어린 인종이 왕위에 오르면 외척 이자겸이 권력을 휘두를 것으로 짐작하고 있었다.

그러나 이자겸은 먼저 선수를 쳐 역모죄로 다스리니 자연 권력은 자신의 눈앞에 놓이게 된 것이었는데, 아예 권력의 성을 더욱 견고하게 하기 위해 셋째 딸과 넷째 딸까지 인종에게 바쳤다. 이에 이자겸은 그야말로 무소불위의 존재가 되었다. 그래서 뇌물을 받고 벼슬을 팔기도 했고 친족들에게는 높은 벼슬을 할 수 있도록 했다. 뿐만 아니라 더욱 기고만장해진 그는 뇌물이 공공연히 오갔고 사방에서 음식 선물이 들어오는 바람에 항상 몇 만 근의 고기가 썩어 나갈 정도였다.

이자겸이 이렇다 보니 왕권에까지 위협적인 존재가 되었는데, 나라의 모든 일을 맡고 있다는 뜻으로 지군국사(知軍國事)가 되고자 왕이 직접 자신의 집으로 와서 그 조칙을 내려줄 것을 요청하기까지 했다. 일이 이 지경까지 이르자 보다 못한 내시 김찬과 안보린은 동지추밀원사 지녹연과 공모한 나머지 인종에게 말했다.

"대왕마마. 더 이상 권력을 쥐고 횡포를 일삼는 이자겸을 보지 마시고 왕실과 나라를 살리시옵소서."

"나도 늘 느껴왔던 일이오."

인종이 허락하자 동지추밀원사 지녹연은 상장군 최탁과 오탁, 내장군 권수, 장군 고석 등과 함께 이자겸의 가장 측근인 척준경을 제거하고자 했다.

척준경(拓俊京).

황해도 출신인 그는 어려서부터 불량배와 몰려다니다가 고려 11대 문종의 셋째아들 계림공 왕희의 종자로 들어갔다. 이 인연으로 그는 숙종 때 군기를 담당하는 추밀원의 말단관리로 들어갔는데, 여진족 토벌을 위해 문하시중평장사 임간을 따라나섰다가 큰 공을 세워 일약 입지전적인 인물이 된 사람이었다. 단기필마(單騎匹馬)로 여진족의 추격을 따돌려 무사히 고려군들을 성 안으로 입성케 했던 것이다. 여진족은 본디 말갈족으로 산악지대나 늪가에 살면서 노략질을 일삼곤 했는데, 동해안과 우산국(于山國)까지 쳐들어온 일도 있을 만큼 그 세력이 만만하지 않았다.

그 후 1107년 대원수 윤관, 부원수 오연총의 지휘 하에 여진정벌에 나섰으나 여진족의 저항에 부딪쳐 함흥부근의 석성(石城)을 함락시키지 못하고 있을 때, 그는 또다시 단기필마로 적진에 뛰어들어 추장 3~4명을 베어버렸다. 대군도 어쩌지 못한 석성으로 뛰어 들어가 전열을 흩트려놓자 그제야 윤관은 사기가 충천한 대군을 끌고 성으로 진입할 수 있었다.

여진족이 그 이듬해 1월, 대반격을 시도해 수만의 군사로 치밀한 기습공격을 해왔을 때 윤관은 사면초가에 이르렀는데, 그 때도 척준경은 10여 명만 데리고 적진으로 뛰어들어 윤관을 구출하는 공을 세웠다. 1월 말경에 여진족 2만 명이 영주성을 공격해 왔을 때에도 척준경은 병력이 절반밖에 되지 않으므로 농성전에 대비하자는 지휘부의 결의에도 아랑곳 않고 100여 명의 군사로 2만 명에게 돌진하여 한바탕 휘젓고 돌아왔다. 그 때 그가 벤 적은 19급이었다. 다시 2월에 들어서는 웅주성이 여진족 수만 명에게 포위당하자 홀로 성벽을 타고 밖으로 나가 수천 리 길을 달려 구원병을 불러와 적을 물리치는 등 여진족 격멸에 혁혁한 공을 세운 여포나 조자룡 같은 무인이었다.

그런 척준경은 이자겸과 사돈 간이 되었으므로 이자겸이 승승장구하면서 권력을 쥐게 되자 척준경 역시 큰 힘을 갖게 되었는데, 그의 동생 척준신이 하루아침에 병부상서가 되었던 것도 그 점 때문이었다.

그러다 보니 다른 장수들이 좋아할 리가 만무했다. 그래서 왕의 밀명을 받은 무장들이 1126년 2월 25일을 기해 군사를 이끌고 궁궐로 진입하자마자 척준신과 척준경의 아들을 무참히 살해한 후 시체를 궁 밖으로 던져버렸다.

이 소식을 들은 척준경은 머리끝까지 화가 치밀어 이자겸과 상의한 다음 군사들을 몰고 궁으로 달려가자 궁 안에 있던 군사들은 잔뜩 겁을 먹고 문을 닫아버렸다. 다음날 척준경은 자신의 동생과 아들의 시체를 보고 당장 궁을 포위하라고 명을 내렸다. 이때 인종이 직접 나타나 척준경의 군사들에게 들고 있는 무기를 내려놓으라고 말했다. 군사들은 인종을 보자마자 살아있다는 사실에 만세삼창을 부르며 너나 할 것 없이 인종의 말대로 무기를 내려놓는 게 아닌가. 그러자 척준경은 엄히 명을 내렸다.

"당장 궁으로 화살을 날려라!"

그리고 이자겸은 인종에게 반란 주모자를 내놓으라고 말했다. 그러나 인종이 그 말을 듣지 않고 고집을 피우자 척준경은 장작을 모아놓고 불을 질렀다. 불길은 삽시간에 궁궐 안으로 번졌다.

"불길이 무서워 궁 밖으로 나오는 자는 누구든 목을 베라!"

척준경은 궁 밖으로 빠져나오는 사람과 상장군 오탁, 장수 고석 등을 살해하고 그들과 결탁한 사람들을 모두 죽여버렸다. 인종은 결국 혹 떼려다가 혹 붙인 꼴이 되어버렸는데, 이 사건 이후 이자겸과 척준경의 권세가 하늘을 찌를 듯 더욱 높아만 갔다.

한편, 인종은 이자겸에게 목숨을 잃을까 두려운 나머지 왕위를 물려주겠다고 하는 교서를 내렸다.

"짐이 국정을 바로 볼 수 없는 것은 나이가 어리고 심신이 나약하기 때문이다. 열성조의 뜻에 따라 조선국공에게 선위하고자 하니 조선국공은 이를 따르도록 하라."

이자겸은 기쁨을 억누를 수 없을 만큼 좋았지만 선뜻 교서를 받을 수가 없었다. 임금이 될 수 있는 정통성이 문제였기 때문에 이자겸이 망설이고 있을 때 인종과 가까운 이수가 조정의 중신들을 설득했다.

"폐하의 교서가 있었다 할지라도 신하된 자로서 받는다는 것은 불충이 아닐 수 없소."

이자겸은 아직 때가 이르지 않았다는 것을 느끼고 교서를 받지 않았다. 세 번 정도는 사양해야만 명분이 선다는 것 정도는 알고 있었던 것이다.

"폐하. 궁궐을 중수한 후에 환궁하시기로 하고 우선 맘 편히 지내시옵소서. 신 곁에 계시오면 불순한 무리들이 어쩌지 못할 것이옵니다."

이자겸은 인종을 숭덕부 한쪽에 기거하게 하면서 말은 그럴 듯하게 했다. 임금의 자리도 마다하고 인종을 지키려는 이자겸의 충성은 누가 보아도 충직한 신하였다. 그러나 용상을 탐하는 그 마음은 어디로 갈 것인가. 다만 때를 기다리고 있을 때 곁에 있는 사람들이 하루 빨리 인종을 죽일 것을 간했다.

"내 어찌 외손자를 죽일 수가 있단 말인가?"

이자겸의 눈앞에는 인종과 함께 살고 있는 왕후의 얼굴이 어른거렸다. 왕후는 자신의 딸이었던 것이다. 이자겸은 예종에 이어 인종에게도 딸을 시집보냈는데 예종과의 사이에서 태어난 외손주 인종이었다. 똑같은 이자겸의 딸인데도 언니는 시어머니가 되고 동생은 외손주와 혼인하는 해괴망측한 일이었다. 그러다 보니 이자겸은 차마 왕위를 오르지 못한 채 왕의 권한을 가지고 조정의 모든 일을 처리해 나갔다. 그러던 어느 날, 왕후는 친정아버지인 이자겸의 방문을 받았다. 이자겸은 인종을 위해 수라상을 준비했다며 들이라고 했다. 왕후는 친정아버지 이자겸의 명을 거절할 수가 없어 시키는 대로 하였는데, 궁녀들의 도움을 받으며 수

라상을 나르다가 그만 엎지르고 말았다.

"꽈당!"

왕후는 그만 수라상과 함께 땅바닥으로 넘어지는 바람에 음식이 옷에 튀겼다. 그런데 음식이 옷에 닿자마자 금세 파란색으로 변하는 게 아닌가? 왕후는 닭에게 먹여보았다. 그러자 닭이 서너 차례 쪼아 먹더니 그 자리에서 날개를 퍼덕거리며 죽어갔다. 그 말을 들은 인종은 놀란 가슴을 쓸어내렸다. 보나마나 그 엄청난 일을 할 사람은 이자겸뿐이었다.

인종은 살아있어도 산목숨이 아니라는 것을 거듭 느끼지 않을 수 없었다. 뭔가 계책을 세우지 않으면 안 된다는 절박감에 시달리다 문득 늘 가까이 있는 내의군기소감(內醫軍器少監) 최사전을 불렀다.

"이 일을 해결할 묘책이라도 있겠소?"

"딱 한 가지 방법이 있사옵니다."

내의 최사전의 말에 인종의 어두운 얼굴이 일시에 밝아졌다.

"그게 무엇이오?"

"이자겸과 척준경을 떼어놓으면 되는 일이옵니다. 그리하여 척준경을 왕실 편으로 끌어들이면 성공할 수 있사옵니다. 이는 사기열전(史記列傳) 가운데 장의열전이 있사온데 그 진진이란 유세객이 진나라 혜왕을 위해 한 가지 계책을 말한 내용이기도 합니다."

"진진이란 유세객이 진나라 폐하를 위해 무슨 계책을 내놓았단 말이오?"

"그는 변장자(卞莊子)가 호랑이를 찔러 죽인 이야기를 들려주었습니다. 변장자가 호랑이를 찔러 죽이려고 했을 때 주막의 심부름꾼이 말하기를 '호랑이 두 마리가 이제 소를 잡아먹으려고 합니다. 먹어보고 맛이 있으면 틀림없이 서로 다툴 것이고, 다투게 되면 반드시 싸울 것입니다. 그리되면 큰 호랑이는 상처를 입게 될 것이고 작은 호랑이는 죽게 될 것입니다. 이때 상처 입은 호랑이를 찌르면 한 번에 두 마리의 호랑이를 잡았다는 명성을 얻게 되겠지요'라고 말했습니다. 변장자는 과연 그럴 것이라 여기고 가만히 기다렸습니다. 얼마 후 두 호랑이가 서로 싸웠는데, 큰 호랑이는 상처를 입고 작은 호랑이는 죽었습니다. 변장자는 상처 입은 호랑이를 찔러 죽임으로써 한 번에 두 마리를 잡았다는 명성을 얻게 되었습니다."

진진이란 유세객이 진나라에 도착했을 때 한나라와 위나라는 서로 싸운 지 1년이 넘도록 화해하지 못하고 있었다. 진나라 혜왕은 이 문제를 풀고자 신하들에게 물었는데 어떤 신하는 화해를 주선하는 것이 옳다고 주장하였고, 어떤 신하는 주선하지 않는 것이 옳다고 주장하고 있었다. 혜왕은 결단을 내리지 못하고 있을 때 진진이 찾아온 거였다. 혜왕은 이를 어찌하면 좋겠느냐며 계책을 물었을 때 진진은 변장자가 호랑이를 찔러 죽인 이야기를 들려주었다. 그때 혜왕은 진진의 말이 옳다고 여겨 두 나라의 화해를 끝내 외면하였는데, 큰 나라는 상처를 입었고 작은 나라는 멸망하고 말았다. 이에 진나라는 군사를 일으켜 크게 이겼으니 이는 진진의 계책에서 비롯된 것이었다.

최사전이 말을 이었다.

"지금 이자겸과 척준경은 이와 잇몸의 관계로써 서로 떼려야 뗄 수 없는 사이입니다. 한나라와 위나라는 서로 사이가 좋지 않았지만 이자겸과 척준경은 아주 가까운 사이입니다. 진진의 계책을 역으로 이용하여 척준경을 우리 편으로 끌어들이면 자연 이자겸은 힘을 잃을 것입니다."

최사전은 이자겸과 척준경이 서로 싸우게 해서 양쪽이 모두 죽거나 상처를 입게 하는 것이 좋다고 간언을 했다.

"과연, 그대의 말이 옳소. 은밀하게 척준경을 한 번 만나보도록 하시오."

"알겠사옵니다."

최사전은 단신으로 척준경을 만나러 갔다. 척준경의 집은 오금이 저릴 만큼 경계가 삼엄했다.

"무슨 일이오? 내의께서 우리 집을 다 찾아오시고."

"장군! 은밀히 말씀 드릴 일이 있어 왔습니다."

"말해 보시오."

"척 장군! 이자겸은 신의가 없는 사람이오. 그러니 충의로써 공을 세우도록 하시오. 무엇보다도 일국의 제왕이신 폐하를 궁궐이 아닌 개인 집에 지내도록 한다는 것은 매우 잘못된 일이오."

"그렇다고 태사께서 하시는 일에 이런저런 말씀을 올릴 수 있겠습니까?"

척준경이 난처한 표정을 지어보였다.

"이자겸은 폐하를 농락하고 있소이다. 아니, 용상을 꿈꾸고 있는데, 이는 반역이 아니고 무엇이겠소?"

최사전의 말은 간절했다.

"물론 나도 그렇게 느끼고 있소만 나와 태사와의 관계를 잘 알고 있질 않소?"

"아닙니다. 이 나라는 태조 왕건께서 세우신 나라입니다. 척 장군 같은 훌륭한 장군이 있는데, 고려라는 나라가 망하고 이씨 왕국으로 될 수는 없는 일 아니겠습니까? 이제 고려는 척 장군의 어깨에 달려있다 해도 과언이 아닙니다."

그날, 척준경은 마음이 몹시 흔들렸다. 이같은 낌새를 알아차린 최사전은 인종을 만나 척준경을 만난 사실을 자세하게 고했다.

"그게 사실이오?"

"그렇사옵니다. 그러나 제 말을 믿기에 앞서 폐하의 교서를 내려주시옵소서."

"어찌 마다하겠소."

인종은 주도 세력인 척준경에게는 이자겸에게 내린 교서와는 전혀 다른 내용의 교서를 내렸다.

'오직 나의 잘못으로 인해 대신들에게 걱정과 수고를 끼쳤으니 이제부터라도 짐은 반성하고 잘못을 뉘우치노라. 이제 신민과 함께 교화를 새롭게 할 것이니 부디 지난날을 생각지 말고 나를 도와 후환이 없도록 하라!'

최사전은 다시 척준경을 만나 은밀하게 인종의 교서를 건넸다. 일이 이렇게 흐르자 척준경은 심한 고민에 빠져들었다. 그러나 당장 어떻게 움직이지를 못하고 있는데 척준경의 기분을 몹시 상하게 한 사건이 일어났다. 이자겸의 아들 이지언의 집사와 척준경의 집사가 우연찮게 시비가 붙은 것이다. 그때 이지언의 집사가 분을 삭이지 못하고 막말을 내뱉고 말았다.

"네 상전은 임금이 있는 궁궐에 활을 쏘았는가 하면 궁궐을 불지르기까지 했으니 죽음을 면치 못할 것이다. 그렇다면 마땅히 노비인 네 놈도 치도곤을 당하는 것은 당연할 터. 그런 네가 감히 내게 욕을 했다는 사실은 무슨 죄에 해당되는지 아느냐!"

척준경의 집사는 이같은 엄청난 말을 듣게 되자 곧바로 상전에게 사실을 알렸다. 그 말을 들은 척준경은 화가 머리끝까지 올라 곧장 이자겸의 집으로 달려갔다.

"대감! 어떻게 집사 주제에 막말을 할 수 있습니까?"

"내 잘못일세. 내가 잘못 가르쳐서 일어난 일이니 제발 화를 푸시게."

이자겸은 척준경의 손을 잡고 달래보았지만 막무가내였다. 오히려 이참에 이자겸의 곁을 떠나 낙향하겠다고 고집을 피웠다. 내가 없고서는 그 막강한 권력이 유지가 되겠느냐는 항의요 시위였다.

인종은 이 소문을 듣고 즉시 행동에 옮겼다. 이번엔 지추밀원사 김부일을 보내 이자겸을 없애는 길만이 나라와 왕실을 위하는 길이라고 설득했다.

한편, 이자겸은 마음이 급해진 나머지 스스로 왕이 되기 위해 음모를 꾸몄는데 그것은 독살이었다. 인종을 죽이면 자연히 왕위가 돌아올 것이라고 믿었던 이자겸은 독을 섞은 떡을 인종이 먹도록 했다. 그 사실을 안 이자겸의 딸인 왕비는 은밀히 인종에게 알려 까마귀에게 먹이도록 했고, 또 다시 독약을 보냈지만 그릇을 엎질러 인종을 보호했다. 딸은 아비의 말을 듣지 않고 남편인 인종을 지킨 것이었다.

이자겸의 음모가 이렇게 진행되고 있을 때 최사전은 다시 척준경을 찾아갔다.

"척 장군! 지난번에 지추밀원사 김부일을 만난 적이 있으시지요?"

"그렇소. 임금께서는 거사를 재촉하라고 하셨으나 아직 기회만 보고 있소이다."

"어서 서두르시지요."

"물론입니다. 그러나 저도 함께 거사할 동지가 필요합니다. 시간을 더 주시지요."

두 사람은 밤늦게까지 계책을 논의하고 헤어졌다. 그리고 즉시 인종을 연경궁으로 옮겼는데 이자겸은 눈치를 채고 몸이 달아오르기 시작했다. 당장 인종을 해치워야겠다고 생각한 이자겸은 연경궁을 접수하고자 마음을 먹었다. 인종 역시 위험을 느낀 나머지 거듭 척준경에게 칙서를 내리자 척준경은 장교 7명과 군졸 20여 명을 이끌고 황급히 궁궐로 달려갔다. 마침 척준경을 기다리고 있던 인종을 호위하면서 이자겸의 공격을 막아낸 다음 그들을 잡아오도록 명령했다.

결국 이자겸과 척준경의 사이를 갈라놓음으로써 이자겸의 거사는 실패로 끝났고 그의 비호세력은 체포되고 말았다. 척준경이 아니었으면 인종은 죽음을 면치 못했을 것이고 최사전이 아니었으면 척준경을 설득하지 못했을 것이었다.

십팔자도참설(十八子圖讖設).

이는 이씨가 왕이 된다는 말이었는데, 이 말을 믿고 왕위까지 꿈꾸었던 이자겸은 영광으로 귀양 간 지 여섯 달 만에 죽었다. 큰 공을 세운 최사전이 새롭게 관직을 받게 된 것은 당연한 일이었다.

이자겸의 난으로 고려 왕실은 무너질 뻔했다. 왕건이 삼국을 통일시켜 세운 고려 왕실이 허망하게 무너지고 성씨가 다른 사람이 왕이 될 뻔한 위기를 간신히 넘긴 것이다.

이자겸의 난이 평정되자 간관들이 이자겸의 딸 문제를 들고 일어났다. 그의 딸이 왕후로 있어서는 안 된다는 것이었는데, 인종은 차마 간관들의 의견에 동조할 수가 없었다.

"왕후는 짐을 구한 사람이오. 짐이 죽을 뻔했을 때 왕후는 짐을 살려냈소. 왕후에 대한 얘기는 일체 서론치 마시오."

그렇다고 간관들이 물러설 리 없었다. 역적의 딸이 왕후로 앉아 있는 한 또 다른 일이 벌어질지도 모른다는 생각에서였다. 간관들은 빗발치듯 상소를 올렸고 인종을 괴롭혔다. 간관들 뿐 아니라 조정의 모든 신료들까지 떠들어댔다. 인종은 몇 차례 거절을 했지만 신하들의 말대로 역적의 딸을 왕후로 있게 할 수는 없는 일이었다.

'아, 참으로 괴로울 일이로다.'

인종은 이러지도 저러지도 못하고 있을 때 최사전이 알현을 한 후 비책을 내놓았다.

"폐하. 한 가지 계책이 있사옵니다. 왕후께서 폐하를 위해 공을 세운 이상 내칠 수는 없는 일 아니겠습니까?"

"그렇다마다요. 내 그래서 괴로운 것이오."

"간관들과 조정 신료들의 의견을 잠재우기 위해서는 폐비를 시키되 예전대로 왕비로서 예우를 하시면 될 것으로 아옵니다."

"그래도 되겠소?"

"왕후 자리에 그대로 계시므로 아무런 변화가 없사옵니다."

"좋은 계책이오. 그럼 그리 하도록 하시오."

폐비 칙서를 받은 왕후는 연덕궁에 그대로 머물러 지낼 수 있었지만 그렇다고 빈 왕후 자리를 그대로 놔둘 수는 없었다. 왕후를 다시 간택하려고 했을 때 인종은 꿈을 꾸었다. 하늘에서 선녀가 내려와 인종에게 깨(荏子) 닷 되와 아욱(黃葵) 넉 되를 주고 돌아간 꿈이었는데 하도 신기해서 최사전에게 물었다.

"짐이 참으로 이상한 꿈을 꾸었소. 내 아무리 생각해도 해몽할 길이 없으니 그대가 무엇을 의미하는지 알아맞혀 보시오."

최사전은 잠시 머리를 숙이고 생각에 잠겼다가 입을 열었다.

"폐하! 참으로 길몽이옵니다. 깨는 임자(荏子)이므로 임씨 성을 일컫는 것이옵고 닷 되는 아들 5형제를 갖는다는 뜻이옵니다."

"그래요?"

인종의 용안이 활짝 펴졌다.

"아욱은 황규(黃葵)인데 황왕도규(皇王道揆)의 뜻이므로 세상을 다스리게 된다는 것입니다. 그러므로 임씨 성을 가진 규수를 얻게 되면 5형제를 낳으시고 그 중 3형제가 임금이 될 것이옵니다."

"이보다 더한 기쁨이 어딨겠소? 참으로 고맙소."

인종은 이자겸의 난이 있은 후 처음으로 파안대소를 지었다.

"폐하! 폐하의 꿈이 그러하니 신이 임씨 성을 가진 규수를 알아보겠나이다."

"그렇게 하도록 하시오."

"성은이 망극하옵니다."

그리하여 인종은 이자겸의 두 딸을 내쫓아버린 후 임씨 성을 가진 규수를 택하니 그가 공예태후(恭睿太后)이다. 아버지는 중서령 원후(元厚)이고, 외할아버지는 문하시중 이위(李瑋)이다. 『고려사』에서는 아버지 임원후를 '정안공(定安公)'이라 했는데, 장흥(長興)의 옛 현명(縣名)이 '정안현(定安縣)'이다보니 거기에서 따온 것이 아닌가 학자들은 추측하고 있다. 아버지의 별호가 장흥을 의미하듯이 공예태후의 고향은 현재 장흥군 관산읍 당동마을이다. 그 마을에는 공예태후의 집터와 빨래하던 각시샘, 그리고 당집터가 있다.

외할아버지는 외손녀 공예태후가 출생하던 날 꿈을 꾸었는데, 황색의 깃발이 중문에 세워졌고 깃발의 끝이 선경전(宣慶殿) 대들보 위에 장식한 기와에 얽혀 파들파들 날리는 꿈을 꾸었다고 전해지고 있다.

그런데 공예태후가 인종의 비가 되기 전 하늘이 점지해 준 것 같은 일화가 있다. 그러니까 공예태후가 15세 되던 해 평장사(平章事) 김인규(金仁揆)의 아들 지효에게 시집가던 날 뜻하지 않은 일이 발생했다. 그날 신부는 연지 곤지를 찍고 치장을 마친 후 이윽고 신랑이 오기만을 기다리고 있을 때 갑자기 배앓이가 시작되었다. 조금 참으면 낫겠거니 했던 배앓이는 점차 심해지더니 창자가 끊어지는 듯한 고통으로 인해 데굴데굴 뒹굴었다.

"아가! 이것이 뭔 일이라냐?"

신부의 어미는 청심환을 먹여보았지만 전혀 차도가 없이 한참 동안 뒹굴던 신부가 정신을 잃어버렸다. 기가 막힐 일이었다. 신랑측에서는 많은 종들을 거느리고 집에까지 도착했건만 신부가 일어나질 못하니 합환주를 마시며 혼례를 올릴 수가 없었다.

신부집은 졸지에 초상집이 되어버렸다. 신부의 부모와 일가친척들은 어서 신부가 일어나기를 기다렸지만 시간이 흐를수록 그런 기미는 없어 보였다. 한평생 한 번 뿐인 대사(大事)날 해괴한 일이 아닐 수 없었다. 신랑이 직접 두 눈으로 확인하려고 신부가 드러누워 있는 방으로 들어가 보더니 이내 밖으로 나와버렸다. 신부는 단순한 배앓이가 아니라 죽을병에 걸린 것처럼 얼굴이 백납처럼 변해버렸기 때문이었다. 아리따운 신부의 얼굴은커녕 죽음의 그림자가 짙게 드리워져 있었던 것이다.

신랑은 혼인이 성사될 수 없음을 신부측에 전하고 곧장 떠나버렸다. 그런데 이상한 일이 벌어졌다. 신랑이 신부집을 떠나기가 무섭게 신부가 조금씩 화색이 돌더니 언제 그랬느냐는 듯 훌훌 털고 일어나는 것이었다.

신부집에서는 아무래도 해괴한 일이라고 여겨 점술가를 불러 물었다. 그 때 점술가는,

"신부의 사주관상을 보니 앞으로 국모(國母)가 될 운명을 타고 났소이다."

하고 말했다. 아버지와 외할아버지는 점술가에게 후한 상을 내리고 일체 그 말이 새어나가지 않도록 했다. 외할아버지 이위는 외손녀가 태어나던 날 꾸었던 꿈이 생각났다. 상서로운 꿈이라고 여겼는데 막상 점술가의 말을 듣고 나자 배앓이를 통해 파혼이 된 것은 국모를 만들기 위함이라는 것을 느낄 수 있었다.

그런데 그와 같은 꿈이 현실로 나타났다. 최사전이 중서령 원

후의 집을 방문한 것이었다.

"추충위사공신(推忠衛社功臣)께서 어인 행차시옵니까?"

중서령 원후는 깜짝 놀라 버선발로 최사전을 맞이했다.

"듣자하니 중서령 댁에 따님이 있다 해서 직접 왔소이다."

"마땅한 혼처라도 있으셔서 오셨습니까? 이자겸 난으로 인해 마음고생이 많으셨을 터인데 저희 집안일까지 신경을 써주시니 이런 광영이 없습니다."

"아닙니다. 실은 폐하께서 꿈을 꾸셨는데 제가 해몽을 해보니 중서령 따님이 마땅히 간택할 만한 규수로 생각되어 찾아온 것입니다."

"폐하께서 무슨 꿈을 꾸셨기에 제 딸이 간택되는 것이옵니까?"

최사전은 자초지종 인종의 꿈 얘기를 들려주었다.

"아이고, 이런 광영이 있나!"

중서령 원후의 집은 최사전이 다녀간 뒤로 봄바람을 만나 듯 훈훈한 바람이 불었다.

1129년. 파혼을 경험했던 공예태후가 왕비로 책봉되었다. 인종 4년 초가을이었다. 꿈에서 예언한대로 공예태후가 낳은 의종이 즉위하자 왕태후가 되었고, 의종 · 대녕후 경(大寧候暻) · 명종 · 충희(沖曦) · 신종의 다섯 형제를 낳았다. 그리고 승경(承慶) · 덕녕(德寧) · 창락(昌樂) · 영화(永和) 네 공주를 낳았다.

인종 5년(1127)에 의종(毅宗)을 낳았을 때 왕이 사신을 보내 조서를 다음과 같이 내렸다.

'그대 임씨는 덕망 있는 가문의 출신으로 궁중에 들어와서 여성들에 대한 교양 사업을 담당하고 있으면서, 오직 서로 경계하고 서로 돕는 도리를 준수할 뿐이고 편파한 행위나 사사로운 총애를 도득하려는 마음이 없었다. 길한 징조가 꿈에 나타나 왕가의 맏아들을 낳았다. 이에 근신(近臣)에게 명하여 좋은 선물을 주노라.'

조서와 함께 은그릇, 채단, 포목, 곡식, 안마(鞍馬) 등을 주었다. 인종 7년에 왕비로 책봉되었는데 그 조서에 이르기를,

'옛날의 현철한 임금들이 천하를 영유한 것은 자기의 덕이 높은 데만 기인된 것이 아니라 대개는 현명한 아내의 도움이 있었던 것이다. 나는 외람되게 대명을 받고 국가의 위업을 계승하여 지키면서 가정을 이룩한 것은 인륜의 대의를 존중하는 까닭이오. 하늘이 정하여 준 현처는 나의 배필로서 적합하도다. 아! 그대 임씨는 일찍 여성다운 자질을 가지고 덕망 높은 가정에서 출생하여 모든 행동에서 반드시 예절을 지키었다. 집에 있으면 여성이 할 일들을 잊지 않았으며 후궁에 들어와서는 이에 아들을 낳았으니 어찌 한 가정의 좋은 일로 될 뿐이겠는가? 실로 국가의 복을 가져 온 것으로 된다. 그래서 법전에 의하여 지위와 칭호를 높여주는 바이다. 이제 모관 모(某)를 파견하여 부절을 가지고 가서 그대를 왕비로 책명하게 하노라. 아아! 검소하고 절약하면 자기 몸을 보전할 수 있으며 조심하고 공손하면 그 직책을 감당할 수 있는 것이니 나의 뜻을 잘 체득하여 길이 경사를 누릴지어다.'

인종 8년에 대령후(大寧侯) 경(暻)을 낳았을 때 왕이 또 사신을 보내 조서를 내렸다. 그 내용인즉슨,

'그대는 영특한 자질로 왕비의 존귀한 지위에 처하였다. 부부간에 화락하며 근로를 일삼았다. 생남할 경사로운 징조를 맞아서 이에 아들을 낳았으니 이를 심히 가상히 여기는 바이니 예물을 주어 우대하지 않을 수 없다.'

하고 예물을 주었다. 인종 9년에 그가 명종을 낳으니 왕은 또 사신을 보내 조서를 내리기를,

'그대 임씨는 나의 내직(內職: 궁중의 일)을 주관하는 중궁(中宮)의 지위에 있었다. 첫아들을 낳아 벌써 세자가 있고 또 아들을 많이 두니 이 또한 그대가 어진 탓이라. 생각건대 이렇게 아들을 낳은 경사는 저 연매(燕媒)의 전설이 있는 아간후(娥簡后)의 그것과도 같으니 응당 우대를 받고 영원히 큰 복을 누려야 할 것이다.'

라고 하였다. 인종은 공예태후를 높이 모셨는데, 인종 16년에 공예태후의 어머니 이씨가 죽자 인종은 소복을 입고 정전(正殿)을 파하고 백관들은 글을 보내 위문하였으며 3일간 소복을 입었다. 그리고 이씨에게 진한국(辰韓國) 대부인의 칭호를 추증하였다.

나중 임원후는 인종의 뒤를 이어 의종이 즉위하자 딸이 간택될 때는 종6품 벼슬인 전중내급사에 불과했으나 문하시중을 제수

받았다. 이로써 이자겸처럼 외척의 새로운 세력이 되어 임씨 가문은 만화방창하게 되었다.

공예태후는 향년 75세에 죽으니 순릉(純陵)에 안장하였으며 시호는 공예태후라 하였다. 이듬해에 금나라에서도 사신을 보내 조상하였는데 그 제문에 이르기를,

'생각건대 돌아간 분은 일찍이 명문의 딸로서 왕실에 시집 와서 처음에는 부녀의 도리로써 남편을 내조하였으며 만년에는 자애로운 어머니로서 그 자손을 보살피더니 갑자기 세상을 떠나서 참으로 애석한 일이다. 응당 부의를 보내야 하겠으므로 이제 주효를 갖추어 제사를 드리노니 영혼이 만일 있거든 이 성의를 받으시라.'

라고 하였다.

각설하고.

최사전은 이자겸의 난을 훌륭하게 이겨낸 일등공신이었다. 이자겸과 척준경을 갈라놓음으로써 인종으로 하여금 왕권을 지키게 하였고, 다시 인종에게 공예태후를 천거함으로써 많은 아들딸들을 얻게 하였다.

최사전은 예종(睿宗)의 등창을 제대로 치료하지 못했다하여 처벌을 받은 적이 있었다. 조부 최철(崔哲)은 정7품 상약직장(尙藥直長)의 관직을 지냈고, 부친 최정(崔靖)은 정4품 장작감(將作監)까지 오른 가문 대대로 의술로서 벼슬을 했다. 최사전은 예종의 등창이 결국 홍서(薨逝)하게 된 원인이었다며 처벌을 받긴 했으나

이자겸의 난 때 크게 공을 세운 탓으로 병부상서(兵部尙書)로 발탁되었다. 그리고 추충위사공신(推忠衛社功臣)이란 호를 받으면서 삼한후벽상공신(三韓後壁上功臣)이 되었다. 그 후 최사전은 참지정사판상서호부사(參知政事判尙書戶部事)를 지냈고 중서시랑동중서문하평장사(中書侍郎同中書門下平章事)에까지 오르니 가문의 영광이 아닐 수 없었다.

그리고 인종은 최사전에게 탐진(耽津) 땅을 식읍으로 하사하니 그로 인해 최사전과 강진의 인연은 시작되었다.

2

최사전은 인종으로부터 식읍으로 하사받은 탐진 땅을 둘러보기 위해 개경에서 배를 타고 남으로 향했다. 인종이 탐진 땅을 하사한 것은 큰 의미가 있었다. 탐진에서는 고려청자를 생산하고 있기 때문이었는데, 비록 개경과 탐진과는 먼 거리였지만 청자운반선과 조운선이 수시로 다녔으므로 낯설고 먼 땅만은 아니었다.

개경을 출발한 배는 연안항로를 따라 안흥(태안)을 거치고 진포(군산)을 지나 곧장 탐진으로 향했다. 탐진까지의 뱃길은 이미 고려를 세운 태조왕건 때부터 치열한 역사 현장이기도 하였다. 9세기 말부터 10세기 초까지 능창 · 견훤 · 왕건이 서남해를 놓고 치열한 패권을 다툰 곳이었던 것이다. 왕건은 나주의 오다련(吳多憐)과 손을 잡음으로써 서남해 지역을 침투할 수 있었는데, 그는 영산강을 이용한 견훤의 세력을 약화시키고자 했던 작전이 성공을 거두었다. 서남해 지역의 전략적 요충지인 영산강 유역을 차지함으로써 왕건은 삼한 땅의 대부분을 차지하는 쾌거를 갖게 되었다. 이 싸움에는 '파군교'란 설화가 전해져 오고 있다.

왕건이 군사들을 거느리고 영산강변에 진을 치고 있을 때 백제의 견훤이 에워싸고 공격을 해왔다. 왕건은 포위망을 뚫고 빠져나가려고 했으나 때마침 밀고 들어온 밀물 때문에 어찌할 수가 없었다. 밀물로 인해 영산강은 크게 범람해 있었다. 낮 동안의 전투가 끝나고 양쪽의 군대가 잠시 쉬고 있을 때 왕건은 눈을 붙였다. 그때 꿈에 백발노인이 나타나 말했다.

"지금 강물이 빠졌으니 어서 군사를 이끌고 몽탄의 청룡리로 가라. 그곳에서 진을 치고 있으면 견훤이 공격을 해올 것이다. 그때 그를 치면 크게 승리를 할 것이고 그 승리는 삼국통일의 기반이 될 것이다."

왕건은 잠에서 깨어나 그 노인이 가르쳐 준대로 몽탄의 청룡리로 갔고 과연 대승을 거둘 수 있었다. 여기서 몽탄(夢灘)이란 지명은 '꿈의 여울'이라는 의미가 있고, '군대를 격파했다'하여 파군교(破軍橋)란 이름이 있는 것도 설화를 뒷받침하고 있다.

왕건이 오다련을 비롯한 지역 토박이들의 해상세력과 손을 잡음으로써 고려국을 세우는데 큰 역할을 하였고, 이는 서남해 진출에 큰 힘이 되었다. 그 밖에도 왕건은 정주(貞州, 지금의 경기도 개풍군 풍덕) 유천궁의 딸과의 혼인, 혜성군(槥城郡, 지금의 당진군 면천면)이 고향인 복지겸과 박술희 장군의 충성, 영암 도선국사(道詵國師)와의 인연 등으로 서남해를 장악할 수 있었다.

왕건이 912년과 914년 두 차례에 걸쳐 정주에서 대규모 함대를 발진시켰을 때 재물이 많았던 유천궁(柳天弓)은 왕건을 도왔고, 자신의 딸을 왕건의 첫째 부인이 되도록 하였다. 다음으로는 도선과의 만남이었다. 도선은 826년 영암에서 태어나 15세 나이에 화엄사에서 화엄학을 수학하였는데, 일찍이 동리산문과 인연을 맺은 풍수지리 전문가였다. 그는 왕건의 부인에게 차자와 왕자가 태어날 것을 예언하였는가 하면, 왕건의 나이 17세에 '삼계창생(三季蒼生)의 임금'이 되리라고 예언하였다. 이러한 도선의 예언은 고려를 건국하는데 큰 역할을 하였다.

강진 무위사에 있는 '선각대사편광령탑비(先覺大師遍光靈塔碑)에 의하면 형미대사(逈微大師)는 864년 무주(武州)의 바닷가에서 태어난 것으로 기록되어 있는데, 무위사에 주석하고 있을 때 왕건은 법제자가 되었다. 그런 인연으로 형미 역시 왕건이 서남해 지역에 진출하려고 했을 때 큰 협조자가 되었다.

오늘 날 한국을 'Korea'라고 부르는 것도 그 어원이 '고려왕조'에서 비롯되고 있는 것도 해양강국을 의미하고 있는 바, 고려시대에 수도 개경이 국제 항구였기 때문이었다.

이러한 역사적 의미를 지니고 있는 서남해의 바닷길을 최사전은 배를 타고 탐진현을 향했다.

최사전은 탐진현에 도착한 다음 하룻밤을 묵은 후 이튿날 다시 배에 올랐다.

"참으로 아름다운 곳이구나. 이런 곳에서 청자가 만들어지고 있다니……."

아름다운 풍광에 눈길을 거두지 않고 바라보는 사이에 30여 리를 순풍을 타고 내려간 배는 이윽고 미포(彌浦)에 도착했다. 미포에는 청자선 두 척이 한가롭게 이물을 주억거리고 있었다.

"나으리. 이 포구는 청자를 실어 나르는 곳입니다요."

사당리에서 모든 청자를 도맡아 생산하고 있는 최궁효(崔宮孝) 대구 자기소(瓷器所) 소장이 배에 올라타서 안내를 했다. 대구 자기소를 맡고 있는 최궁효는 탐진최씨의 씨족이어서 남다르게 반가움이 솟구쳤다.

"왜 미포라 한다던가?"

"활시위를 벗긴다는 뜻입니다요. 한자(漢字)의 팔체서의 하나인 소전(小篆)의 미(彌)는 궁(弓)을 따르고 새(璽)의 소리이지만 본뜻은 활시위를 벗긴다는 뜻으로 해석하기 때문입니다요."

"활의 시위를 제거하여 활시위를 벗긴다는 뜻이므로 궁(弓)을 따랐다. 포구의 이름이 오묘하질 않는가."

최사전이 개경에서 탐진을 향해 내려가고 있을 때에도 조운선과 청자운반선이 활발히 오고 가고 했는데, 때마침 최사전이 미포에 도착했을 때 청자운반선에 청자를 싣고 있었다. 청자완, 청자접시 등을 사이사이에 짚을 넣어 파손 위험을 줄이고, 다시 받침 목재를 대어 끈으로 묶어 포장했는데, 완충제 역할을 하는 짚을 사이에 놓고 차곡차곡 쌓아올려진 수 천여 점의 청자를 실은 청자운반선이었다.

그런 그릇들은 바다를 담거나 하늘을 품거나 꽃이 담겨져 있었다. 청자 파도무늬완은 물고기나 용 문양을 배경으로 완의 내부에 파도 물결이 출렁거리고 있었다. 청자 파도물고기완도 있었는데, 비늘이나 형태를 섬세하게 표현하지 않았지만 눈과 지느러미는 또렷하게 표현된 완이었다. 청자 앵무새무늬 대접은 앵무새

두 마리를 나란히 배치해놓고 앵무새 주변으로 구름이 띄엄띄엄 널려 있었다. 청자 새구름무늬 완은 학을 해학적으로 묘사한 새와 당초 모양의 그릇이었다.

"이것은 목간(木簡)이 아니냐?"

배에 선적된 청자 꾸러미에는 목간이 함께 묶여져 있었다.

"그렇습니다. 개경에 있는 수취인에게 보내기 위해 목간을 이용하고 있습니다요."

耽津亦在京隊正仁了守付砂器八十(탐진역재경대정인료수부사기팔십)

탐진에서 개경에 있는 대정 인수에게 도자기 팔십을 보냄.

앞면에는 이렇게 적혀 있었고 뒷면에는,

卽(式)載船長수결(즉재선장수결)

앞의 수량대로 실었음. 선장수결.

최사전은 대나무에 먹물로 쓴 죽간을 유심히 살펴보았다. '최대경댁상(崔大卿宅上)'이라고 적혀진 것도 있었다. 최대경은 개경에서 벼슬을 하는 최사전과 같은 문중 사람이었다. 그리고 수결이 있는 쐐기목도 보였다. 대나무에 글씨를 새기는 것을 죽간(竹簡)이라고 하고 나무를 깎아서 글씨를 새길 때에는 목간이라고 하는데, 종이가 발명되기 전이어서 목간과 죽간을 사용하고 있었다.

"나으리. 청자를 싣고 바다를 향해 나갈 때 깨지는 것을 방지

하기 위해 기형 별로 층을 이루어 5단으로 적재하였습니다. 짚을 사용하여 완충제 역할을 할 수 있도록 하였고, 통형잔과 소호 등은 가는 원통목을 이용하였는데, 특히 목이 있는 병은 목 부분에 끈을 이용하였습니요."

"그럼 과형주자는 어떻게 하는가?"

"항아리에 넣은 다음 짚을 사이에 넣어 안전하게 이동할 수 있도록 하고 있습니다. 청자발우 같이 중요한 물건도 도자기와 도자기 사이에 짚을 넣어 서로 다치지 않도록 하고 있습니다."

"그렇게 해야만 거센 파도에도 도자기가 안전하겠구만."

"그렇습니다요."

최사전은 청자운반선을 빠져나왔다.

그러나 개경까지 가는 뱃길은 그리 쉬운 일이 아니었다. 아무리 날씨를 봐가며 가는 뱃길이어도 위험이 항상 도사리고 있는 것이 바다였다. 탐진에서 개경까지 가다가 배가 그대로 바다 속에 수장된 일은 허다했다.

2007년 5월 25일 연합뉴스에 '태안 앞바다에서 고려 청자대접 건져'라는 제목의 기사가 보도되었는데, 구연부가 일부 깨진 청자사진이 비쳐졌다. 어부가 주꾸미를 잡기 위해 설치해 놓은 소라 통발에 청자대접이 주꾸미와 함께 건져 올라온 것이었다. 어떻게 해서 주꾸미가 청자접시와 함께 있었을까? 주꾸미는 소라를 넣은 통발에 산란을 하기 위해 입구를 막아야만 했는데, 이를테면 바깥에서 가까이에 있는 패각류 등을 빨판으로 끌어당길 때 청자접시가 붙은 것이었다.

주꾸미는 청자접시 한 점 뿐 아니라 여러 청자편들도 붙어 있었으나 그것을 발견한 어부는 우선 한 점만 신고했다. 이리하여 그해 7월 본격적으로 조사가 이루어졌다. 조사한 지 사흘째 되던 날에는 잠수사가 취사 때 사용하던 항아리를 안고 올라왔다. 그리고 청자운반선이 매장되었다는 소식을 알려와 지켜보던 사람들을 긴장시켰다.

충남 태안군 대섬 앞바다. 난행량(難行梁)이라고 원래 불리던 그 해역에서 청자운반선이 발견된 것이었는데, 나중에는 안흥량(安興梁)이라고 명칭을 고쳐 부르며 무운을 빌만큼 조운선의 침몰사고가 빈번한 곳이었다. 그만큼 조석간의 차가 크고 조류가 빠른 지역이었다.

청자운반선은 발견 당시 남쪽으로 약 95도 매몰되어 있었는데, 엄청난 청자가 실려 있었다. 자그마치 2만 3천여 점으로 특히 접시와 대접이 다량 출토되었다. 그러니까 900년 후 후손들에게 여실히 증명할 바로 청자운반선이 미포나루에서 출발을 기다리고 있었던 것이다.

"먼저 청자기와를 만드는 곳을 보고 싶구나."

"잠시면 보시게 될 것입니다요."

자기소 최 소장은 앞장서서 청자기와 생산지로 최사전을 안내했다. 여계산 아래로 가마터가 즐비하게 자리하고 있었는데, 그 중 가장 가까운 곳이었다. 가마 밖에는 땔나무가 집채처럼 크고 높게 쌓여져 있었고, 그 옆 움막에는 이미 만들어진 청자기와 수천 점이 쌓여 있었다.

"이것이 청자기와입니다요."

최 소장이 청자기와 하나를 집어 들고 최사전에게 건넸다. 최사전이 청자를 받아들고 내면을 살펴보았다. 거기에는 '누서면남(樓西面南)'이라고 적혀 있었다. 또 다른 청자기와에는 '서루(西樓)'라고 적혀진 것도 있었고, '일촌오분(一寸五分)'이라고 적혀진 것도 있었다. 이러한 글자는 집에 기와가 놓일 위치를 의미하는 것으로 높이나 크기를 나타내는 것이었다.

최사전은 '일촌오분'이란 청자기와를 요모조모 살펴보았다. 청자음각목단당초문일촌오분명와(青磁陰刻牧丹唐草文一寸五分銘瓦)는 기와의 하단부를 꽃모양으로 오려낸 다음 못자리가 되는 투공이 있었다. 한 치 닷푼 크기의 '일촌오분'을 살펴보는 최사전에게 최 소장이 말했다.

"아시다시피 기와를 제작함에 있어 제각기 쓰일 위치와 쓰임새를 미리 계획한 후 만들고 있습니다요."

훗날의 일이지만 최사전이 세상을 떠난 후 18년 뒤 인종의 뒤를 이은 의종은 명을 내리기를,

"민가 50채를 헐어내고 태평정(太平亭)을 짓도록 하라. 그리고 근처에 양이정(養怡亭)을 신축하되 청기와로 덮도록 하라."
고 명을 내렸었다.

"폐하! 양이정이라 이름을 지으심은 무슨 뜻이오이까?"

신하들이 묻자 의종이 웃으며 말했다.

"양(養)이란 가르쳐서 길러낸다는 말이 아니겠소? 교양(敎養)과 도야(陶冶)의 뜻이 거기에 있소. 예기 문왕 세자편에 태부(太傅)란 벼슬과 태부의 부관인 소부(小傅)란 벼슬이 있었는데, 태자를 바르게 도와서 잘 가르치라는 것이었소. 그리고 도야는 심신을 단련하여 지식과 도덕을 높이는 말이 아니겠소? 여기에 품성까지

높이기 위해서는 맹자의 말씀을 생각하지 않을 수 없소. 마음을 수양하려 한다면 욕심을 줄이는 일보다 더 좋은 일이 없다는 것이오. 그래서 첫 글자를 양(養)이라 했고, 이(怡)는 기쁘다는 것으로 거기에는 희열과 희락의 뜻이 있는데, 모두 고사에서 따온 것이오."

"폐하! 폐하의 현명하심에 그저 감복할 따름입니다."

"짐은 태자에게 명하여 현판을 쓰도록 하였소."

"폐하께서 태자마마를 얼마나 아끼시는지 짐작이 가옵니다."

임금 의종은 태평정 주변에 이름 있는 화초와 과수를 심도록 했고, 남쪽에는 못을 파서 물을 채운 후 관란정(觀瀾亭)을 세웠다. 양이정은 북쪽에 세워진 정자였는데, 의종은 옥돌로 환희대(歡喜臺)와 미성대(美成臺)를 쌓았다. 뿐만 아니라 먼 곳에서까지 가져온 아름다운 기암괴석으로 신선산(神仙山)을 만들었다. 제각기 모양과 크기가 다른 기암괴석을 기술자가 보기 좋게 쌓은 신선산에 물을 끌어와 폭포를 만들었다. 청자기와는 바로 그곳에 사용되었던 것이다.

이렇듯 의종에 의해 청자와 청자기와가 최전성기를 맞이했지만 정작 의종은 임금으로 계승을 할 때 쉽게 이루어지지 않았다. 공예태후와 부왕이었던 인종이 의종을 그리 탐탁하게 생각하지 않았기 때문이었는데, 그것은 의종이 임금으로서의 능력이 부족해서가 아니라 외척에 대한 것 때문이었다. 그리고 공예태후는 의종보다는 둘째였던 대령후(大寧侯) 경(暻)을 더 좋아했기 때문에 그가 당연히 태자로 책봉되기를 원했다.

나중 의종이 임금이 되었을 때 의종은 공예태후에게 원망스런

말을 한 적이 있었다. 이 말을 들은 공예태후는 맨발로 대전 밖으로 뛰어나와 외치기를,

"폐하! 내 하늘을 우러러 맹세하오리다. 앞으로는 결코 그와 같은 일은 없을 것이오."

하고 하늘을 우러러 맹세를 했을 때 갑자기 비가 내리고 천둥과 번개가 대궐을 울리면서 훤히 밝혔다.

"잘 알겠습니다, 어마마마!"

의종은 한참동안이나 어쩔 줄을 모르며 몹시 당황해 했다.

어떤 군주보다도 다재다능해서 못하는 것이 없을 정도였던 의종은 격구며 수박회며 활쏘기 등의 무술을 잘했다. 뿐만 아니라 예술적 재능과 학문적 자질도 뛰어난 군주였다. 이러한 재능은 태자 때부터 드러났는데, 밖에 나갈 때면 으레 술자리에서 시간을 정해 놓고 시를 지어내는 각촉부시(刻燭付詩)를 즐기곤 했다. 한밤중 잠이 오지 않을 때면 내시를 불러 각촉부시를 할 정도였으니 의종이 얼마나 학문을 좋아했는지 알 수 있었다.

의종은 문무를 겸비한 임금이었다. 특히 격렬한 운동인 격구를 좋아해서 자주 그 운동을 하였고, 장막 위에 촛불을 켜놓고 그것을 활로 맞추는 시합까지 가졌다. 아무도 촛불을 맞추지 못하자 의종이 즉시 쏘아 적중시킬 정도였으니 실력 또한 뛰어난 임금이었다.

그런데 의종은 애주가였다. 어찌나 술을 좋아했던지 정변이 일어나서 대궐이 온통 살육의 현장으로 변했는데도 술을 마실 정도였다. 먼 산을 바라보듯이 참혹한 현장을 그대로 지켜보면서 태연히 술을 마셨다. 당연히 술 주량도 쌨기 때문에 신하들이 먼저

비틀거렸다.

의종은 평민이 아닌 무비(無比)라는 노비를 특별히 사랑했다. 그리고 그 무비와의 사이에 3남 9녀의 자녀를 두었다. 노비 출신의 여성을 사랑했을 뿐 아니라 비천한 인물을 많이 등용하기도 했던 의종이었다.

이러한 의종은 대단한 군주는 아니었지만 그렇다고 무능한 군주도 아니었다. 왕권강화를 위해 낮은 신분의 인물을 등용한 것은 사실이지만 한편으로 청자의 발전을 위해 노력을 했던 군주였다.

최사전은 청자기와를 살펴보고 나서 이번엔 자판(磁板)을 만드는 가마로 걸음을 옮겼다. 자판은 방형(方形)으로 두께는 아주 얇은 것과 약간 두꺼운 것들로 다양했다. 자판에는 음각으로 연꽃을 그려 넣기도 하고 상감으로 학이나 꽃, 파도, 나한 등 매우 다채롭게 그려져 있었다. 무늬가 없는 면에는 유약을 사용하지 않아 편평한 벽면에 타일처럼 부착하기 위해 만들어지는 건축부재였다.

"나으리. 이제 청자가 만들어지고 있는 곳으로 가십시다요."

"그러지."

최사전은 청자기와 가마에서 천천히 화구소(火口所)로 걸음을 옮겼다.

"불 때는 연기가 너무 많아서 화구소라고 부릅니다요."

자기소장 말대로 청자를 굽는 화구소 일대는 연기로 하늘을 가릴 지경이었다. 그 모습은 장관이었다. 높은 천태산과 백적산, 그리고 여계산을 가리고도 부족해 하늘까지 가리는 연기는 끊임없이 화구소 일대에서 뿜어져 나오고 있었다.

"청자를 만드는 곳을 직접 보겠다."

최사전은 청자를 만드는 한 건물로 들어섰다. 칠팔 명의 도공들이 일을 하다 말고 일제히 일어나 허리를 굽혔다.

"수고들이 많구나."

"어서 오십시오, 나으리."

가장 나이가 들어 보이는 도공이 허리를 굽히며 인사를 했다. 한평생 도자기만 만들어서인지 늙은 도공의 얼굴은 어린애처럼 천진난만했다. 허리 하나 구부러지지 않았고 두 어깨는 근육이 꿈질거렸다.

"나으리께서 이곳을 찾아주시니 광영이옵니다. 더구나 나으리께서는 나라를 위해 크게 공을 세우신 분이 아니옵니까요."

다른 도공이 고개를 숙이며 말했다.

"아니다. 너희들이야말로 나라를 위해 애쓰는 사람들이다. 또한 너희들이 만든 도자기는 나라에서 귀히 쓰고 있느니라."

최사전의 말에 도공들이 일제히 합창하듯 말했다.

"최선을 다하겠습니다요."

"최선을 다하겠습니다요."

"그래야지. 도자기를 만드는 일이야말로 우리 고려의 자랑이자 긍지를 갖는 일이니라."

최사전이 걸음을 옮겨 세심히 덜 만들어진 도자기를 살펴보았다.

"청자는 흙으로 형태를 만든 후 유약을 입혀서 불에 굽습니다. 그래서 흙과 유약, 불이 청자의 3대 요소라고 할 수 있겠습니다.

이곳의 흙은 가소성(可塑性)이 좋아서 청자를 만드는데 적격입니다. 가소성이란 새로운 형태를 유지하는 성질을 말하는데 가소성이 떨어지는 흙은 물레작업도 힘들 뿐더러 건조과정에서도 쉬 터지기 마련입니다."

"알겠다. 문제는 흙이 좋아야 한다는 것이지."

"그렇습니다요, 나으리."

"이곳에는 가마터가 두 군데이지?"

"대구소(大口所)와 칠량소(七良所) 두 군데입니다요. 그러나 이곳에서 모두 관장을 하고 있습니다. 지금 나으리께서 계신 곳은 대구소이고, 칠량소는 조금 떨어진 곳에 있습니다."

"칠량소는 다음에 가보기로 하고 우선 대구소를 살펴봐야겠다."

최사전은 줄줄이 잇대어 있는 가마터 한 곳을 들어갔다. 그곳에서도 도공들이 열심히 땀을 흘려가며 청자를 만들고 있었다.

"그런데 네가 만드는 것이 신기하지 않느냐?"

최사전이 문득 한 도공이 만드는 청자 사자 장식 향로를 유심히 살피면서 말했다. 도공은 '산예출향(狻猊出香)'이란 향로를 만들고 있었는데, 위에는 사자가 쪼그리고 있고 아래에는 연꽃이 있어 그것을 바치고 있는 모습이었다.

"이 짐승은 사자의 모습이 아니냐?"

"그렇습니다. 사자입니다요."

"사자를 무섭게 만들지 않고 앙증맞게 만들어냈구나, 허허허!"

최사전이 밝게 웃어 보였다.

"사자를 움켜쥐고 뚜껑을 열어야만 향로로서 역할을 할 수 있습니다요."

도공이 향로의 뚜껑을 열어 보이며 말했다.

"향을 피우면 사자의 입에서 연기가 나오겠구나. 참으로 감탄할 수밖에 없구나."

최사전은 도공들이 만들어내는 작품을 보고 깊은 감동을 받고 나서 최 자기소장의 안내를 받으며 쌍계사(雙溪寺)를 향해 걸어 올라갔다.

쌍계사.

800년에 도선국사가 창건했다고 전해지는 쌍계사는 천개산(天蓋山) 산자락에 자리한 고찰(古刹)이었다. 북쪽으로는 불용산(佛聳山), 동쪽에는 천관산(天冠山), 서쪽에는 저두산(猪頭山), 그리고 남에는 백적산(白磧山), 서남쪽에는 여계산(女鷄山)이 에워싸고 있어서 깊은 산중이었다. 천개산의 가장 높은 봉우리는 천태봉(天台峰)인데, 백적산의 여러 봉우리와 마주하고 있어 산세가 웅장함을 느끼게 했다.

"참으로 산세가 좋구나."

최사전이 눈을 들어 천태봉을 바라보았다.

"나으리. 천태봉 중심부에는 거대한 바위가 하나 있습니다요. 그 바위의 이름은 개천(盖天)이었는데, 다음과 같은 전설이 전해져 오고 있습니다요. 온 세상이 상전벽해(桑田碧海)가 되었을 때 천관산에 있는 미륵불(彌勒佛)이 천개산에서 다시 만나게 된다는 것입니다요. 그래서 부처님의 가르침이 온 세상에 널리 퍼질 때에 개천의 바위가 푸른 공중으로 솟구칠 것이라는 얘기입니다요."

"그런데 쌍계사에는 첨성각(瞻星閣)이 있는 것으로 보아 유서 깊은 사찰이 아닌가?"

최사전이 물었다.

"그렇습니다요. 신라 진평왕 39년 정축년에 창건된 관음사(觀音寺:지금의 무위사)와 신라 애장왕 원년에 창건된 이곳 쌍계사는 첨성각이 있습니다요. 하늘의 별자리를 관측하는 천문대 역할을 하는 첨성각은 바다에서 야간 항해를 할 때 도움을 주기 위한 것입니다요."

"바다와 함께 사는 곳이라 첨성각이 필요하였겠구나."

"특히 이곳 탐진현에서는 개경까지 청자를 싣고 가기 때문에 첨성각에서 일월성신(日月星辰)의 운행을 살펴야만 합니다요."

"당연한 일이 아니겠느냐?"

최사전은 해가 설핏해질 때까지 쌍계사에서 머무르다 객사로 돌아왔다. 최 소장은 객사로 최사전을 모신 다음 사무실에 들러 집으로 돌아갔다. 그런데 그날 밤이었다. 긴 뱃길을 달려 탐진까지 왔다가 다시 이틀 만에 대구소에 도착했으므로 몸이 몹시 피곤함을 느낀 최사전은 일찍 잠자리에 들려고 허리를 눕히려는데 밖에서 인기척이 들려왔다.

"나으리! 주무십니까?"

"누구인가?"

"소인입니다요, 나으리."

최 자기소장이었다.

"무슨 일인가?"

최사전은 누운 채로 물었다. 중요한 일이 아니면 찾지 말라고 일렀는데도 굳이 찾아온 이유가 궁금했다.

"나으리! 주무셔야 할 텐데 까닭이 있어 다시 왔습니다요."

최 소장이 조심스럽게 입을 열었다.

"들라."

최사전은 허리를 일으켜 세우고 바른 자세로 앉았다.

"송구하옵니다. 그러나 나으리를 꼭 뵈어야하겠다고 어찌나 조르는지……."

"누가 그런단 말인가?"

"대구소 도공의 여식입니다요."

"도공의 여식이 왜? 낮에 만나도 되는 일이거늘……."

순간 최사전은 최 소장이 한 여인을 남몰래 바치려는 의도가 아닌가 싶어 그의 표정을 살펴보았다. 하룻밤 즐겁게 보내라는 생각으로 다른 사람이 전혀 눈치 채지 못하게 은밀히 움직이는 것은 아닌가 싶었는데 최 소장의 표정은 진지하기만 했다.

"아마도 나으리께 하소연을 하고 싶어 그러는가 봅니다요. 그녀는 시방 혼인을 올렸으나 신랑이 사라지고 없는 여자입니다요."

"그것은 어디까지나 개인적인 일이 아니던가? 내 비록 이곳을 관할하는 책임자이긴 하나 어찌 남의 사생활을 이러고저러고 할 수 있겠는가?"

"나으리를 뵙지 못하면 자진(自盡)이라도 할 기세여서……."

최 소장은 몹시 난처한 표정을 지어보였다.

"들라하라. 무슨 사연인지 들어보겠다."

"그럼, 데리고 오겠습니다요."

최 소장은 발걸음을 죽이며 밖으로 사라졌다. 창밖은 눈부시게 달빛이 쏟아지고 있었다. 마당가에 세워진 석류나무 가지가 창문에 어른거렸다. 이따금 개 짖는 소리만 들려올 뿐 산골 특유의 고요함이 주변을 무겁게 누르고 있었다.

최사전은 피곤했던 탓인지 스스로 눈꺼풀이 감기는 것을 느꼈다. 깜박 잠에 빠져드는 데 밖에서 인기척이 들려왔다. 도둑고양이처럼 살금살금 다가오는 두 사람의 발걸음이었다.

"나으리. 들어가도 되겠습니까요?"

"들어오라."

이윽고 최 소장과 함께 문을 열고 들어온 사람은 하얀 소복차림의 젊은 여인이었다. 최 소장이 밖으로 사라지자 여인은 공손히 큰절을 올린 다음 입을 열었다.

"나으리. 소녀는 청이 있어 이렇게 찾아왔나이다."

그제야 최사전은 눈을 들어 여인을 바라보았다. 참으로 아름다운 얼굴이었다. 개경에서도 찾아보기 쉽지 않는 아리따운 용모여서 최사전은 거듭 여인의 얼굴을 바라보았다.

"소녀는 혼인을 올렸으나 아직 처녀의 몸이옵니다."

여인은 소리 없이 눈물을 주르륵 흘렸다.

"무슨 사연이 있었던 것이냐?"

최사전은 천하의 미인은 못 된다 하더라도 개경에서도 빠지지 않는 미인이라는 점에서 자못 궁금했다. 아니 수많은 궁녀들이 득실거리는 대궐에서조차 이렇게 아리따운 여자는 없었다. 최사전은 나이 든 사람답지 않게 갑자기 가슴이 뛰는 것을 느꼈다. 그런데 혼인은 올렸지만 아직 처녀라니.

여인은 옷고름으로 눈물을 닦고 나서 입을 열었다.

"제 낭군님을 찾아주십시오."

여인의 말대로라면 혼인을 올린 낭군과 헤어졌다는 말인가? 운우지정(雲雨之情)을 나누며 신혼의 재미에 흠뻑 빠져야 할 낭군이 대체 어디로 갔기에 찾아달라는 것일까? 뜻밖의 말에 최사전은 얼른 이해가 되지 않았다.

"대명천지에 그대의 낭군이 하늘로 솟은 것도 아니고 땅으로 꺼진 것도 아닌 바에야 내게 찾아달라니, 대체 무슨 말이더냐?"

최사전은 침착하게 묻고 나서 자리끼를 벌컥벌컥 들이켰다.

"소녀의 힘으로는 어찌 할 수가 없어서 그러하옵니다."

여인은 다시금 눈물을 흘렸다.

"그럼 그대의 낭군이 시방 어디에 있는 줄도 모른단 말이더냐?"

"아닙니다. 제 낭군님은 절에 있사옵니다. 스님이 되어 절에서 지내고 있사옵니다."

"그럼, 세속을 끊고 입산출가를 했다는 말이 아니더냐?"

여인이 고개를 끄덕거리며 말했다.

"그렇사옵니다."

최사전은 그제야 그녀가 찾아온 이유를 알 수 있었다. 그러나 도를 얻기 위해 출가를 하는 사람은 부모 형제간의 혈육도 자르는 법이었다. 사랑하는 여인도 잊는 법이었다. 번뇌가 일어남을 막기 위해서인데 그리하여 생사를 걸고 용맹정진해서 부처가 되는 것을 목표로 하는 것이 입산출가였다. 전후 사정이 어찌 됐던 그녀는 이미 출가한 사람에게 파계를 해달라는 요청이었다.

"그대의 낭군은 이미 떠나버렸지 않았느냐? 설령 출가한 사람을 찾아낸들 무슨 소용이 있겠느냐?"

"출가를 했든 안했든 저희 두 사람은 천지신명께 맹세한 부부이옵니다."

"부부인데 어찌하여 신부를 놔두고 출가를 했더란 말이냐?"

"그래서 소녀도 죽을 지경이옵니다."

그녀는 천천히 자신의 과거를 털어놓기 시작했다. 최사전은 다시 자리끼의 물을 마시며 그녀의 말에 귀를 기울였다.

그녀의 아비는 대구소에서 유명한 도공이었다. 대구소에 도공들이 서서히 늘어난 것도 다 그녀의 아비 때문이었다. 그녀의 아비는 어디서 흘러왔는지 정확히 아는 사람은 없었다. 다만 열 두어 살 되던 때 대구소에 나타나 열심히 청자를 만들었던 사람으로 이름이 박돌만이었다.

박돌만은 간신히 명맥만 유지하던 고려청자가 용운, 계율, 수동, 사당으로 확산되던 때에 나타나 가장 청자를 잘 만드는 젊은이였다. 박돌만은 타고난 손재주가 있었던지, 아니면 남모르게 노력을 한 때문이었는지 청자를 누구보다도 잘 만들었기 때문에 자연스럽게 모든 도공들로부터 추앙을 받았다. 그리고 나이가 들어갈수록 그에게 배운 제자가 많았다.

박돌만은 청자를 점토(粘土)에서부터 조각(彫刻), 문양(紋樣), 유약(釉藥), 굽기에 이르기까지 못하는 것이 없었다. 대부분 대구소에서 일하는 도공들은 한 가지 일에만 열중했는데, 자기가 하는 일은 잘했지만 다른 분야는 서툴렀다. 배우기가 만만치 않았고 설령 배운다 해도 오랜 시간이 걸리기 때문이었다. 하지만 박돌만은 모든 분야를 잘했기 때문에 대구소에 있는 도공들을 정신적 지주로서 이끌어가며 그 명성을 지켜나갔다.

그런 박돌만에게 여식이 하나 있었다. 어찌나 일에만 열중하든지 평생 홀애비로 늙어갈 작정인 것 같았으나 마흔을 넘겨 열두 살이나 적은 젊은 여자를 아내로 맞이해 낳은 외동딸이었다. 회갑을 넘기기가 힘들었던 그 시절에 박돌만은 어느 날 나이 든 도공 하나가 나무를 베다 절벽 아래로 떨어져 죽는 것을 보고 느낀 바가 있었다. 적어도 송장을 치워줄 자식 하나는 있어야 한다고 생각한 나머지 혼인을 결심해 낳은 딸이었으므로 금이야 옥이야 하며 키웠다. 비록 아들은 얻지 못했지만 여식이라도 생겼다는 사실이 박돌만에게는 큰 행복이었다. 여식은 무럭무럭 자라면서 재롱을 피울 때마다 박돌만은 행복이 무엇인지 알 것만 같았다.

박돌만은 여식의 이름을 박홍강이라 지었다. 쌍계사에서 흘러내리는 계류가 합해져서 훈정강을 이루는데, 그 강물은 20여 리 용운, 계율, 수동, 사당리 거쳐 미포나루로 흘러갔다. 생산된 도자기들은 배를 이용해 미포나루로 날랐는데, 그 훈정강은 봄마다 강가에 심어진 복사꽃이 떨어지면 붉은 강물이 되곤 했기 때문에 그 모습이 너무 아름다워 여식의 이름을 홍강이라 했던 것이다.

홍강은 복사꽃처럼 예쁘게 자랐다. 자라면 자랄수록 용모가 어연번듯해서 대구소에서는 누구나 귀여워했다. 홍강이 열다섯 살 되던 해였다. 이제는 누가 보아도 물이 한껏 오른 아가씨였다. 투명한 피부와 봉긋 솟아오른 젖무덤은 남자의 시선을 붙들기에 부족함이 없었다.

그런데 박돌만 밑에서 일하는 젊은 도공이 하나 있었다. 한눈 한 번 팔지 않고 청자만 빚는 장옥재라는 젊은이였다. 홍강이 어려서부터 아버지 박돌만과 함께 일해 왔으므로 오누이처럼 다정

다감할 법도 하련만 장옥재는 단 한 번도 홍강을 쳐다보거나 말을 걸어본 일도 없었다.

하지만 홍강은 아버지처럼 열심히 자기를 만들어내는 묵직하고 든든한 성품이 맘에 들어 홀로 연정을 품으며 지냈다. 그렇게 세월이 흘러가는 사이에 홍강의 아름다운 용모와 착한 마음씨에 매파들이 집을 들락거렸다. 그 때마다 홍강은 고개를 흔들었다. 그리고 장옥재에게 본격적으로 추파를 던지며 어떻게 하든지 마음을 얻어 보려고 애썼지만 허사였다. 털끝만큼도 반응이 없는 장옥재였으므로 홍강은 날이 갈수록 안달이 났다.

어느 날, 홍강은 우연찮게 장옥재가 훈정강에서 옷을 빨래하는 모습을 목격했다. 도공들은 누구나 제각기 자신의 옷을 빨아서 입었으므로 새삼스러운 일은 아니었다. 홍강은 아무 말 없이 장옥재의 곁으로 다가가 빨래를 해주었다. 그러나 장옥재는 빨랫방망이를 몇 번 두드리지도 않았는데 빨랫감을 빼앗더니 그냥 돌아가버리는 것이었다. 빨래를 해주려는 호의조차 거절해버린 장옥재였다. 홍강은 말할 수 없는 수치와 절망을 느꼈다. 설령 마음은 받아주지 않을지라도 빨래까지 못하게 한 것은 철저히 자신을 무시한 때문이라고 생각했다. 분한 마음을 참을 수 없었지만 그러면 그럴수록 사모하는 마음은 더해만 갔다. 그 뒤로 몇 차례 말을 걸어보려 했지만 전혀 반응이 없었다. 오히려 동짓날 서릿발 같은 냉정함으로 대하는 것이었다.

홍강은 자리에 눕고 말았다. 시름시름 앓더니 홍강은 며칠이 지나자 겨우 물만 마실 뿐 미숫가루조차 목에 넘기질 못했다.

"아가! 어디가 아파서 그러냐?"

홍강의 어미는 애가 타서 안절부절 못했다. 그러나 홍강은 가타부타 말이 없이 몇 날을 그렇게 보냈다. 얼굴이 몹시 야위어가면서 도무지 일어날 기미가 보이지 않았다. 홍강의 어미는 참다 못해 용하다는 점쟁이를 찾아갔다.

"눈에 넣어도 아프지 않을 것 같은 내 딸에게 든 날벼락이다요?"

홍강 어미의 말에 점쟁이는 피식피식 웃기만 하더니 버럭 고함을 지르듯 말했다.

"상사병이야!"

"아니, 상사병이라뇨?"

"아, 과부 여승의 병이 상사병이지 뭣이여!"

"이보시오, 입 달렸다고 함부로 말하지 마시오! 과부 여승의 병이라니, 그런 망측한 말이 어딨소? 세상 불쌍한 사람이 과부요, 여승이거늘 뭔 말을 그렇게 한다요?"

"암튼 과부 여승 병은 약이 없당께!"

"약이 없는 병이 어딨다요? 옛말에 불로초, 불사초란 말도 있잖소?"

"글쎄, 이 병은 약도 없는 병이당께 그러네."

점쟁이는 뭐가 재미있는지 피식피식 웃기만 하다가 사라졌다.

상사병. 예산지방에서 내려오는 민요 정애요(情愛謠)의 내용과 다를 바 없는 홍강의 처지였다. 만날 길이 없었던 처자와 총각은 오월이라 단오날에 뒷마을의 늙은 총각은 그네 뛰다 죽고, 앞마을의 늙은 처자는 섣달 그믐날에 널뛰다가 죽었다는 정애요였다.

홍강 어미는 딸에게 누굴 좋아해서 그러느냐고 물어도 아무런 대답을 듣지 못했다. 홍강은 그저 고개만 절레절레 흔들 뿐이었다. 홍강이 보름 동안 앓고 나더니 무슨 생각을 했는지 차츰 미음을 먹으며 기운을 차려갔다. 그러나 아예 말이 없어진 아가씨로 변했다. 입을 꽉 다문 채 벙어리처럼 지내는 것이었다.

"내 딸이 다시 살아났네."

홍강 어미는 홍강이 차츰차츰 옛 모습을 되찾아가자 덩실덩실 춤이라도 추고 싶은 심정이었다. 까딱했으면 금지옥엽으로 키운 딸자식을 졸지에 저세상으로 보낼 뻔한 일이 아니었던가. 눈치로 봐서는 틀림없이 장옥재란 젊은 도공을 맘에 두고 있는 것 같았지만 장옥재의 행실에 손톱만큼도 의심할만한 일이 없는 터여서 물어볼 수도 없었다.

그러던 어느 날 밤, 홍강은 홀로 장옥재의 방으로 들어갔다. 머리를 동백기름으로 정성스럽게 빗고 새 옷으로 갈아입은 홍강의 모습은 평소와는 다르게 천상에서 내려온 선녀의 모습이었다. 하루 종일 쉬지 않고 흙을 만진 장옥재는 잠자리에 들려다 말고 홍강이 방으로 들어오자 깜짝 놀랐다. 무엇보다도 그녀의 옷차림이 평소에 입던 것과는 달리 곱게 치장을 한 모습 때문에 가슴이 덜컥 내려앉았다.

"무슨 일이오, 낭자?"

장옥재가 묻자 홍강이 단호하게 말했다.

"오라버니! 홍강은 오라버니를 사모하고 있으나 오라버니는 지금까지 본 체 만 체 하시니 괴롭습니다."

"나는 낭자에게 조금도 관심이 없소이다."

장옥재는 싸늘하게 대했다. 한 집에서 눈만 뜨면 얼굴을 보고

사는 처지치고는 얼음처럼 싸늘한 말이었다.

"오라버니는 여자의 마음을 그리 모르십니까? 그렇지 않고서야 어찌 저를 모른 체 한단 말입니까?"

"관심이 없다질 하지 않았소."

"그럼 이유가 있을 게 아닙니까? 다른 여자를 염두에 두고 있다든지……."

"아니오. 내가 낭자에게 관심이 조금도 없듯이 다른 여자에게도 관심이 없소. 그저 나는 내가 걸어가야 할 길을 조용히 갈 뿐이오."

"그 길이 어떤 길이든지 이 홍강이 따르겠습니다. 왜냐하면 저는 오라버니를 사랑하고 있기 때문입니다. 그래서 지난 번 몸이 아파 드러누웠을 때에도 오라버니를 못 잊어서 그랬던 것입니다. 그러니 제발 제 마음을 받아주세요!"

홍강의 목소리는 간절했다.

"어찌 내가 낭자의 마음을 모르겠소. 그러나 조금 전에 말했듯이 내가 가야 할 길이 있기 때문에 낭자의 마음을 받아들일 수가 없다는 것이오."

여전히 싸늘하게 말하자 홍강은 갑자기 일어나서 옷을 한 겹 한 겹 벗기 시작했다.

"이것 보시오. 지금 뭘 하는 것이오?"

말릴 틈도 없이 그녀는 저고리를 벗고 치마를 벗었다. 그리고 젖가리개를 풀자 풍만한 가슴이 일시에 드러났다. 참으로 황당한 일이었다. 아직 남자를 한 번도 경험해 본 적이 없는 처녀가 가슴을 내보이다니. 장옥재는 눈을 질끈 감아버렸다. 장옥재 역시 알몸의 여체를 한 번도 본 적이 없었기 때문에 눈을 제대로 뜰 수가 없었다.

이윽고 그녀는 이제 은밀한 부분만을 간신히 가리고 있는 천조각 하나만 몸에 붙어 있을 뿐이었다.

"오라버니. 저를 가지십시오."

홍강은 이윽고 울음을 쏟아내며 거듭 하소연을 했다.

"이 무슨 해괴한 일이오? 어서 물러가시오."

장옥재가 완강하게 홍강의 청을 거절하자 그녀는 미리 준비한 단도를 꺼내들고 자신의 목에 겨누었다. 단도의 끝에서는 검푸른 빛이 뿜어져 나오고 있었다. 조금만 힘을 주면 단도의 끝이 그녀의 목을 찔러 검붉은 피가 솟구칠 것 같았다.

"오라버니! 이렇듯 욕됨을 당하느니 차라리 목숨을 끊겠습니다."

장옥재는 소스라치게 놀랐다. 홍강의 알몸을 보면서도 눈 하나 까딱하지 않았던 그였다.

'내가 사람을 죽이는구나.'

장옥재는 그녀에게 제발 자신을 잊어달라고 말하고 싶었다. 자신은 따로 걸어가야 할 길이 있다고. 그래서 한 여자와 함께 가정을 꾸릴 수 없다고 말하고 싶었다.

그런데 당장 눈앞에 펼쳐지는 광경은 사람이 죽을 수도 있는 절박한 상황이 아닌가.

'어쩔 수 없는 일이구나. 우선 사람을 살리는 것이 급선무일 것이다.'

장옥재는 길게 한숨을 내쉬었다.

"알겠소. 알았으니 먼저 칼을 거두고 어서 옷을 입으시오."

"그럼 홍강의 뜻을 받아주시는 것입니까?"

홍강은 단도를 손에서 내려놓지 않은 채 다짐을 받고자 했다.

"받아주겠소."

그러자 홍강이 단도를 방바닥에 내던지며 몸을 앞으로 던졌다.

"오라버니 없이는 못살 것 같아요."

그녀는 알몸인 채로 장옥재의 가슴에 얼굴을 묻었다. 얼굴을 쓰다듬자 두 눈에서 흘러내리는 눈물이 손바닥을 가득 채웠다.

"약속을 해주세요. 저와 혼인을 하겠다고 말입니다."

"그리하리다."

장옥재는 처음으로 그녀의 얼굴과 머리를 잠시 쓰다듬으며 욕정이 일어나는 것을 느꼈다. 알몸인 그녀를 곧장 눕히면 솟구치는 욕정을 당장 해결할 수 있을 것이었다.

더구나 그녀의 젖가슴은 장옥재의 아랫배에서 출렁거리고 있었다. 터질 듯 풍만한 젖가슴이었다. 혼인을 약속한 이상 설령 그녀를 눕힌다 해도 아무런 문제가 되질 않을 것이었다. 아니, 그녀는 자신을 눕혀주기를 진심으로 바라고 있을 터였다. 그러나 장옥재는 다시 두 눈을 질끈 감았다. 참으로 견디기 힘든 순간이었다. 태어나서 지금까지 여자의 몸을 이토록 가까이 접해 본 적이 없는 장옥재였다.

순간, 운주사 석홍 스님의 음성이 귓전에 들려왔다.

'부처님은 여러 비구들에게 멀리서 여인이 걸어오는 것을 보고 이렇게 말씀하셨다. 저 여인은 교양이 있고 단정하며 지극히 아름답기 때문에 수행자의 마음을 흔들리게 할 수 있나니. 그러나 너희들은 마땅히 바른 생각과 슬기로움으로 그 마음을 진정시켜야 한다. 차라리 사나운 맹호 입이나 미친 사내가 휘두르는 칼날 아래에 있을지라도 여인을 보고 애욕을 일으켜서는 안 되나니. 뜨거운 쇠창으로 두 눈을 찌를지언정 애욕의 마음으로 여자의 색을 보지 말라. 좋은 건강은 병으로 무너지고, 젊음은 늙음으로 변하게 되며, 생명은 죽음으로 바뀌지만 수행자의 법만은 침노할 수 없나니.'

장옥재는 정신이 번쩍 들었다.

"다른 사람 눈에 띄면 안 될 일이니 이제 나가주시오."

장옥재는 그녀의 어깨를 가만히 두드리며 말했다.

"오라버니!"

홍강이 가슴을 묻은 채 고개를 쳐들고 간절하게 장옥재를 불렀다.

"말하시오."

"오라버니! 꼭 약속을 지켜주시는 겁니다."

"그렇다마다요."

"고마워요, 오라버니! 그럼 그 정표로 제 입술 한 번만 깨물어주세요."

그녀의 눈가에는 눈물이 아직 마르지도 않았는데도 환하게 웃어보였다. 난감한 일이었다. 그녀의 소원대로 하지 않으면 방금 했던 약속을 따질 것이고, 또 다시 단도를 꺼내들지도 모를 일이었다. 어쩔 수 없이 장옥재가 입술을 들이밀자 홍강은 와락 목덜미를 껴안았다.

'이제, 앞으로 어찌해야 좋단 말인가.'

그녀가 방을 조용히 빠져나간 뒤 장옥재는 한숨도 잠을 자지 않았다. 아니 잠을 잘 수가 없었다.

'이제 이곳을 떠나야 할 때가 왔구나.'

장옥재는 그렇게 결심을 굳히고 있었다. 박돌만 도공 밑에서 청자를 배운답시고 세월을 보내다간 꼼짝없이 이곳을 빠져나가지 못할 것 같았다. 홍강이와 혼인 약속을 덜컥 해버린 이상 이곳에서 계속 살아야만 될 일이었다.

장옥재는 길게 한숨을 내쉬었다. 창밖에서는 서늘한 솔바람 소리가 들려오고 있었다. 아리따운 홍강과 아들 딸 낳으며 행복하게 사는 일이야말로 한 사내로서 그지없는 행복일 터였다. 마음 같아서는 열 번이고 백 번이고 그렇게 하고 싶었다.

꼬끼오.

새벽닭이 울 때까지 그대로 앉아있던 장옥재는 자신의 운명은 따로 정해져 있다고 거듭 생각했다. 청자를 굽는 대구소에 오기 전 그는 하나의 운명 속에서 살아왔던 거였다.

3

장옥재는 화순 운주사(雲住寺)에서 핏덩이 때부터 자랐다. 부모가 누군지 형제가 누군지 모른 채 절에서 자랐던 것이다. 그저 스님이 아버지이고 어머니였다.

운주사는 와불전설(臥佛傳說)이 전해져 내려오는 절이었다. 옛날 도선대사(道詵大師)가 이곳에 천불천탑을 하룻밤에 세우기로 하고 하늘을 향해 기도를 시작했다. 그러자 천여 명의 선동선녀가 하늘에서 내려왔다. 선동선녀는 당장 불상과 불탑을 만들기 시작했으나 첫닭이 울기 전까지 마쳐야 했다. 하룻밤에 다 만들어야 했는데, 날이 새면 선동선녀는 하늘로 올라가기 때문에 도선대사는 일봉암이란 바위로 올라가 바위에 해를 묶어 두었다. 첫닭이 울기 전까지 일은 순조롭게 되어 이제 천불천탑이 다 조성되었고 마지막으로 와불만 일으켜 세우는 일만 남았다.

그런데 도선대사 곁에서 일을 돕던 상좌가 그만 일에 지친 나머지 첫닭 우는 소리를 내고 말았는데, 그 소리를 들은 선동선녀는 일시에 모두 하늘로 날아가버렸다. 결국 와불은 미처 세우지 못한 채 누운 채로 지내야만 했다.

장옥재는 도선대사가 창건했다는 바로 그 운주사에서 갓난애 때부터 길러졌다. 장옥재는 절에서 자랐기 때문에 일곱 살이 되던 해 불경을 공부하기 시작했다. 나이가 어렸지만 조석예불도 빠지지 않았다. 장옥재와 같은 나이로 운주사에서 자란 또 하나의 동자승이 있었는데 그의 이름은 미천이었다. 장옥재는 유일하게 나이가 똑 같은 미천과 잘 어울렸다.

어느 날, 운주사 주지 석홍 스님이 장옥재와 미천을 함께 불러들였다.

"장옥재는 올해 몇 살이지?"

"열두 살입니다."

"그럼 미천도 열두 살이겠구나."

"그렇습니다, 스님."

"너희 두 사람은 지금까지 줄곧 절에서만 지내왔기 때문에 세상구경을 한 번도 해본 적이 없을 것이다."

석홍 스님은 이렇게 입을 연 다음 심부름을 시켰다.

"탐진현에 가면 대구소가 있느니라. 그곳에 가서 운주사에서 왔다고 하면 새로 만들었다는 청자발우를 줄 것이다. 두 사람은 거길 다녀 오거라."

석홍 스님은 청자를 만든다는 대구소에서 청자발우를 가져가라는 기별을 받은 모양이었다.

"알겠습니다."

두 사람은 동시에 대답을 했다.

"이틀이면 갈 수 있을 것이다."

화순에서 강진까지는 그리 먼 거리가 아니었다. 석홍 스님 말대로 이틀이면 갈 수 있는 거리였다.

"청자발우를 받거든 조심스레 들고 와야 하느니라. 청자 발우는 세상에 둘도 없는 귀한 물건이니라."

산문 밖까지 배웅해주며 대구소를 다녀오라는 석홍 스님의 말은 털 나고 처음으로 세상구경을 하고 오라는 의도였다. 더구나 말로만 듣던 대구소를 구경할 수 있다는 사실에 두 사람은 가슴이 설레었다.

당시 스님들은 누구나 나무로 만든 발우를 사용하고 있었다. 삼시세끼 발우에 국과 밥, 그리고 반찬을 먹을 만큼 담아서 공양을 했다. 공양을 할 때 김치 한 조각을 남겨 그것으로 발우를 씻은 다음 김치조각까지 깨끗이 먹었다. 밥 한 톨이라도 시궁창 속으로 들어가서는 안 된다는 엄한 가르침 때문이었다.

발우는 스님마다 제각기 소유하는 그릇으로 어디를 출타할 때도 바랑에 넣고 다닐 만큼 소중했다. 그런데 주지 스님은 바로 그 발우를 가져오되 청자로 만든 발우를 가져오라고 심부름을 시킨 것이었다.

장옥재와 미천은 참으로 오랜만에 산문을 나섰다. 절에서만 갇혀 지내다가 산문을 빠져나오자 발걸음이 몹시 가벼웠다.

"한 번도 청자를 구경한 적이 없었는데 이번에 볼 수가 있게 되어서 마음이 들뜨는 걸."

장옥재가 입가에 웃음을 가득 물고 미천에게 말했다.

"나도 마찬가지야. 청자는 귀하기 때문에 모두 궁궐이나 높은 벼슬아치들에게 간다지 아마?"

"그래서 우리 같은 사람은 아예 구경조차 못하잖아. 그나저나 청자발우 말고도 멋진 도자기들이 많을 텐데 얼마나 멋지게 생겼을까?"

"암튼 좋은 구경이 될 것 같애."

두 사람은 종일 걸으면서도 다리가 아픈 줄도 모르고 걷고 또 걸었다.

"그런데 미천은 곧잘 탱화를 그리던데 앞으로 금어(金魚)가 될 생각이 있는 모양이지?"

장옥재의 질문에 미천은 고개를 끄덕거렸다. 미천은 시왕초(十王草), 보살초(菩薩草), 여래초(如來草), 등의 초본(初本)을 1천 장씩 그리면서 실력을 쌓아가고 있었다. 그는 어려서부터 곧잘 땅바닥에 부처님 모습을 그렸다가 지우고, 다시 그렸다가 지우곤 했는데 그 모습을 무심코 발견한 석홍 스님이 운주사에 불사가 있을 때면 찾아오는 노화사(老畵師)에게 소개를 시켜주었다. 그러자 미천의 필력이 남다르다는 것을 안 노화사는 한 달에 한 차례씩 운주사에 들러 미천에게 그림을 가르쳤다. 금어에게 배우기 시작한 미천은 여러 가지 기본법을 배우더니 드디어 탱화의 가장 기본인 초본을 배우면서 실력을 키워가고 있는 중이었다.

"나는 불모가 되어 숨이 막히도록 아름다운 수월관음도를 그리고 싶어."

"이왕 시작을 했으니 천하의 불모가 되어야겠지."

장옥재는 미천에게 용기를 불어넣어주었다. 미천은 어려서부터 그림을 그리면서 최고의 금어가 되겠다는 꿈을 꾸고 있었다.

"어디서 왔느냐?"

청자를 만든다는 대구소에 당도해서 모든 일을 총괄하는 자기소장을 만나자 이렇게 물었다.

"소승들은 운주사에서 석홍 스승님의 심부름으로 이곳에 왔습니다. 대구소에 가면 청자발우를 주실 것이라고 말씀하셨습니다."

"알았다. 절에 있으므로 잘 알겠지만 부처님께서는 철발우와 와발우 두 종류의 발우를 하락하셨다. 너희들도 알다시피 철발우는 금속제이고, 와발우는 도자기로 만든 발우를 말한다."

자기소장은 대개 3합발우를 내놓으며 말했다. 3합발우란 그릇이 세 개로써 포개면 하나가 되는 발우였다.

"이 청자발우는 금은과 똑 같은 가치를 지니고 있느니라. 그러므로 각별 조심해서 석홍 스님께 전하도록 해라."

"알겠습니다."

두 사람은 청자발우를 짚으로 묶고 다시 헝겊으로 묶은 다음 괴나리봇짐에 넣었다. 그리고 기왕 대구소까지 온 김에 청자를 만드는 가마를 구경하고자 먼저 쌍계사부터 들렀다. 쌍계사에도 사미승이 있었는데, 처음 본 사이였지만 그 사미승은 친절하게도 대구소 구석구석을 안내했다. 두 사람은 사미승을 따라다니며 물레를 돌려서 반죽된 흙을 그릇으로 만드는 곳이며, 만들어진 그릇에 조각칼로 무늬를 새기는 곳이며, 그런 청자를 가마에 넣고 불을 때는 곳 등을 둘러보았다.

말로만 듣던 대구소는 과연 어마어마했다. 수백 명의 사람들이 일사분란하게 도자기를 만들기 위해 구슬땀을 흘리고 있었다. 특히 만들어진 그릇 표면에 식물이나 동물, 자연, 그리고 상상 속의 동식물의 다채로운 이미지를 장식하고 있었다.

대구소를 빠져나와 날이 저물어 하룻밤을 묵고자 객주집에 들렀을 때였다. 종일 걸었던 탓으로 국밥 한 그릇을 뚝딱 해치운 뒤 두 사람은 봉놋방에서 단잠에 빠져들었다. 그런데 뭔가 인기척을 느낀 장옥재는 번쩍 눈을 떴다. 소리 없이 봉놋방으로 들어온 도둑이 보였다. 그는 깜짝 놀라며 본능적으로 머리맡에 놓아둔 괴나리봇짐부터 바라보았다. 괴나리봇짐에는 귀한 청자발우가 있었기 때문이었다. 그런데 그 도둑은 바로 괴나리봇짐을 잽싸게 움켜쥐고 있었다.

"이노옴!"

장옥재는 벌떡 허리를 일으키며 소리를 질렀다. 그러자 깜짝 놀란 도둑이 허겁지겁 봉놋방을 빠져나가려고 했다. 장옥재가 전광석화처럼 그의 발을 걷어차자 움찔했을 뿐 넘어지지 않고 마당으로 훌쩍 뛰었다. 도둑을 놓치는 날이면 청자발우를 잃어버릴

게 뻔한 일이었다. 만일 그 청자발우를 잃어버린 날에는 입이 열 개라도 할 말이 없을 터였다. 중한 벌을 받는 것은 당연한 일이고 어쩌면 출문(出門)까지 당할지도 모를 일이었다. 중이 절을 떠난다는 것은 물고기가 물을 떠난다는 것과 다름없는 일이었다.

"도둑이야!"

장옥재는 크게 소리를 지르며 도둑을 뒤좇았다. 도둑은 사립문 밖으로 냅다 도망을 쳤다.

그러나 장옥재는 운주사에서 잔뼈가 굵어질 때 무술을 잘 하는 스님으로부터 배워둔 솜씨가 있었다. 몇 마장 못가서 도둑은 괴나리봇짐을 짊어진 채 덤벼들었지만 몇 합도 지나지 못해 땅바닥에 나뒹굴었다. 10년 이상 쉬지 않고 연습을 거듭해온 장옥재의 무술솜씨에 도둑은 잡혀버린 것이다.

장옥재는 그제야 허둥허둥 뒤따라온 미천에게 결박을 지으라고 말해놓고 괴나리봇짐을 풀어보았다. 그런데 세 개의 그릇으로 된 3합청자발우가 모두 산산조각이 나 있었다. 기가 막힐 일이었다. 도둑이 땅바닥에 넘어질 때 그만 깨져버린 것이었다.

"누가 시킨 것이냐?"

장옥재는 화가 치밀어 도둑의 면상을 주먹으로 후려쳤다. 대번에 검붉은 피가 입에서 흘러나왔다.

"살려만 주십시오. 애들이 며칠 째 굶고 있어서 그만……."

"너 같은 놈은 혼이 나야 돼. 아무리 먹고 살기가 어렵다고 남의 물건이나 훔치는 도둑질이나 하다니, 당장 관가로 끌고 가야겠다."

"저도 그렇게 비싼 물건인 줄 모르고 한 일입니다. 살려주십시오.”

도둑은 두 손을 싹싹 빌며 거듭 살려 줄 것을 애원했다.

미천이 곁에서 말했다.

“관가에 끌고 간다고 해서 깨진 청자가 다시 붙을 수는 없는 일 아닌가? 그만 풀어주세.”

그러나 장옥재는 조금도 용서할 수 없는 일이라고 생각했다. 그만큼 청자는 금보다도 더 귀하게 여기는 물건이었기 때문이었다.

“보나마나 우리가 그냥 돌아간다면 스님께서 얼마나 실망하시겠는가? 관가에 가서 신고를 해야지 그냥 넘어갈 수는 없으이.”

장옥재는 도둑을 대구소로 끌고 갔다. 사실 대구소에서는 이곳의 도공들을 총괄 관리하기 때문에 바로 그곳에서 모든 행정까지 관장하고 있었다. 그러므로 장옥재에게 청자발우를 건네 준 곳도 대구소였고, 범인 또한 대구소에서 관장하고 있었다.

“대구소로 끌고가면 저 친구는 일생을 망치게 될 터인데……. 나무 관세음보오살!”

“내가 하는 대로 그냥 지켜보기만 하게나. 자비를 베푼다 해도 베풀 사람에게 하는 법이라네.”

“그럼 그대가 알아서 하게나.”

장옥재는 그 길로 대구소에 가서 그 도둑을 인계했다.

“순전히 제 불찰입니다. 면목이 없습니다만, 그렇다고 그냥 놔둘 수가 없어서 데리고 왔습니다요.”

대구소장은 두 말도 하지 않고 그 도둑을 옥에 가두었다. 그리고 가타부타 말 한 마디 없이 돌아가버렸다.

"이놈아! 잃을 것을 잃고 깰 것을 깨야지 그게 말이라고 하느냐?"

석홍 스님은 장옥재와 미천에게 심한 꾸중을 내렸다. 그리고 열흘 동안 단식할 것을 명했다. 장옥재는 절에서 자라면서 여러 차례 단식을 해보았기 때문에 별 어려움이 없었다. 그렇다면 열흘 동안 곡기를 끊은 채 물만 마시는 단식의 벌은 벌이라 할 수 없었다.

장옥재는 단식기간에도 자신이 모시는 스님에게는 반드시 공양을 날랐다.

운주사에는 뒷방 늙은이로 취급받는 노승이 한 분 계셨다. 대중 스님들은 법명이 무엇인지 법랍이 얼마 되었는지 아무도 모를 정도로 관심 밖의 노스님이었다. 그저 언제부터인지는 모르지만 아침저녁 예불도 참여하지 않고 대중 스님들과도 일체 대화 한 마디도 없었을 뿐 아니라 울력 또한 제외됐다. 그만큼 몸이 노쇠하고 허리 한 번 제대로 펴지 못할 만큼 거동이 불편했으므로 노승은 전혀 사람의 발길이 닿지 않는 뒷방에서 삼시세끼 공양만 축내며 지냈다. 그 노승의 공양 심부름을 맡은 사람은 장옥재였는데, 그렇게 시봉을 하기까지는 노승이 그를 키웠기 때문이었다. 장옥재는 그 은혜를 잊지 않고 꼬박꼬박 공양을 날랐던 것이다.

어느 날 노승이 장옥재에게 물었다. 그날도 장옥재는 노승이 먹을 만큼의 음식을 발우에 담아 갖다드린 후 물러나려고 했을 때였다.

"너는 왜 주지 스님이 단식을 하라고 벌을 내린 줄 아느냐?"

노승이 빤히 장옥재의 얼굴을 쳐다보며 말했다.

"그야 발우청자를 깨트렸기 때문이 아니겠습니까요?"

"그럴테지."

절집에서 벌을 내릴 때면 3천배를 시키거나 단식의 벌을 주는 것이 다반사였다. 그런데 3천배는 하루에 끝나는 벌이지만 단식은 그 기간이 길어질수록 무거운 벌이었다.

"노스님, 다른 이유가 있다면 일러주십시오."

"네가 허구헌 날 뒷방 늙은이를 정성껏 시봉하니 일러줘야지."

"감사합니다, 노스님."

"청자발우라면 얼마나 귀한 것이더냐? 너를 팔아도 구할 수 없는 것이다, 이놈아! 이 늙은이도 청자발우로 공양 한 번 했으면 원이 없겠다."

"그걸 제가 어찌 모르겠습니까?"

"그래, 열흘이 가까워 오는데 참을만 하느냐?"

"배가 고파 죽겠습니다. 그걸 말이라고 하십니까요?"

장옥재가 허리까지 붙어버린 뱃가죽을 가리켰다.

"너는 열흘만 참으면 된다고 생각하지만 그게 아니다."

노승이 눈을 질끈 감으며 단언하듯 말했다.

"그럼 또 벌을 내리신다 그 말씀입니까?"

"그렇다마다."

장옥재는 뒤통수를 여지없이 맞는 듯한 기분이었다.

"아니, 한 번 벌을 내렸으면 그만이지 또 벌을 내리다니요?"

"아마도 열흘씩 열 번은 단식을 시킬게다."

"노스님께서는 어떻게 주지 스님의 마음을 꿰뚫어 보십니까요?"

"석홍은 내가 잘 안다. 귀한 청자발우를 깨뜨렸으니 당연한 벌이 아니겠느냐?"

장옥재는 얼른 무릎을 꿇고 두 손을 싹싹 비비며 애원했다.

"살려주십시오, 노스님. 그렇게 단식을 하다간 제 살과 뼈가 남아나지 않겠습니다요. 열흘씩 열 번이면 얼마나 힘들겠습니까?"

"그럼 내가 일러주랴?"

"네. 무엇을 깨달아야 하는지 그것을 일러주십시오. 그래야만 제가 그 무서운 벌을 피할 수 있을 게 아니겠습니까?"

노승은 조용히 그 답을 말해주었다. 그것은 스스로 청자발우를 만들어 가지고 오라는 뜻이라는 것이었다.

"그저 만들어 오면 됩니까요?"

"아니다. 이 세상에 가장 곱고 아름다운 청자발우를 만들어 와야 된다."

"노스님도 생각해 보십시오. 제가 무슨 재주로 세상에서 가장 곱고 아름다운 청자발우를 만들 수 있겠습니까요? 저는 지금까지 어렸을 때부터 절밥을 먹고 자라면서 조석예불이나 하고 불경을 읽는 것밖에 없는 불제자에 불과한 중 신분이 아닙니까요? 그런데 만들지 못하면 어떻게 되는 겁니까?"

"너는 만들 수 있다고 믿고 있을 게다. 이미 너를 법기(法器)로 인정하고 있기 때문이다."

법기란 불도를 수행할 수 있는 사람을 일컫는 말이었다. 즉 부처가 될 수 있는 사람을 말하므로 장옥재야말로 훌륭한 고승이 될 수 있다는 믿음을 갖고 있다는 뜻이었다.

"그렇다면 용맹정진해서 깨달음을 얻어야 하는데 어찌하여 청자발우를 만들라고 하시는 걸까요?"

의아해 하는 장옥재의 말에 노승이 빙긋이 웃으며 말했다.

"자도(瓷道)란 말을 들어본 적이 있느냐?"

"금시초문입니다."

"그럴 테지. 자도란 말 그대로 청자를 통해서 도에 이른다는 말이다."

"노스님. 이해가 되지 않습니다. 어떻게 그릇을 만드는 일로 도를 닦고 도에 이른다고 말씀하십니까?"

"대매가 마조 스님에게 물었다. '어떤 것이 부처입니까?' 라고 묻자 마조 스님은 '마음에 이르면 부처다' 라고 말이다."

노승은 일체유심조(一切唯心造)를 일러주었다. 일체유심조란 세상의 모든 일이 마음먹기에 달렸다는 말이었다. 자신이 악한 마음을 먹으면 축생이 되고 지옥이 될 것이지만 그 반대로 맑은 마음을 가지면 부처가 될 수 있다는 말이었다. 절에서 크고 자란 장옥재가 불교 핵심인 그 말을 모를 리가 없었다. 그런데 갑자기 마조 스님의 말은 왜 꺼내는 것일까?

"석홍은 이미 청자발우를 통해 법무아(法無我)를 가르쳐 주셨느니……."

"법무아라 하심은?"

"이놈아! 네가 청자발우를 깨버린 것부터가 법무아가 아니더냐? 네가 어렸을 때 눈이 오던 날 눈사람을 만든 적이 있었지 않았더냐?"

"그야 겨울철이면 매번 했던 일이 아니었습니까요?"

"어느 해 너는 눈사람이 햇볕에 녹아버리자 울고불고 난리를 피웠었지. 눈사람에게 눈썹도 붙여주고 모자도 씌워주며 언제까지 네 곁에 있을 것처럼 생각했다가 하루도 지나지 않아 녹아버리면서 없어지니까 말이다. 그것처럼 법무아를 모르니까 너는 괴로워했고 눈물을 흘렸던 게야. 이 세상 모든 것이 불변하지 않다는 사실 말이다. 스님께서는 이미 네게 단식이란 벌을 내리면서 법무아를 가르치고 있다는 것을 알아야 해. 청자발우처럼 귀하고 소중한 것도 영원하지 않다는 사실 말이다."

장옥재는 번쩍 눈이 떠지는 느낌이었다.

"석홍은 또 너에게 인무아(人無我)도 가르치고 있어. 인무아란 무엇인고 하니 사람에게는 불변하는 실체가 존재하지 않는다는 것이야. 자기 자신에게 집착하는 일이야 말로 고통의 원인이라는 게지. 너는 항상 어렸을 때의 일로 고통을 느끼고 있어. 스님은 이것을 알고 있는 게야. 네 어미가 널 버리고 멀리 떠나버린 일, 혈육의 정을 모르고 성장하게 된 운명을 넌 원망하고 있어. 말하자면 이미 지나간 일을 집착하고 있는 것이지. 안으로만 생각하지 말고 넓은 세계로 나가라는 것이 스님의 가르침이라는 걸 알아야 해. 너를 가르치기 위해 석홍은 귀하고 귀한 청자발우까지 깨면서 너를 가르치고 있다는 걸 알아야 해."

청자발우까지 깨다니? 청자발우가 깨진 것은 도둑 때문이었고, 그로 인해 열흘간의 단식으로 벌을 받고 있질 않는가.

"무슨 말씀인지 통 모르겠습니다."

"이놈아! 그 청자발우는 일부러 깨뜨린 게야. 네가 말한 그 도둑은 석홍이 일부러 시킨 일이구."

"뭐라구요?"

장옥재는 그제야 섬광 같은 빛이 가슴을 후려치며 지나가는 것을 느꼈다. 노스님의 말씀대로 나를 가르치기 위해 귀한 청자발우까지 깨뜨리다니. 청자발우를 깨뜨리지 않고서는 나를 가르칠 수 없었단 말인가.

"그러므로 네가 단식의 벌을 벗어나 '자도'의 길을 걷는 일이야말로 네가 갈 길이니라."

노승이 한숨을 푹 내쉬었다.

"나도 이제 갈 길이 얼마 남지 않았다."

"가시다니요? 어디로 말입니까?"

"어디긴 어디야, 옷을 벗는다는 게지."

장옥재는 그 말에 갑자기 가슴이 먹먹해왔다. 그런데 노스님은 죽음을 앞에 두고도 저렇듯 태연하게 말하고 있는 것이 아닌가. 노승이 한참동안 혼자서 고개를 절레절레 흔들다가 입을 열었다.

"내 얼굴을 보거라."

노승은 얼굴을 들이밀 듯 치켜들었다.

"내 얼굴이 어떠냐? 저승꽃이 만발해서 이제 곧 가야 할 얼굴이 아니더냐? 젊음이란 꿈같이 지나가는 것이다. 그러니 너도 한 시각도 낭비하는 일이 없이 네 길을 걸어가거라. 과부가 외아들을 잃고도 끄떡하지 않는 마음으로 정진을 해야만 하느니. 내가 부처님께서 세상사 무상함을 순타에게 들려주었던 게송을 한 번 읊어보마.

이 세상에 난 것이라곤 죽고야 말고
목숨이 길다 해도 끝이 있나니.
성한 것은 반드시 쇠하여지고
모인 것은 마침내 헤어진다네.

젊었던 나이라도 오래 못가고
건강에는 병고가 침노하나니.
이 목숨은 죽음이 빼앗아 가서
항상 있는 법이라곤 하나도 없네."

"잘 들었습니다, 노스님."
장옥재가 심각한 표정을 지어보이며 말했다.
"그런데 내 너한테 청이 하나 있구나."
"무엇입니까, 노스님."
노승이 장옥재의 두 손을 꽉 잡고 간절하게 말했다.
"내가 죽거든 네가 다비를 잘 해 다오."
"별 말씀을 다 하십니다. 걱정 마십시오."
"암튼 너만 믿는다."
장옥재는 노승의 방을 빠져나오자마자 석홍 스님에게 달려갔다. 석홍 스님은 두 눈을 지그시 감고 좌선삼매에 빠져 있었다.
"스님. 저 장옥재입니다요."
"단식기간이 끝나지도 않았는데 왜 나를 찾느냐?"
석홍 스님이 번쩍 눈을 뜨며 물었다.
"스님. 이제 이 운주사를 떠날까 합니다요."

"내가 내린 벌을 거역할 셈이냐? 왜 갑자기 절을 떠나겠다는 것이냐?"

석홍 스님이 화를 내듯이 물었다.

"너는 너를 팔아도 구할 수 없는 귀한 청자발우를 깨뜨린 놈이 아니더냐? 뭘 잘했다고 절을 떠나겠다구?"

석홍 스님은 단번에 곁에 있는 주장자로 후려칠 듯 눈썹이 곤두섰다.

"스님. 절이란 오는 사람 막지 않고 가는 사람 붙잡지 않는 곳이 아닙니까?"

"이놈, 말하는 것 보게!"

"스님. 떠나기 전 깨진 청자발우를 한 번 보고 싶습니다."

그 때였다.

"깨진 청자발우를 보아서 무에 하려구?"

석홍 스님이 벽력같이 큰 소리로 말했다.

"스님과 함께 다시 한 번 보려고 그렇습니다요."

순간 석홍 스님의 얼굴이 묘하게 일그러졌다.

"그 일이 무에 어렵다고 하지 못하겠느냐? 잠시 기다리거라."

석홍 스님은 깨진 청자발우를 보관하고 있었던지 다락문을 열고 벽장에서 깨진 청자발우를 꺼내 펼쳐보였다.

"보거라. 이미 깨어져 다시는 사용할 수 없는 청자발우이다."

그런데 깨진 청자발우를 방바닥에 놓았을 때였다. 갑자기 벌떡 일어난 장옥재가 석홍 스님을 꾸짖듯 말했다.

"무엇 때문에 스님께서는 깨진 청자발우를 갖고 계십니까?"

그리고 방문 밖으로 내동댕이치자 깨진 청자발우는 더 산산조각이 나고 말았다. 그러나 석홍 스님은 장옥재를 나무라지 않고 물끄러미 지켜보기만 했다. 그의 눈빛에서 장옥재의 뜻을 알아차리고 있다는 것을 알 수 있었다.

금덩어리처럼 값진 청자발우를 일부러 깨서 장옥재를 법기로 만들려는 석홍 스님의 숨은 뜻이 이제야 밝혀지는 순간이었다.

장옥재는 깨진 청자발우를 마당에 던지는 것으로 자신의 결심을 석홍 스님에게 내보였다. 이미 지난날의 자신을 얽매이지 않고 인무아와 법무아의 실천을 통해 대자유인이 되고야 말겠다는 행동이었다.

"그래, 어디로 가겠다는 것이냐?"

"청자발우를 만드는 곳으로 가겠습니다."

장옥재는 입술에 힘주어 말했다.

"떠나거라. 우선 몸부터 추스르고 떠나도록 해라."

장옥재는 석홍 스님이야말로 자신을 지옥에서 구해준 관세음보살로 여겨졌다. 석홍 스님이 청자발우를 깨뜨려가면서까지 깨우침을 주지 않았더라면 영원히 미명 속에서 살아야만 했을 것이었다.

보리 달마(達磨) 때의 일이었다. 달마는 여전히 면벽참선을 하고 있었다. 그런데 한 젊은이가 찾아와 법당 앞에 섰다. 달마는 젊은이가 있건 말건 참선만 계속했다. 밤이 되자 눈이 내리기 시작했고 이윽고 날이 샜을 때에는 눈이 젊은이의 무릎까지 차올랐다.

달마는 법당 문을 열고 젊은이에게 말했다.

"그대는 지금 무엇을 구하고자 눈 속에 있는고?"

젊은이가 자신을 자유롭게 만들고 싶다고 말하자 달마가 버럭 소리를 질렀다.

"신(信)을 보여라!"

그러자 젊은이는 칼을 들어 자신의 왼팔을 잘라 달마에게 바쳤다. 달마는 그 젊은이를 제자로 삼았는데 그가 혜가(慧可)였다. 혜가의 본명은 신광(神光)이었는데, 스승과 제자가 함께 극적으로 만나는 대목이었다. 그것처럼 장옥재와 석홍 스님이 이제 '자도'의 첫발을 내딛고 있었다.

장옥재는 그 날부터 미음과 과일즙을 조금씩 먹으며 몸을 회복해 갔다. 석홍 스님이 왜 청자발우를 만드는 대구소를 찾아가느냐고 묻지 않아도 두 사람은 이심전심(以心傳心)이 통해 있었다.

일주일이 지난 뒤 장옥재는 하직 인사를 하기 위해 석홍 스님을 찾아갔다.

"떠나려느냐?"

"네."

장옥재는 머리를 조아리며 말했다. 막상 정든 운주사를 떠나려하니 눈앞이 뿌예지면서 지난날이 주마등처럼 떠올랐다. 어린 장옥재는 뒷방 늙은이 노승이 아버지인 줄 알고 자랐다. 그러나 아버지란 말은 입에 올릴 수 없었다. 절에서는 누구에게나 스님이라고 부르는 것이 원칙이었기 때문이었다. 뒷방 노승이 아버지가 아니라 절 앞에 버려진 자신을 친자식처럼 키웠다는 사실을 알게 된 것은 여덟 살이 되어서였다.

"너는 지금 환속(還俗)을 하는 것이 아니라는 것쯤은 잘 알고 있으렷다?"

"네."

"너는 지금 새로이 도를 닦기 위해 떠나고자 하는 일임을 잘 알고 있으렷다?"

"그렇습니다요."

"그런데 내 너에게 주어야 할 책이 한 권 있구나."

석홍 스님이 불쑥 책 한 권을 내밀었다. 아주 오래 된 책이었다. 아니 책이라기보다는 붓글씨로 한 자 한 자 써내려간 일종의 서첩이었다. 너무 오래 된 탓인지 서첩은 누렇게 변색돼 있었다.

"이게 무엇입니까?"

장옥재가 고개를 갸웃거리며 물었다.

"이 책은 예사로운 책이 아니다. 그러니까 네가 강보에 싸여 절 입구에 놓여져 있었을 때 이 서첩도 있었더니라."

"그럼 왜 이 서첩을 이제야 보여주시는 겁니까요?"

장옥재는 영문을 모르겠다는 듯 눈알을 굴리며 물었다.

"네가 장성한 뒤에 보아야 할 내용이어서 이제야 건네주는 것이다. 필시 이 서첩은 너와 밀접한 관계가 있었기 때문에 강보에 싸인 네 곁에 있었지 않았겠느냐?"

장옥재는 대체 자신과 눈앞에 놓여진 서첩과 무슨 관계가 있는지 궁금했다.

"지금 보아도 되겠습니까요?"

"읽어보거라."

장옥재는 서첩을 펼쳐들고 첫 장을 열어보았다.

張保皐, 瓷道.

장보고, 자도란 말이 적혀 있었다.

"스님. 여기에 장보고라고 적혀 있는데 누구를 말함입니까?"

장옥재는 잠시 숨이 멎는 듯한 충격을 느끼며 석홍 스님에게 물었다.

그동안 장보고란 이름을 풍문으로 들어왔던 장옥재였다. 완도 청해진(淸海鎭)에 근거를 두고 해상왕국을 건설했던 불세출의 영웅이었다는 장보고.

그런데 바로 그런 엄청난 인물의 이름이 적힌 서책이 장옥재의 손에 쥐어지고 있었다.

"너는 장보고 장군의 후예이니라. 장보고 장군은 당나라에서나 일본에서도 크게 추앙을 받았던 인물이었다. 일본 승려로서 어렵게 당나라로 건너간 승려 엔닌(圓仁)은 장보고와 당나라 신라인들의 절대적인 도움으로 9년 동안 불교수업을 받았는데, 그가 쓴 기행문 『입당구법순례행기(入唐求法巡禮行記)』와 정사인 『일본서기(日本後記)』, 『속일본기(續日本記)』, 『속일본후기』에 장보고에 대한 얘기가 자세히 실려 있는 인물이기도 하느니라."

석홍 스님의 장중한 말이 장옥재의 머리 위에 떨어졌다.

장옥재는 순간 어떤 운명 같은 것을 느끼지 않을 수가 없었다.

"그러나 이 서책은 네가 최고의 청자발우를 만들 때까지 펼쳐보지 말거라."

"네."

"무엇보다도 이 서책은 너만의 비밀이니 반드시 지켜져야 할 것이야."

"네."

"너는 분명히 장보고 장군의 후예로서 크게 청자를 발전시킬 것이다. 그리하여 그 청자로 하여금 국운을 번성케 할 터이니 한눈을 팔지 말고 오직 자도만 생각하거라. 그 길만이 너를 부처로 만들고 고려를 부강한 나라로 만들 것이니라. 장보고 장군이 누구이더냐? 장보고 장군은 청해진을 설치하자마자 황해와 서남해안 일대에 출몰해서 백성들을 괴롭히던 노예상과 해적들을 깨끗이 소탕했다. 그리고 신라와 당나라 및 일본의 삼각무역을 개척하는 데 심혈을 기울인 장군이시다. 바로 그 분이 당나라와 교류하면서 청자의 기법을 가져와 오늘 날에는 크게 번창을 하고 있느니라."

석홍 스님은 차를 한 모금 마시고 나서 말을 이어나갔다.

"그러나 너는 일반 백성들처럼 한 여자를 아내로 맞아들여 가정을 이룰 수는 없다는 것을 명심해야 한다. 네가 가정을 갖게 되면 너는 자도의 길을 갈 수가 없기 때문이다. 우리가 왜 부모형제를 버리고 입산출가를 했겠느냐? 그것은 다 도를 반드시 이루고야 말겠다는 것이 아니더냐? 천하제일의 그릇을 만드는 것이 곧 도를 이루는 일이요, 장보고의 후예로서 후회스러움이 없을 것이며, 또한 고려 나라를 부강케 하는 일이니 이보다 값진 일이 어디에 있겠느냐."

"명심하겠습니다."

장옥재가 머리를 숙이자 석홍 스님이 벌떡 일어나서 방문을 활짝 열어젖혔다. 그리고 다시 좌정을 하고 나서 장옥재를 바라보았다. 바깥은 가을 햇살이 눈부시게 부어지고 있었다.

"그런데 너의 앞날에 대해 다시 한 번 말해줘야겠다."

"무슨 말씀이온지요?"

“설령 가정을 갖지 않더라도 여자를 가까이 해서는 안 된다는 것이다. 여자를 가까이 하게 되면 반드시 여난(女難)이 찾아올 것이다. 부처께서도 여자를 가까이 하려거든 차라리 독사의 아가리에 성기를 넣으라고 일렀더니라. 너는 여자를 가까이 하지 않아도 세 번의 여난이 올 터이니 각별히 조심, 또 조심해야 할 것이다. 여난이란 내가 조심한다고 해서 되는 일이 아니다. 일본의 한 선승(禪僧)은 아리따운 여자를 보고 그만 사모하는 마음이 깊어져서 도저히 수행을 할 수 없었다. 그래서 그 여자에게 사무치는 마음으로 구애를 했으나 여자는 고개를 흔들었다. 자신의 미모로 인해 수행자를 파계시킬 수 없다며 얼굴에 뜨거운 물을 끼얹어 흉측한 몰골을 만들고 말았다. 그러나 그와 반대로 수행자에게도 적극적으로 가까이 해오는 경우도 있으니 이를 경계하고 또 경계하라는 것이다. 너는 여자를 가까이 하고 여자를 품는 순간, 너의 꿈은 사라지고 파멸이 찾아올 것이다.”

“스님! 여난이 세 번이나 오다니요? 여난은 제가 색(色)을 가까이 하거나 여인과 사랑을 했을 때 생기는 것이 아닌지요?”

“당연한 말이다. 여난이란 여자로 인해 생기는 근심과 재난을 말하는 것이니 여자를 가까이 하지 말라는 것이다.”

“스님! 스님의 말씀대로 제가 여자를 가까이 하지 않아도 세 번의 여난이 온다 하시니 어찌 된 일입니까요?”

“그것이 네 업보(業報)이니라. 어찌 하겠느냐, 네가 감당해야 할 업보인 것을…….”

“왜 저한테 여난의 업보가 있을까요, 스님?”

“글쎄다. 아무튼 세 번의 업보를 잘 피하도록 하거라.”

"그 여난을 피할 수 있는 방법을 알려주십시오."

장옥재가 간절한 목소리로 물었다.

"이놈아! 이 세상에 여자 싫어하는 남자도 있다더냐? 다만 참을 뿐이 아니더냐?"

"솔직히 스님, 지금도 가장 참기 어려운 것이 여자입니다요. 스님 말씀대로 다만 참을 뿐입니다."

"이놈아! 남자의 물건이 그렇지도 않으면 고자나 다름없는 게 아니더냐? 그래서 어렵다는 게지. 그리 쉬우면 왜 이런 당부를 하겠느냐?"

석홍 스님은 별 것을 다 물어본다는 듯 혀를 끌끌 찼다.

"가거라. 그리고 반드시 도를 이루거라. 자도를 말이다."

"그럼 이만 하직인사 올리겠습니다."

장옥재는 밖으로 나가서 석홍 스님께 삼배를 올렸다.

"삼배는 무슨 삼배더냐?"

석홍 스님은 꾸지람을 던져놓고 미닫이를 탕 닫아버렸다.

장옥재는 서책을 품에 안고 운주사를 떠나 탐진현으로 향했다. 그리고 청자를 만드는 대구소에 도착한 그는 가장 청자를 잘 만든다는 박돌만 영감을 찾아간 거였다.

이 무렵 강진청자는 활발히 만들어지고 있었다. 특히 이자겸 난이 수습되면서부터 더욱 생산량이 급증하고 있었다. 당시 고려 왕실은 근친혼이 특징이었다. 태조 왕건은 29명의 부인을 두었을 정도였는데, 이는 건국 이전 각 지방의 토호세력과 손잡기 위한 수단이기도 했다. 지방에서 부유층이기도 하는 '장자층(長者層)과의 혼인은 이런 세력과 혼인의 관계를 통해 세력기반을 확

대하기 위해서였다. 태조에 이어 4대 광종부터는 같은 혈족끼리 혼인을 하는 족내혼(族內婚)이 성행하였다.

형이 죽으면 동생이 형수를 아내로 맞이하는 '형사취수(兄死娶嫂)'는 고대 혼인풍속의 하나였지만 이 역시 씨족을 지켜나가려는 의도에서였다.

고려 왕실을 지켜내기 위해 족내혼이 성행하면서 외척이 득세를 하기 시작했다. 왕실을 지켜내는 데는 성공했을지 몰라도 외척이 왕을 위협할 지경에 이른 경우가 이자겸 난이었다. 다행히 최사전의 용기 있는 행동으로 이자겸 난을 제압했지만 자칫 고려 왕실 조차 무너질 뻔한 사건이었다.

그런 과정을 겪으면서 고려 왕실은 지켜졌고, 고려 왕실이 지켜지자 청자는 본격적으로 생산되기 시작했는데, 이 무렵 장옥재는 대구소에 갔던 것이었다. 씨앗은 장보고가 뿌렸으되 수확은 고려왕실이 거두고 있었다.

장옥재가 박돌만을 처음 찾아갔을 때였다.

"무엇 때문에 이곳을 찾아왔느냐?"

박돌만은 물레를 돌리며 도자기를 만들다 말고 물었다.

"저는 청자를 만들고 싶어서 왔습니다."

"누구나 만들고 싶다 해서 만드는 일이더냐? 마음이 하늘에 닿아야만 되는 일이거늘."

박돌만은 장옥재를 찬찬히 쳐다보았다. 지금까지 숱한 도공들을 보아왔지만 한 눈에 보아도 예사로운 인물이 아니라는 것을 알 수 있었다. 무엇보다도 그의 깊은 눈이 그것을 말하고 있었다. 뭔가 상대방을 빨아들이는 듯한 눈빛 때문이었다.

"정성을 다해서 배우겠습니다."

장옥재는 입술을 꽉 깨물며 결연한 의지를 내비쳤다.

박돌만이 잠시 한숨을 길게 내쉬고 나더니 바깥을 향해 시선을 내던졌다. 쪽빛 하늘 위로 솔개 한 마리가 유유히 날고 있었다. 마치 온 세상을 빠짐없이 내려다 보겠다는 날개짓이었다. 박돌만은 한참동안 솔개가 사라질 때까지 치어다보다가 이윽고 입을 열었다.

"그러나 청자를 만드는 도공은 농사를 짓는 농사꾼보다 신분이 낮다는 것 쯤은 알고 있겠지?"

"무슨 말씀입니까? 제가 보기에는 이 세상 누구도 흉내 낼 수 없는 일을 하는 것 같은데요. 그런데 농민보다 신분이 낮다니 금시초문입니다."

"우리 도공은 천하의 명품을 만든다 해도 한낱 잡척(雜尺)에 불과하다. 그래도 하겠느냐?"

잡척.

잡척은 도자기를 만드는 생산직 양인의 최하층이었다. 양인과 천민으로 나뉘는 양천제(良賤制)에서 양인의 가장 낮은 신분이었던 것이다.

"어르신. 잡척이면 어떻고 천민이면 어떻겠습니까? 어차피 저는 절에서 자라면서 하심(下心)을 배웠고, 하심은 곧 도(道)라 하지 않았습니까? 하심만 있으면 부처님의 문이 열린다고 할 만큼 크다 했는데 잡척인들 무슨 상관이 있겠습니까?"

"허!"

박돌만이 놀란 눈빛으로 장옥재를 바라보았다.

"어르신. 저는 그저 좋은 청자를 빚고 싶을 따름입니다. 불화는 반드시 그것을 그린 화사의 이름이 적혀집니다만 청자는 누가 만들었는지 아무도 알 길이 없습니다. 하지만 그 또한 부질없는 일이라 생각합니다. 누가 만들었든 좋은 청자이면 대만족이 아니겠습니까?"

장옥재의 말은 절절이 옳은 말이었다. 불화는 누가 그렸는지 알 수 있도록 제작자인 화사의 이름이 적혀지지만 청자는 누가 만들었는지 도공의 이름이 없었던 것이다.

"잡척의 신분에 이름까지 바라겠느냐?"

박돌만이 이번엔 쓸쓸하게 웃어보였다.

"어르신. 저를 받아 주십시오. 청자를 만들되 하심으로 만들 것이고, 이름 따위는 전혀 연연해하지 않을 것입니다."

"그럼 내가 무엇을 시키든지 시키는 대로 하겠느냐?"

"돌을 짊어지고 강물 속으로 가라해도 그렇게 하겠습니다."

"알겠다. 당장 오늘부터 내 밑에서 배우도록 하거라."

"감사합니다."

장옥재는 무릎을 꿇고 큰절을 올렸다.

박돌만은 그날로 장옥재를 맞아들이고 제자로 삼았다. 그리고 거처를 마련해 주면서 삼시세끼를 집에서 먹도록 해주었다.

그러나 박돌만은 정작 청자를 만드는 일은 가르치지도 않았고 오히려 날마다 산에 가서 나무 해오기를 시키는 것이었다. 물론 가마를 지피기 위해서는 엄청난 땔감이 필요한 일이었지만 한 달이 가고 두 달이 지나서도 땔감만 한다는 것은 억울한 일이었다. 그렇다고 배우러 온 제자 입장에서 시키는 일을 거부할 수도 없는 노릇이었다. 더군다나 애시 당초 어떤 일을 시키든지 군말 없이 하겠다고 약속을 한 터였으므로 장옥재는 불평할 수도 없는 입장이었다.

'대체 언제까지 이 일을 시키시려는가.'

지게를 짊어지고 산으로 올라가 나무를 벤 다음 힘들게 날린 후 장작을 패면서 장옥재는 박돌만의 의중을 이해할 수 없었다. 왜냐하면 한 계절이 다 가도록 땔감을 해 날렸기 때문에 박돌만의 가마 곁에는 장작이 산더미처럼 쌓였는데도 그만하라는 말을 하지 않는 것이었다. 그런 장옥재를 보고 다른 도공들은 손가락질을 하며 비웃기까지 하는 것이었다.

"나무만 하려고 대구소에 왔구만."

"암만 생각해도 저 친구는 바보가 아닌가 모르겠어."

"하루도 쉬지 않고 나무만 해대니 원, 쯧쯧."

그런데 어느 날, 박돌만은 장옥재를 불러 앉혀놓고 말했다.

"나무는 이제 그만 하고 밭농사에 신경을 쓰거라."

"농사라 하심은?"

장옥재는 하마터면 당장이라도 보따리를 싸고 떠나버리고 싶은 충동을 느꼈다. 그러나 꾹 참고 박돌만을 바라보았다. 한 계절이 지나는 동안 비록 박돌만의 작업과정을 찬찬히 볼 수는 없었지만 가마에서 생산되는 청자는 그야말로 명품 중에 명품이었다. 그 누구도 흉내 낼 수 없는 청자가 그의 손에서 만들어지고 있다는 사실을 실감할 수 있었다. 이제나저제나 가르쳐줄 날만 목이 타게 기다리고 있는데 밭농사라니?

"농사를 지어야만 먹고 살 것이 아니더냐? 가마에 넣을 나무는 이제 충분하니 농사에 힘쓰거라."

"알겠습니다."

장옥재는 속이 부글부글 타올랐지만 못하겠다는 말은 할 수가 없었다. 이튿날부터 장옥재는 풀을 매고 돌을 고르며 밭곡식을 키웠다. 밭에서 일을 할 때면 뭉게구름이 머리 위에서 흘러갔고 뭉게구름이 있는 자리는 너무도 파란 하늘이 하루 종일 보였다. 또한 온갖 새소리, 물소리, 바람소리를 들을 수 있었다. 자드락밭이 있는 여계산에서 내려다보이는 바다 풍광 또한 멋졌다. 그러고 보니 어느 바다가 파랗지 않을까마는 유독 대구소의 바다와 하늘은 더욱 파란 것 같았다. 그리고 늘 보아온 물건은 파란 청자였다. 하늘도 파랗고 바다도 파랗고 청자도 파랬으며 주변의 높고 낮은 산 역시 파랬으므로 마치 파란 세계 속에서 살고 있다는 기분이었다.

밭일을 계속 하다보면 청자를 만들어야 한다는 생각조차 깡그리 없어지고 새소리에 넋을 잃다가 졸졸 흐르는 계류의 물소리에 귀 기울이고, 이따금 다도해를 스쳐 날아온 바람소리에 흘린 땀을 식혔다.

그런데 박돌만은 나무를 할 때처럼 한 계절만 시키지 않고 그 이듬해에도 또 그 이듬해에도 밭농사를 시켰다. 장옥재는 군말 없이 박돌만의 지시대로 눈만 뜨면 으레 밭으로 나가서 밭일만 했다. 뿐만 아니라 장옥재는 채마밭을 가꾸기까지 했는데 밭일보다도 더 재밌는 것은 채마밭을 가꾸는 일이었다. 채마밭 가꾸는 일은 운주사에 있을 때도 대중울력을 통해 많이 해보았지만 먹을 것을 가꾼다는 것도 여간 보람이 있는 일이 아니었다. 채마밭을 가꾸는 그 시간만큼은 손끝을 타고 오르는 남모를 재미가 있었던 것이다.

밭농사를 짓고 채마밭을 가꾸는 동안 장옥재는 어느 틈에 천명(天命)을 우러러 순응하는 석인(碩人)의 마음을 닮아가고 있었다. 춘추시대 노나라의 대부호도 거름흙처럼 흩어져버렸고, 월나라 범려의 황금 역시 먼지처럼 사라졌으며, 왕후장상의 권력은 하루아침 이슬에 불과하므로 과실을 심고 채소를 가꾸며 사는 청복(淸福)의 삶이 무엇인지를 느껴가고 있었다.

그렇게 두 해가 흘렀다. 밭에서 일만 하다 보니 청자를 만들기 위해서 대구소에 온 것인지 밭농사를 짓기 위해서 대구소에 온 것인지 헷갈릴 정도로 밭농사에만 열중했다.

"너야 말로 박돌만 씨 종이구나. 종이니까 허구헌 날 일만 하는 게 아니여!"

"참으로 별난 사람을 다 보겠네. 도자기 만드는 기술을 배우러 온 사람이 이태 동안 일이나 하다니!"

대구소에서 일하는 많은 도공들은 장옥재의 하는 양을 보고 비아냥거렸다. 바보 천치가 아니고서야 머슴처럼 일만 하느냐는 것이었다. 하지만 장옥재는 남들이야 그러거나 말거나 묵묵히 괭이를 들고 일만 했다.

'뭔가 마음속에 뜻이 있어서 그러실 테지.'

장옥재는 그렇게 생각하며 처음과는 달리 불만불평을 하지 않았다. 박돌만의 신기에 가까운 청자기술을 늘 보아왔기 때문이었다. 무엇보다도 박돌만이 빚어내는 청자의 비취색은 그 누구도 흉내 낼 수 없을 만큼 아름다웠다.

이 시기에 만들어진 청자는 인종 원년에 송나라 사신이었던 노윤적(路允迪)과 함께 고려에 왔던 서긍(徐兢)의 『선화봉사고려도경(宣和奉使高麗圖經)』에도 잘 나와 있다. 서긍은 접대를 받았을 때 나온 음식들을 기록한 「연례(禮)」 편 '연의(燕儀)' 항목에서 '그릇이 대부분 도금한 것을 썼고 은으로 된 것도 있었으나 청자기(靑瓷器)를 귀한 것으로 여겼다'고 했다.

서긍은 이어 「기명」 편에서 도기의 빛깔이 푸른 것을 고려인들은 비색이라고 하는데, 근년에 이르러 제작 솜씨가 공교(工巧)해지면서 빛깔 역시 더욱 아름다워졌다고 기록하였다.

장옥재는 언젠가 스승으로서 그 기술을 가르쳐 줄 것이라 믿으며 하루하루를 보냈다.

그런데 박돌만은 또다시 청자의 비취색을 가르쳐주기는커녕 장옥재에게 농사를 지으면서 틈틈이 꽃과 새를 기를 것을 시켰다.

"꽃도 키워보고 새도 길러 보거라. 꽃은 모란과 작약, 그리고 연꽃을 키워 보도록 하거라. 또 새는 원앙새를 길러 보도록 하거라. 물에서는 오리도 키워 보거라."

"네."

"내가 직접 청자 만드는 기술을 가르치지 않는 것은 다 그만한 이유가 있기 때문이니 그리 알거라."

"네."

장옥재는 두 말 없이 박돌만이 시키는 대로 꽃을 키우고 새를 길렀다. 물론 농사일에도 철저했으므로 누가 보아도 상머슴 중에 상머슴이요, 일 잘하는 젊은이였다. 차츰 주변의 도공들도 장옥재의 성실함을 인정하는 눈치였다. 그래서 농사일을 물어보기도 하고 꽃과 새를 키우고 기르는 법을 물어보기도 했다.

그런데 이 소식을 들은 운주사 석홍 스님은 노발대발했다. 청자 만드는 기술을 배우러 간 장옥재가 단 한 차례도 흙을 만지는 일이 없이 일만 한다는 말에 크게 노한 것이었다. 그것도 이태가 넘도록 농사만 짓고 있다는 말에 분기탱천한 석홍 스님은 직접 대구소를 찾아갔다. 그리고 박돌만을 만나 크게 꾸짖었다.

"어찌하여 그대는 장옥재에게 청자 기술은 가르치지 않고 일만 시키시오? 머슴도 아니요, 종도 아닌데 그렇게 부려먹기만 해야 되겠소이까?"

"가르치지 않다니요?"

박돌만은 의아스럽다는 듯 되물었다.

"그게 말이라고 하는 것이오? 그대는 이곳 대구소에서 가장 그릇을 잘 만드는 도공으로 알고 있는데 몇 년 동안 일만 시켰던 게 아니었나요?"

석홍 스님의 눈썹이 파르르 떨렸다.

그러자 박돌만이 정색을 하고 입을 열었다.

"스님께서는 하나는 알고 둘은 모르십니다. 청자를 빚는다는 것은 단순이 기술만으로 하는 것이 아닙니다. 혼이 없는 청자는 죽은 청자요, 또한 잘 만든 그릇이 아닙니다. 대자연을 알아야만 청자에 혼을 불어넣을 수가 있습니다. 푸른 하늘을 보십시오. 푸른 하늘처럼 파란 빛이 청자입니다. 하늘을 모르고서는 청자의 빛을 낼 수 없습니다. 흙을 만지는 일이기 때문에 땅을 모르고서는 청자를 만들 수 없습니다. 또한 불을 모르고서도 청자를 구워

낼 수 없습니다."

"하늘과 땅, 그리고 불을 알아야 한다? 그게 청자 빚는 것과 무슨 상관이 있는 일이오?"

석홍 스님이 이해할 수 없다는 듯 고개를 흔들었다.

"아닙니다. 하늘과 땅, 그리고 불만 알아서도 청자를 만들 수가 없습니다. 문제는 자연입니다. 봄, 여름, 가을, 그리고 겨울을 알아야만 하는 것입니다. 그래서 저는 저 아이가 자연을 배우도록 가르친 것입니다."

"점점 가관이구려. 글쎄 자연을 배운다는 것은 이해가 되지만 괭이 들고 일하는 것과는 상관이 없는 일 아니오?"

"그렇지 않습니다. 일하는 동안 자신도 모르게 자연의 숨결이 몸속에 배어듭니다. 봄이면 무슨 꽃이 핍니까? 모란과 작약이 화려하게 피지 않습니까? 화려하고 풍성한 모양의 모란과 작약은 그 아름다운 색으로 인해 부귀화(富貴花), 또는 꽃의 왕 화왕(花王)이라고 부르지 않습니까? 오죽하면 국색천향(國色天香)이라고도 했겠습니까? 지금 개경의 벼슬아치들은 집 정원마다 다투어 모란을 가꾸고 있습니다. 당나라 현종 때에는 침향정(沈香亭) 앞 목부용(木芙蓉)이 성개(盛開)하여는데 그 중에 일지양두(一枝兩頭)로 아침에는 파랗게 피고 저녁에는 아주 노랗게 변하니 조석으로 향염(香艶)이 다르므로 현종은 화목(花木)의 요(妖)라고 하였답니다. 그래서 총애하는 양귀비(楊貴妃)의 종조(從祖)인 양국충(楊國忠)에게 주었다는 말이 있을 정도입니다. 작약 역시 그 화용이 모란과 같고 약재로 쓰고 있으니 참으로 아름다운 꽃이 아닐 수 없습니다."

"더 말씀해 보시오."

"여름에는 이 세상의 모든 것들이 활발히 움직입니다. 연못은 소우주라고 할 수 있는데 연꽃이 활짝 피어 아름답기 그지없습니다. 뿐만 아니라 버드나무며 갈대, 그리고 수초 사이로 오리며 원앙이 한가롭게 헤엄쳐 다닙니다. 평화로운 한 폭의 그림 같은 모습이 아니겠습니까? 특히 연꽃은 부처님의 진리를 상징하는 꽃이 아닙니까? 연꽃은 더러운 진흙 속에서도 맑고 깨끗한 꽃을 피웁니다. 나쁜 환경에 처했다 할지라도 그 자성(自性)은 결코 더럽혀지지 않는다는 불교 교리에 비유할 수 있을 것입니다. 연꽃은 꽃을 피움과 동시에 열매를 맺지 않습니까? 이는 모든 중생은 태어나면서부터 불성(佛性)을 지니고 있기 때문에 성불(成佛)할 수 있다는 것을 의미하지요. 이러한 연꽃은 정토에 생명을 탄생시키는 화생(化生)의 근원으로 설명되고 있고, 극락정토를 상징하고 있습니다. 연꽃에는 또 각 부분마다 불교의 원리를 말하는 의미가 담겨 있습니다. 활짝 핀 연꽃잎은 우주 그 자체를 상징하고 그 줄기는 우주의 축을 말하고 있으며, 연밥에는 9개의 구멍이 있는데 이는 구품(九品)을 말하고, 3개의 연뿌리는 불(佛) · 법(法) · 승(僧) 삼보(三寶)를 뜻하지 않습니까? 절에 가면 온통 연꽃이 많이 그려져 있는 것도 다 이런 뜻이 있기 때문이겠지요."

박돌만이 마른침을 한 차례 꿀꺽 삼키고 나서 말을 이었다.

"좀 더 말씀을 드리겠습니다. 여름이 지나면 가을이 찾아옵니다. 가을에는 뭐니뭐니해도 국화가 아니겠습니까? 산에 가면 산국화, 들에 가면 들국화가 가을바람에 흔들리는 모습은 참으로 아름답지요. 국화의 아름다움은 모란 작약처럼 농염한 것이 아니고 매화처럼 청정의 아름다움도 아니면서 정인(正人)의 군자(君子)에 비하고 있지 않습니까? 일찌감치 싹이 솟아 푸른 국화는 늦게야 금빛 찬란한 꽃을 피우니 삼월 동풍 다 보내고 낙목한천(落木寒天)에 홀로 피는 오상고절(傲霜孤節)이 아니겠습니까?"

"그렇지요."

석홍 스님은 박돌만의 달변에 노기가 어느 틈에 가라앉고 있었다.

"바로 이러한 꽃들을 청자 그릇에 표현하고 있는데 어찌 모란 작약을 모르고, 연꽃을 모르며, 국화를 모르고서야 그 일을 할 수 있겠습니까?"

석홍 스님이 알 듯 모를 듯 표정을 지으며 물었다.

"청자에 꽃을 그리는 것과 일하는 것과는 다르지 않습니까?"

"그렇지 않습니다. 꽃을 피우기까지의 과정을 몸으로 느끼는 것입니다. 그래야만 진정한 그림을 청자에 새길 수가 있는 것입니다. 그러므로 저는 장옥재를 계속 가르치고 있었습니다. 장옥재는 일만 했던 것이 아닙니다. 이제 장옥재는 청자를 직접 만들고 청자에 봄, 여름, 가을의 꽃을 그릴 것입니다. 꽃들을 그릴 때 다른 사람이 했던 것처럼 하는 것이 아니라 자기만의 독특한 그림이 그려질 것입니다. 청자를 만듦에 있어서 활짝 핀 모습을 표현하기도 하지만 넝쿨 형태의 경우에는 수술과 암술, 씨방의 모습도 문양으로 표현되기 때문에 자연을 모르고서는 한낱 모사(模寫)에 그치고 맙니다."

"선배알족(鏇杯穵足)이 결코 쉬운 일이 아니군요."

석홍 스님이 한숨을 내쉬듯 말했다.

선배알족이란 말은 도자기의 몸을 다듬고 굽을 파내는 일을 일컫는다. 그러므로 단순히 도자기의 몸을 다듬어서도 안 되는 일이요, 굽을 파내서도 안 된다는 것을 박돌만은 말하고 있었다. 박돌만이 다시 입을 열었다.

"스님. 이 그림을 한 번 보십시오."

박돌만이 청자에 그려진 그림 한 폭을 가리켰다. 이미 완성된 청자였는데 버드나무 밑에서 오리 두 마리가 한가롭게 노닐고 있는 작품이었다.

"청자 상감 버드나무 무늬 주전자입니다. 이 주전자의 배에는 버드나무가 그려져 있고 그 밑에 오리 한 쌍이 있습니다. 청자에 자주 상감되는 그림입니다."

"무슨 특별한 뜻이라도 있는 것이오?"

"그렇습니다, 스님. '오리 압(鴨)자'를 파자하면 '갑(甲)'이 됩니다. 그래서 오리는 장원급제를 뜻하고, '버들 류(柳)'는 '머물 류(留)'로 뜻하기 때문에 장원급제의 행운이 계속 머물라는 그림입니다."

"오리 두 마리는 혹여 금슬을 나타내는 것이 아니오?"

"아닙니다. 두 마리의 오리는 수효를 뜻하고 있습니다. 부부간의 금슬을 뜻하는 새는 오리가 아니라 날개가 한쪽 밖에 없다는 비익조(比翼鳥)입니다. 비익조는 암수의 눈과 날개가 하나씩이라서 짝을 짓지 아니하면 날지 못하는 전설상의 새를 말하기 때문에 여기에서 오리는 수효를 뜻하고 있습니다. 또한 '버들 유(柳)'는 '석류나무 류(榴)'와 발음이 같으므로 석류의 많은 자식을 말하는 다자(多子)와 동일시하고 있습니다. 자식을 많이 두되 그 자식들이 모두 장원급제하라는 뜻입니다."

"알겠습니다. 도공 거사의 말을 들으니 납득이 가는군요. 제 불찰을 용서해 주시오."

석홍 스님이 공손히 합장을 해보였다.

"그렇잖아도 이제 직접 일을 시키려던 참이었습니다. 그동안 자연과 살아왔기 때문에 흙을 만지는 일이며 문양을 새기는 일이며 가마에 불을 지피는 일 등을 잘 할 것입니다. 손에 익고 눈에 익었으니 오히려 다른 사람보다 배우는 속도가 빠를 것입니다."

"아무쪼록 천하의 도공이 될 수 있도록 가르침을 부탁합니다."

석홍 스님은 이렇게 당부를 한 후 홀연히 떠나간 다음날 박돌만은 그날 오후 장옥재를 부르더니 무작정 따라오라고 일렀다. 그가 간 것은 백적산이었는데, 쌍계사가 둥지를 틀고 있는 천태산 앞으로 솟아오른 산이었다.

박돌만은 빠른 걸음으로 백적산을 향해 올라가기 시작했다. 백적산 산자락에 바투바투 잇대어 있는 100여 개의 청자가마를 뒤로 하고 산을 오르자 오르면 오를수록 천하 명산임을 알 수 있었다. 백적산 아래에 있으면 닫힌 공간이었지만 오르면 오를수록 산이 열리고 바다가 열렸으며 세상이 열리고 있었는데, 산의 정상부에 오르기 전 박돌만은 잉어돌무더기를 향해 걸어 나갔다.

"바로 이곳이 백적(白磧)이다. 즉 잉어돌무더기란 곳이다. 어떠냐?"

나이 먹은 늙은 잉어의 모습이 연상될 만큼 비늘 바위가 차곡차곡 쌓여져 있었다. 그리고 그 아래에서는 물이 흐르는 소리가 들려왔다. 바위 속에서 산이 우는 것 같은 소리였다.

"신령스러운 바위이다. 그래서 기도를 하면 응답을 해주는 바위이다."

"바위가 잉어처럼 생겼습니다."

"비록 몸은 잉어이지만 저 물소리를 들어보아라. 무서울 정도로 내려가고 있질 않느냐?"

"그렇습니다, 어르신."

"자, 이곳에서 저 아래를 내려다보거라. 천태산과 백적산, 그리고 여계산 아래로 무수히 자리한 청자가마를 보거라."

"가마는 보이지 않고 연기만 보입니다."

과연 두 사람이 서 있는 백적산 아래로 연기가 가득해 운해(雲海)가 펼쳐진 것처럼 아래가 보이지 않았다. 그 많은 가마에서 불을 때고 있으므로 연기가 가득 찰 수밖에 없었다.

"청자가마는 보이지 않더라도 산세를 한 번 보거라. 당나라처럼 먼 나라에서도 이같은 산세는 쉽게 없을 정도로 웅장한 산세이다. 이런 명당이기에 청자를 만들지 않겠느냐."

"저같이 문외한이 보아도 가히 천하의 명당이 아닌가 싶습니다."

장옥재는 먼 곳의 바다를 향해 시선을 던지며 말했다. 바다에는 아기 주먹만한 섬들이 꿈속처럼 떠 있었다.

"오늘 너는 백적산에 올라와서 신령스러운 잉어돌무더기도 보았고 이 부근의 산세 또한 볼 수 있었다. 예부터 전해져 내려오는 이야기가 하나 있는데, 바로 이곳에서 천하에 둘도 없는 도공이 나올 것이라고 했다. 사람들은 날더러 그런 사람이 아닐까 생각하지만 나는 아니다. 이제 너는 천하의 도공이 되기 위해서 첫째도 정성, 둘째도 정성, 셋째도 정성으로 청자를 만들어야 할 것이다."

"어르신. 명심하겠습니다."

"너는 금방 천하 명산에서 맹세를 하였다. 세상에서 둘도 없는 도공이 되겠다고 말이다."

"네."

"됐다. 이제 내려가자꾸나."

박돌만은 백적산을 다녀온 후로 본격적으로 장옥재를 가르치기 시작했다

청자는 여러 종류가 있었다. 장식 기법에 따라 순청자(純青瓷)와 음각청자(陰刻青瓷), 양각청자(陽刻青瓷), 상형청자(象形青瓷), 철화청자(鐵畵青瓷), 상감청자(象嵌青瓷), 퇴화청자(堆花青瓷)가 있었다.

순청자는 청자가 만들어지면서 계속 가장 많이 선호하는 것으로 아무런 무늬가 없는 것이었다. 가을의 청명한 하늘빛 비색(翡色) 그대로인 순청자는 티끌 하나 없었다.

음각청자는 그릇 표면에 무늬를 새기는 청자였는데, 조각칼로 섬세하게 연꽃이며 물가 풍경, 국화 등 식물과 자연의 모습을 담기도 했고, 상상 속의 동식물에서 얻은 다양한 이미지를 도자기 표면에 장식했다.

양각청자는 조각칼로 무늬를 도드라지도록 만드는 청자였다. 따라서 음각기법보다는 화려한 무늬를 표현할 수 있었다. 또한 무늬가 새겨진 틀로 찍어내어 무늬를 나타내는 기법이 있었는데, 인각(印刻), 양인각(陽印刻), 압출양각(壓出陽刻), 압인양각(壓印陽刻)으로 나뉘었다. 청기와를 만들 때 특히 막새는 양각기법을 사용했는데, 막새에 넝쿨무늬와 모란무늬가 매우 세련되게 형상화되

었다.

상형청자는 인물 또는 여러 동식물의 형상을 본떠 만든 청자였다. 그래서 인물로는 동자(童子)였고, 동물로는 사자와 원숭이, 오리 등과 함께 어룡(魚龍)과 같은 상상 속의 동물도 만들어졌다.

철화청자는 무늬가 검게 나타나는 기법이었다. 청자는 청자이되 무늬가 검은 먹물로 그린 듯 검게 나타나는 자기였다. 이는 독특한 장식 기법의 하나인데 청자 그릇에 버드나무무늬를 그려 넣거나 연꽃덩굴무늬를 그려 넣었다.

상감청자는 그릇의 표면에 무늬를 새긴 다음 그 파인 부분을 흰색 또는 붉은 색을 메웠다. 그리고 청자 유약을 입힌 후 가마에 넣고 구웠다. 이때 흰 흙을 넣은 부분은 백색 무늬로 나타나고 붉은 흙을 넣은 부분은 검은색 무늬로 나타나는데, 이러한 기법이 상감이었다.

퇴화청자는 철화청자와 흡사한 점이 붓을 이용한다는 것과 흰 흙과 붉은 흙으로 무늬를 그린다는 것인데, 안료가 그릇 표면에 두껍게 발라져서 무늬가 도드라지게 보인다는 점이 달랐다.

보름 남짓 박돌만은 장옥재를 곁에 두고 흙을 이기는 법부터 가르쳤는데 하루는 비가 몹시 내렸다. 번개가 하늘을 가르고 천둥이 산을 울렸다. 그리고 다음날 맑게 개었을 때 박돌만이 장옥재를 불렀다.

"저 하늘을 보거라."

"하늘이 무척 파랐습니다."

박돌만이 손가락으로 하늘을 가리켰다.

"바로 저 색깔이 청자빛이니라. 당나라의 황제가 비갠 후의 파란 하늘을 보고 그 푸르름에 반했더니라. 우과천청(雨過天靑)이라. 비갠 후 파란 하늘처럼 맑은 하늘 또한 없느니……."

"정말 그렇군요."

장옥재가 고개를 끄덕였다.

"당나라의 황제는 우과천청을 보고 그와 같은 그릇을 만들라고 명했더니라. 그것이 청자가 생기게 된 발단이었더니라."

"알겠습니다."

장옥재는 박돌만이 말한 '우과천청'의 빛깔을 내고자 열심히 일했다. 그렇게 또 세월이 흘러 장옥재가 박돌만의 요에서 생활한 지가 어언 10년이란 세월이 흘렀다. 박돌만에게는 홍강이란 여식이 하나 있었는데 장옥재가 10년을 보내는 사이 그녀도 성년이 되었고, 장옥재를 늘 보아왔던 터라 연정을 품게 되었던 것이었다.

4

"나으리. 제발 제 낭군님 좀 만날 수 있도록 도와주십시오."

홍강은 흐느껴 울면서 애원했다.

"나한테 애원을 할 게 아니라 네가 직접 만나면 일이 쉽게 풀릴 수도 있지 않겠느냐. 내 비록 개경에서 내려온 사람이라고는 하나 어찌 남녀의 일에 끼여들 수가 있겠느냐."

최사전은 난감했다. 홍강은 말도 안 되는 일로 떼를 쓰고 있었다.

"저를 살려주십시오. 저는 한 시 반 시도 제 낭군님이 없으면 살 수가 없나이다."

홍강은 거듭 눈물을 뚝뚝 떨구었다. 아직 혼인식도 올리지 않은 처녀의 몸인데도 장옥재를 서방님이라 부르고 있었다. 알몸으로 장옥재의 품에 안긴 적이 있었으므로 본인은 순결을 바친 것으로 느낀 모양이었다.

"알았다. 그가 있다는 곳을 찾아보자꾸나."

"감사합니다, 나으리. 나으리 덕분으로 저는 낭군님을 만날 수 있게 되었습니다."

홍강이 눈물을 닦으며 밝게 웃었다. 그리고 벌떡 일어나 큰절을 올렸다.

최사전이 홍강의 청을 듣겠다고 한 것은 그의 아비 박돌만이 이름 있는 도공이었기 때문이었다. 그만큼 그는 대구소에서 없어서는 안 될 존재였고 그의 이름은 개경에서까지 소문이 나 있는 도공이었다. 바로 그 도공의 외동딸의 절박한 사정을 들어준다는 것은 곧 박돌만을 돕는 일도 되는 일이었다.

"나으리. 저 박돌만이옵니다."

도공 박돌만은 외동딸 홍강이가 최사전을 만나 통사정을 한다는 말을 듣고 한걸음으로 달려왔다.

"그래, 무슨 일인가?"

최사전은 시치미를 떼고 물었다.

"제 못난 여식 때문에 나으리께 송구스럽습니다요."

"누구나 자식을 키우다보면 별아 별 일이 다 있는 법일세."

최사전은 대수롭지 않다는 듯 말했다.

“제 여식이 어찌나 그 도공을 좋아하는지 이 사단이 나고 말았습니다요.”

“내가 장옥재라는 그 도공을 만나 볼 터이니 하회를 기다리게.”

“감사합니다, 나으리. 정말 감사합니다요.”

박돌만이 연신 허리를 굽히며 손바닥을 비벼댔다.

최사전은 즉시 사람을 풀어 그가 있는 것을 알아냈다. 그는 타 지방으로 가지 않고 탐진현에 남아 있었는데 만덕산 만덕사(萬德寺)에 숨어 있었다. 만덕사는 839년 통일신라 시대 무염(無染) 스님이 창건한 절이었다. 그는 숨어 지내는 것이 아니라 재입산을 해서 승려로서 생활을 하고 있었다.

최사전은 말을 타고 장옥재가 있다는 만덕사를 향해 길을 나섰다. 죽은 사람의 소원도 풀어준다는 말이 있듯이 산 사람의 소원을 무시할 수 없다는 생각에서였다. 일이 풀리고 안 풀리고는 어차피 장옥재를 만나보아야만 알 수 있는 일이었다. 대구에서 배를 타자 순식간에 만덕사에 닿을 수 있었다. 탐진현의 땅이 크다고는 하지만 여인의 자궁처럼 탐진만이 생겼기 때문에 마치 거대한 강을 건너가는 것처럼 가는 길이 쉬웠던 것이었다.

만덕사는 당시 그리 큰 절은 아니었지만 절 아래까지 바닷물이 들어와 그 풍광이 몹시 아름다웠다. 도공들이 즐겨 찾는 천태산 쌍계사와는 딴판이었다. 배에서 내려 좁은 산길을 조금 올라갔을 때 동백숲에 묻힌 듯 서 있는 만덕사에 다다를 수 있었다.

“만덕사는 도량도 크지만 동백숲이 가관이구나.”

최사전은 만덕사를 중심으로 동백나무가 군락을 이루고 있는 모습을 보고 감탄을 했다.

최 소장이 미리 연통을 놓았는지 몇 안 되는 승려들이 모두 절 입구에서 기다렸다가 반갑게 맞이했다.

"어서 오십시오, 나으리."

만덕사 주지가 차를 올리며 거듭 머리를 조아렸다.

"내가 여기에 온 것은 일을 보기 위함이오."

"나으리께서 저희 절을 찾아주신 것만도 광영입니다. 무슨 말씀이든 하명해 주십시오. 나무 관세음보살."

"다름이 아니라 이 절에 혹 장옥재라는 도공이 있소이까? 그 도공은 대구소에서 그릇을 만들다가 행방물명이 되었는데 풍문에 만덕사에 있다는 말이 있어서 왔소이다."

"장옥재를 무슨 일로 찾으시는지요?"

"직접 만나서 할 말이 있기 때문에 왔습니다."

주지 스님이 최사전의 말에 고개를 절레절레 흔들었다.

"장옥재는 이 절에 없습니다만……."

"아니, 만덕사에 있다는 말을 들었는데 사실이 아니란 말이오."

최사전은 순간 얼굴빛이 당황해 하는 기색이었다. 그도 그럴 것이 홍강과의 약속을 지키기 위해 탐진바다를 건너 만덕사를 찾지 않았던가.

"보시다시피 이곳에 있는 승려들은 모두 나으리 앞에 나왔습니다. 그러므로 장옥재가 이곳에 없는 것은 사실입니다. 그러나 나으리께서 반드시 만나보고 싶으시다면 제가 그곳으로 안내를 해 드릴 수가 있습니다."

최사전이 그 말을 듣고 한숨을 푹 내쉬었다.

"그곳이 어디란 말이오? 이 근방엔 만덕사 말고 다른 절이 없질 않습니까?"

"없습니다."

"그러면 가정집에 있다는 말씀이오?"

"아닙니다. 그는 용혈암(龍穴菴)이란 곳에서 홀로 지내고 있습니다. 제가 직접 안내해 드리겠습니다."

최사전은 주지 스님의 안내로 용혈암을 향해 당장 걸음을 옮겼다.

용혈암은 주지의 말대로 그리 멀지않은 곳에 있었다. 기암괴석으로 만들어진 덕룡산(德龍山) 산자락에 있는 동굴이었는데, 소라껍질처럼 생긴 동굴은 의외로 넓어서 사람이 기거하기에는 조금도 부족함이 없었다.

용혈암이 있는 바로 곁에는 바위에 부딪치며 흘러내리는 용천(龍泉)이 있었고, 앞은 탁 트여서 천관산(天冠山)이 저 멀리 내다보였다.

"말로만 듣던 천관산이 바로 지척에 있었구나."

최사전은 멀리 바라다보이는 산의 이름이 천관산이라는 것을 알고 문득 신라의 김유신 장군이 떠올랐다. 청년시절의 장군이 처음으로 사랑했던 여인은 천관녀란 기녀였다. 그러자 김유신의 어머니는 자식에게 따끔한 충고를 하게 되고, 김유신은 다시는 그녀의 집에 가지 않기로 맹세를 했다. 그런데 어느 날 김유신은 술에 취해 백마를 탔는데, 백마는 평소 버릇대로 천관녀 집으로 가자 김유신은 그 자리에서 백마의 목을 내리쳤다.

나중 김유신은 무예를 더욱 익혀서 삼국통일의 위업을 이루었는데, 버림을 받은 천관녀는 그 길로 입산을 하여 김유신 장군의 큰 성공만을 빌었다. 김유신은 삼국통일을 이룬 후 경주로 돌아가다가 천관녀의 소식을 듣고 함께 경주로 갈 것을 권유했다. 그러나 천관녀는 싸늘하게 거절하면서 '삼국통일을 할 만한 인물을 찾고 있었던 천관보살로서 장군의 마음을 시험해 보기 위해 접근했으나 이제 그 큰일을 이뤘으므로 인연을 끊겠다'며 홀연히 사라졌다. 그 후 천관산에는 천관보살이 살고 있다고 전해져 오고 있는 터였다.

"나으리. 옛날에는 천관산을 지제산, 또 천풍산이라고 불렀습니다."

주지 스님이 손가락을 들어 천관산을 가리키며 말했다.

"명산에 이토록 좋은 천연동굴이 있었구나."

최사전은 용혈암을 보고나서 탄성을 신음처럼 흘렸다.

"제가 안으로 들어가서 그 젊은이를 데리고 오겠습니다."

주지 스님이 성큼 용혈암으로 들어가려고 하자 최사전이 만류했다.

"아니오. 내가 직접 들어가서 만나보겠습니다."

최사전은 조금도 망설임이 없이 용혈암 안으로 들어갔다. 빛이 들어오는 초입은 대낮처럼 훤했지만 안으로 들어가자 정적이 무겁게 깔려 있었다. 거기에서 머리를 파르라니 깎고 잿빛 승복을 입은 한 젊은이가 흙으로 불상을 만들고 있었다. 칼끝으로 부처의 눈이며 코를 다듬고 있었는데 누가 안으로 들어온 줄도 모른 체 열중하고 있었다.

"이보시게, 자인 스님!"

주지 스님이 그를 부르자 그제야 하던 일을 멈추고 고개를 돌렸다.

"주지 스님께서 어인 일이십니까?"

"자인 스님! 귀한 손님을 모셔 오셨네. 어서 인사부텀 올리시게."

"인사올리겠습니다. 자인(瓷人)이라고 합니다."

장옥재가 합장을 해보이자 최사전 역시 가볍게 합장을 하면서 물었다.

"젊은이가 장옥재임이 틀림없으렷다?"

"그렇습니다. 속명은 장옥재이옵고 법명이 자인입니다."

최사전은 잠시 빙그레 웃음을 머금었다. 자인이란 말은 말 그대로 도자기를 만드는 사람이란 뜻이었다.

"그래, 그대는 이곳 용혈암에서 수도를 하기 위해 지내고 있는가?"

"그렇습니다."

"그런데 그대는 수도한다는 사람이 동굴 속에서 청자를 만들고 있질 않는가? 그것도 불상을 만들고 있어. 청자불상을 만드는 것도 수도인가?"

그러나 최사전은 내심 놀라움을 감추지 못하고 있었다. 아직까지 청자불상을 만든 사람도 만든 작품도 본 적이 없었기 때문이었다. 청자불상은 아직 초벌구이도 하지 않은 흙덩이인 채로 여러 개가 만들어져 있었고, 청옥의 청자불상도 여러 개 완성되어 있었다.

“청자불상을 만들어보고 싶었습니다. 일반 청자그릇에 비해 청자불상을 만들 때에는 정성을 다해야겠지만 몸가짐도 깨끗해야 만들 수 있다고 생각해서 용혈암에서 작업을 하고 있습니다. 그래야만 부처님의 32상 80종호를 잘 나타낼 수 있지 않겠습니까?”

“그렇지. 32상 80종호가 잘 나타났을 때 비로소 훌륭한 불상이 될 수 있겠지.”

32상 80종호란 부처님의 육체에 나타나는 수승한 상호를 일컬음이었다.

‘서면 양팔의 길이가 무릎을 넘고, 생식기가 말의 것과 같이 깊이 감추어져 있으며, 신체의 균형이 맞고 단정하다. 치아가 희고 고르며, 혀는 얇고 연하고 입 밖으로 내밀면 얼굴 뿐 아니라 이마의 머리카락까지 덮고, 미간에는 흰 털이 나 있는데 이것을 펴면 다섯 자가 된다.’

“그래서 청자불상은 불심이 있었을 때라야만 만들 수 있을 것입니다.”

장옥재는 단호하게 말했다.

“그런데 어찌하여 자인 스님은 대구소의 허락도 없이 홀로 이곳에서 청자를 만들고 있는가? 이는 조정의 정책을 무시하는 일이 아니던가?”

최사전이 엄하게 꾸짖자 장옥재가 어찌할 줄을 모르더니 무릎을 꿇고 빌었다. 도공들은 특별히 나라에서 운영하기 때문에 별

도로 가마를 만들거나 운영할 수가 없었다. 최사전은 부러 장옥재를 꼼짝 못하게 추궁했다.

"나으리. 제가 나라에서 하는 일을 어찌 무시하겠습니까? 대구소에서 그릇을 만들다가 그만한 사정이 있어서 용혈암에서 지내게 된 것입니다."

"나도 대충은 들어서 알고 있으이. 그런데 어찌하여 홍강이란 아가씨를 멀리하는가? 그대는 홍강과 혼인을 하기로 약속한 사이가 아닌가? 재출가를 했기 때문에 아내로 맞이할 수가 없다는 것인가?"

최사전이 목소리를 높여 꾸짖었다.

"청자불상을 만드는데, 아니 청자불상뿐 아니라 어떤 그릇을 만들든 반드시 여자를 가까이해서는 안 된다는 법은 없을 것입니다. 출가를 하지 않았다면 말입니다."

"그래서 홍강이란 아가씨를 멀리 하기 위해 재출가를 했다는 말인가? 아니면 청자불상을 만들기 위해 재출가를 했다는 것인가?"

"둘 다입니다."

홍강이란 아가씨를 멀리하기 위해서도 그렇지만 청자불상을 만들기 위해서도 재출가를 했다는 말이었다.

"나는 홍강이란 아가씨로부터 부탁을 받고 이곳에 왔는데 정녕 뜻을 꺾을 생각은 없는가? 한 여자를 살리는 것도 또한 도가 아니겠는가? 원수를 사랑할 수만 있다면 살생을 해도 좋고, 파계를 해도 좋다고 했는데 홍강은 원수가 아니라 그녀로부터 사랑을 받고 있는 사이가 아닌가?"

"원수라니요? 아니고 말구요."

장옥재는 최사전의 말을 듣고 고개를 절레절레 흔들었다.

"원수도 아니면서 몸을 피하고자 대구소를 떠난 것도 부족해서 승복을 입고 딴 세상 사람처럼 지내고 있질 않는가?"

"나으리. 저도 승려이기 전에 한 남자입니다. 청자불상을 만드는 도공이기 전에 한 남자입니다. 어찌하여 한 여인을 사랑하고 싶은 마음이 없겠습니까? 눈이나 비가 오는 깊은 밤에 어찌하여 한 여자를 갈구하고 싶은 충동이 없겠습니까? 아마도 없다면 그는 사람이 아닐 것입니다. 그러나 나으리. 저는 한평생 청자그릇을 만들어야 하는 숙명을 타고난 사람입니다. 저도 어찌할 수가 없습니다."

장옥재가 얼굴이 붉게 상기되면서 토해내듯 말했다.

"숙명이라니?"

"저는 청자를 반드시 만들어야 하고 만들되 최고의 청자를 만들어야 한다는 숙명 말입니다."

"그것과 홍강 처자와는 아무런 상관이 없질 않는가?"

최사전은 문득 홍강의 얼굴이 떠올랐다. 만일 장옥재의 마음을 얻지 못한 채 돌아간다면 홍강의 충격은 이만저만이 아닐 것이었다. 그리하여 스스로 목숨을 끊을지도 모를 일이었다. 장옥재가 입을 굳게 다문 채 고개를 떨구었다.

"도무지 알 수가 없는 일이구나. 그러나 홍강의 마음을 받아주는 일은 사람을 살리는 일이 아니더냐? 짐작을 했겠지만 그대가 모른 체 한다면 목숨을 끊을 수도 있는 처자인데."

"여자 목숨 하나 살리자고 저의 뜻을 꺾을 수는 없습니다. 제가 왜 그토록 고집을 하는지 나으리께서는 이 서책을 한 번 보시지요. 친히 누추한 곳까지 오셨으니 어찌 제가 진실을 털어놓지 않겠습니까."

"서책이라니 무슨 말인가?"

"장씨 문중의 족보와도 같은 것입니다."

장옥재의 말에 갑자기 최사전이 크게 웃었다.

"하하하. 수도를 하기 위해 출가한 사람은 부모 형제와도 결별한다는데 그대는 어찌하여 속세의 인연 따위를 생각하는가? 이 또한 속세의 일이 아니겠는가?"

장옥재는 앉은 채 합장을 해보이며 단호하게 말했다.

"백 번이고 옳은 말씀입니다. 당연히 출가한 사람은 나를 낳아주신 부모도 한 핏줄인 형제도 잊고 지내야 합니다. 그래야만 제대로 수행을 할 수 있기 때문입니다. 그러나 그만한 이유가 이 서책에 적혀 있습니다. 그리고 제가 가야 할 운명같은 것이 이 서책에 실려 있습니다."

"도무지 이해할 수가 없으이. 속세와의 인연을 끊기 위해 홍강 아가씨의 사랑도 무 자르듯 한 사람이 정작 출가해서는 속세의 인연을 들먹거리고 있으니. 정녕 그 서책에 그만한 사연이라도 있다는 말인가?"

"그렇습니다."

"내가 그 서책을 읽어보아도 되겠는가?"

"그렇고 말구요. 어서 읽어보십시오."

최사전이 서책의 첫 장을 펼쳐보았다.

첫 장에는 장보고란 이름이 적혀 있었다. 장보고라니……. 최사전은 그 이름 석 자에 망치로 뒤통수를 맞는 듯한 기분이었다.
장보고라니…….
신라 시대 사람이지만 반역자로 낙인찍힌 장보고라니…….
"나으리."
장옥재가 나직하면서도 강하게 최사전을 불렀다.
"말을 해보거라."
"나으리. 지금 우리가 만들고 있는 고려청자를 누가 맨 처음 만들기 시작했는지 알고 계십니까?"
최사전은 말문이 막혔다.
"그게 말이라고 묻는 것인가? 언제부턴가 우리 선조들이 해 온 작업이 아니겠는가?"
"나으리. 고려청자를 맨 처음 만들게 한 사람은 바로 장보고 장군입니다."
"그 증거라도 있더란 말인가?"
"바로 이 서책입니다. 이 서책에 적혀 있습니다. 그러므로 그 증거는 이 서책이 말하고 있습니다."
"어떻게 이런 귀한 서책을 구했는가?"
"그건 소승도 모르는 일입니다. 다만 이 서책을 통해 청자를 만들게 한 장본인이 장보고 장군임을 알게 되었습니다. 미천한 신분이었으나 그에 낙담하지 않고 당나라로 건너가 서주(徐州) 무령군(武寧軍)에 입대한 후 무공을 세웠으니 나중 군중 소장(小將)까지 되신 분이었습니다. 당시 당나라에 살고 있던 신라인들을 한데 모으기 위해 적산법화원을 세웠고, 나중 신라로 귀국해서는 신라, 당나라, 일본의 바다를 마음대로 다니며 무역을 하신

무역왕이었습니다. 장보고 장군은 당신의 따님을 왕비로 만들려고 했으나 여의치 않자 반기를 든 반역자라고 생각하지만 전혀 그렇지 않는 불세출의 영웅이셨습니다. 저는 당나라를 가보지 못했습니다만 당나라에서는 적산명신(赤山明神)으로 신격화되었다고 들었습니다. 또 일본에서는 신라명신(新羅明神)이라고 받들고 있답니다. 바로 그런 내용이 이 서책에 적혀 있습니다. 무엇보다도 장보고 장군은 이 땅에 청자를 만들게 한 분이셨습니다."

"장보고가 청자를 만들었다?"

"그렇습니다."

장옥재가 단호하게 말했다.

"나도 장보고 청해진 대사에 대해 조금은 알고 있다만."

최사전은 고개를 끄덕였다.

"소승은 바로 그런 장보고 장군의 후예입니다. 그렇지 않았다면 이 서책이 제 손에 들어올 리가 없었을 것입니다. 그래서 그 장군님의 뜻에 따라 고려청자를 만드는데 온 힘을 다하고 싶습니다."

"오호, 그런가?"

최사전의 입가에 미소가 번졌다.

"세상 최고의 도공이 되고 싶습니다."

"그럼 나하고 대구소로 내려가야 되지 않겠는가?"

"그럼 제게 두 가지 약조를 해 주셔야겠습니다."

"그것이 무엇인고? 내 그대의 약조를 지켜주겠다."

"첫째 홍강 아가씨와의 일은 더 이상 관여하지 말아주실 것과 둘째는 제가 직접 작업할 수 있는 작업장을 만들어주시라는 것입니다."

"약속하지. 암, 하고 말고."

최사전은 천하에 제일가는 청자를 만들고 싶은 마음에 선뜻 장옥재의 요구를 들어주겠다고 약조를 하고 말았다. 남녀의 사랑이란 어느 한쪽의 고집만으로 성사될 수 없다는 생각에서였다. 남자가 여자를 좋아해도 여자가 싫어하면 어쩔 수 없는 일이고, 여자가 좋아해도 남자가 싫어하면 어쩔 수 없는 일인데 그것을 불교에서는 애별리고(愛別離苦)라 한다던가.

최사전은 장옥재가 장보고의 후예라는 점에 호감이 갔다. 장보고는 이미 역사적으로 반역자로 기록되어 있지만 신라 때 청자제작기술을 가져와 청자를 만들게 한 장본인이라고 말하고 있질 않는가.

"이왕 오셨으니 점안식(點眼式)을 해 주시고 가시지요. 마침 완성된 청자불상이 한 점 있어서입니다."

점안식은 청자불상에 부처님의 혼을 넣는 의식이었다. 그래서 청자불상의 눈에 마지막으로 점을 찍고 불상의 눈을 뜨게 하는 의식이었다. 법신 · 보신 · 화신과 미륵불, 약사여래불께 예를 올리고 다섯 가지의 눈이 열리기를 기도하는데, 그 다섯 가지 눈이란 육신의 눈 · 하늘의 눈 · 지혜의 눈 · 진리의 눈 · 깨달음의 눈이다. 그러니까 육안(肉眼) · 천안(天眼) 혜안(慧眼) · 법안(法眼) · 불안(佛眼)이었다.

"그러자꾸나."

최사전이 붓을 들어 청자불상의 두 눈에 점을 찍었다. 드디어 청자불상에 다섯 가지의 눈이 열리면서 이제 청자불상을 보고 예배를 올릴 수 있었다.

"내 오늘 네가 만든 청자불상을 보고 감탄을 하였다. 그런데 이곳 용혈암은 만덕사와 가깝고 신령스러운 곳이므로 틀림없이 덕이 높은 대사(大師)께서 별원(別院)으로 사용하기가 용이하겠다는 생각이 드는구나."

"저도 그런 생각이 들었습니다."

장옥재가 고개를 끄덕였다.

"그리 되는 날 네가 만든 청자불상은 이곳 용혈암의 부처가 되지 않겠느냐? 그래서 네가 만든 청자불상은 그 의미가 크다고 생각된다."

최사전의 선견지명은 그대로 들어맞았다.

용혈대존숙(龍穴大尊宿).

이 말은 덕망 높은 고승을 일컫는 말로서 훗날 용혈암은 고려의 4대 국사(國師)가 지낸 곳으로 유명한 곳이 된다. 월생산 약사난야(藥師蘭若)로 거처를 옮긴 원묘국사(圓妙國師) 요세(了世)가 약사난야를 중수하고 예경과 참회의 용맹정진이 끝없이 이어진다는 소문에 신도들이 구름 몰리듯 운집했다. 이 소문을 들은 탐진현의 최사전 후손인 무신정권 최표(崔彪), 최홍(崔弘) 등이 약사난야를 찾아갔다. 그리고 탐진현의 만덕산으로 올 것을 촉구하면서 만덕산의 사찰도 중수해 줄 것을 요청했다.

이리하여 요세는 1232년 69세가 되던 해 만덕산에서 보현도량(普賢道場)을 결성하고 전통적인 법화삼매참회(法華三昧懺悔)를 닦았다. 이때 백련사(白蓮社)란 결사의 명칭도 사용되었고, 요세는 이후 83세에 입적하기까지 결사를 지도하다가 만년에는 백련사에서 얼마 떨어지지 않은 용혈암으로 자리를 옮겼다.

이후 요세의 제자인 제2대 정명국사(靜明國師) 천인(天因)도 “내가 죽거든 부도를 세우지 말고 높은 지위에 있는 자를 만나 비문의 운문이나 서문도 구하지 말라”며 용혈암에서 임종게(臨終偈)를 남기고 입적했다. 인생무상을 느끼고 만덕산 백련사로 출가하여 요세의 제자가 된 제4대 진정국사(眞靜國師) 천책(天頙)과 제7대 진감국사(眞鑑國師) 무외(無畏)가 용혈암에서 지냈다.

최사전은 용혈암이 예사 동굴이 아님을 간파하고 장옥재에게 별도의 작업장과 가마를 만들어 주었다. 언젠가는 용혈암이 크게 사용될 것을 알았던 것이다. 최사전의 명이었으므로 그것은 불과 한 달 만에 만들어졌고, 장옥재는 누구의 지시나 간섭을 받지 않고 청자를 빚어낼 수가 있었다. 장옥재가 용혈암에서 빚은 청자불상을 4대 국사가 모실 줄을 그 누가 알았겠으며, 2013년 2월 7일부터 3월 8일까지 용혈암지 정밀 지표조사와 시굴조사를 통해 청자불상이 출토되어 명실공이 용혈암이 불교의 성지라는 것을 입증할 줄은 그 누가 알았겠는가.

그런데.

장옥재가 최사전에게 보여준 서책의 내용이 무엇이었을까? 사실 여기에 청자의 비밀은 숨겨져 있었다.

그 비밀 속에는 혜철국사(惠哲國師 785-861)의 등장이 있었다. 혜철국사는 839년 2월 당나라에서 유학을 마치고 돌아왔는데, 두 달 뒤에 장보고가 군사를 일으켜 정년으로 하여금 민애왕을 죽이고 신무왕을 옹립하였는바, 그로부터 7년 뒤인 846년 봄 장보고가 암살되자 이듬해 847년 화순 쌍봉사에서 지내던 혜철국사가 동리산 태안사로 옮겨왔다는 사실이다. 화순 쌍봉사는 지리적으로 영산강 수로였기 때문에 교통이 편리했고 당시 왕건의 아버지는 금성태수로서 궁예 밑에서 일하고 있었다.

그리고 4년 뒤 851년 신라 조정에서는 관군을 동원해 청해진의 주민들을 모두 머나먼 전북 김제로 이주시켰다. 청해진은 신라에서 걱정하고 염려할 만큼 결집력이 강했고 조직적이었기 때문에 그 싹을 아예 잘라버리려는 심사였다.

그러나 강제이주에 따라 장보고의 중심세력과 식솔들은 산 속으로 숨어들어가 살 수밖에 없었는데, 바로 그곳이 천관산 남쪽 마을인 연동마을이었다. 연동마을에는 장보고의 딸이라고 하는 전설이 내려오고 있는데, 미륵불을 일컬어 그렇게 불렀다. 그러다가 혜철국사가 있는 태안사로 숨어들었는데, 태안사는 먼 미래를 내다보고 지낼 수 있는 안정적인 땅이었고, 혜철국사는 장보고의 중심세력과 식솔들의 항구적인 거처를 마련하기 위해 태안사를 크게 증축하였다.

태안사는 나중에 고려 창업의 기틀을 마련하는 사찰로 변했다. 그래서 신라의 청자와 고려청자가 140년간이나 빈 공간이 생긴 것도 다 이런 이유서였겠지만 신라의 청자를 가까스로 이어간 사람들이 바로 장보고의 세력과 식솔들이었다.

장옥재가 최사전에게 보여준 책자는 그런 사실들을 기록한 내용이었다.

그런데 석홍 스님의 말대로 장옥재는 또 다른 여난을 겪어야만 했다. 홍강의 일이 첫 번째 여난이었는데, 그것은 무사히 비켜갈 수 있었다. 그러나 두 번째 여난이 뱀의 똬리처럼 기다리고 있었다.

제3장
장보고를 찾아서

1

나는 최사전에 대해 알아 본 후 장보고를 추적하기 위해 한 달쯤 지나 완도를 향했다. 강진과 완도는 불과 40분 거리밖에 되지 않았다. 완도와 남창을 잇는 다리가 생기기 전에는 배를 타고 건너가지 않으면 안되는 섬이었지만, 지금은 4차선 큰 다리가 생긴 데다가 완도읍까지 4차선 도로가 놓아졌으므로 쉽게 갈 수가 있었다. 그런데 완도가 가까워질 무렵, 거대한 조형물이 오른쪽에서 나타났다.

장보고 동상.

상상도 못했던 장보고 장군의 동상이 완도를 지키고 있다는 듯 칼을 빼어든 채 서 있었다. 미국 뉴욕에는 자유의 여신상이 있고, 프랑스 파리에는 에벨탑이 있으며, 브라질에는 코로코바두 산 정상에 예수상이 있듯이 완도에는 장보고 조형물이 있었다. 장보고는 갑옷을 입고 칼을 빼어든 채 바다를 바라보며 호령하는 모습이었는데, 마치 그 모습은 역발산 기개세(力拔山氣蓋世)의 항우를 떠올리게 했다. 항우의 죽음이나 장보고의 죽음이 참혹했기 때문일까? 항우는 죽을 때 이렇게 말했다던가.

'내가 군사를 일으킨 지 8년이 되었고, 몸소 70여 차례의 전투를 겪으면서 내 앞을 가로막는 자들은 모두 목을 베었다. 나의 공격을 받은 성들은 모두 항복해서 지금까지 나는 싸움에 진 적이 없었기에 천하를 제패했다. 그러나 오늘 졸지에 이곳에서 곤궁한 처지에 놓이게 되었는데 이제 하늘이 나를 망하게 하려는 것이다.'

장보고는 항우처럼 마지막 말 한 마디도 못한 채 무참히 살해되고 말았지만 그 동상의 모습은 산 뿌리를 뽑을 만큼 기상이 넘쳐흘렀다.

장보고기념관은 청해진 본영이 있었던 장도로 가는 길목에 있었다. 장보고 기념관은 1200년 전 완도에 청해진을 설치하고 동북아시아 해상무역을 주도하였던 장보고 대사의 위대한 업적을 재조명하고, 해양 개척 정신을 고취시키기 위하여 2008년 2월 29일에 개관했다고 개관 목적을 명시해 놓고 있었다.

'장보고가 어떤 인물인지 자세히 알 수 있겠군.'

나는 혼잣말로 중얼거리며 건물 안으로 들어갔다. 안으로 들어가자마자 장보고가 탔던 무역선의 모형이 턱 자리잡고 있었고, 장보고에 대한 소개의 글이 벽에 붙어 있었다. 제1전시실은 '장보고의 흔적을 찾아서'였다. 그러므로 완도 개요 장좌리와 죽청리 일대에 분포하고 있는 장보고의 유적, 중국의 법화사지, 장도 청해진 유적, 그 밖에 문헌 속의 장보고, 장보고 대사의 인적, 지역적 네트워크라는 주제로 전시가 연출되어 있다고 소개하고 있었다. 그곳에는 장도 청해진 출토 유물인 주름무늬 병, 해무리굽 청자편, 연화문, 수막새와 목책 등이 전시되어 있었다. 그리고 그에 따른 설명문이 있었다.

'장보고가 남긴 유산 가운데 하나가 청자 제작기술 보급이다. 강진군 대구면과 칠량면, 해남군 화원면 신덕리 일대에는 초기 청자 가마터가 집단적으로 분포하고 있다.

이 두 지역 초기 청자가마터의 자기들은 해무리굽과 무문의 특징을 가진다. 해무리굽 청자는 중국 절강성(浙江省) 월주요(越州窯)에서 생산된 것으로 중국에서 7세기부터 등장하여 9세기 전반에 유행한 도자기이다. 우리나라 최초의 생산용지는 우리나라 중부와 서남부의 해안을 따라서 분포되어 있다.

이중 해남 화원면 도요지에 60여 기가 집단군을 이루고 있는데 이렇게 대량의 도자기 생산단지를 조성할 수 있는 세력은 장보고를 중심으로 한 청해진 세력이었을 가능성이 있다.'

이러한 내용과 함께 전국적으로 장보고 시대에 중국도자가 출토된 지역을 표시한 출토지의 지도가 있었다.

'장보고가 남긴 유산 가운데 하나가 청자 제작기술 보급이다.'

여러 말이 필요 없이 이 말 한 마디면 강진청자를 생산하고 보급했던 사람은 장보고였다는 사실을 알 수 있었다. 장보고기념관에서는 학자들의 연구를 토대로 이렇게 명시했을 것이었다.

"잠깐만요."

나는 중국도자가 출토된 지도를 바라보다가 마침 복도를 지나

가는 학예사를 불렀다. 30대 초반으로 보이는 학예사는 젊고 상냥했다.

"뭘 물어보시렵니까?"

"월주요 청자에 대해서 알고 싶습니다."

"월주요 청자는 중국 청자를 말합니다."

그녀의 말은 부드러웠으나 짧게 대답했다.

"좀 더 구체적으로 말씀해 주십시오."

"월주요 청자는 한대에서 북송대에 이르기까지 약 천 년의 세월동안 만들어졌습니다. 월주요 청자는 비색청자(秘色青磁)로 부르기도 하고 비색자(秘色磁)라고도 불렀는데 아무튼 일세를 풍미했던 그릇이었습니다."

"그랬군요."

나는 고개를 끄덕거렸다.

"월주요 청자가 천 년 동안 중국 절강 지방을 중심으로 생산되었는데, 그 월주요가 중국은 물론 동아시아, 동남아시아, 서아시아에서 청자문화권을 형성하면서 엄청난 파장을 가지고 왔습니다. 한국의 초기청자나 일본의 녹유도기, 서아시아의 녹유도기 등 각 나라의 신출 도자기에 영향을 줄 수밖에 없었습니다. 이러한 월주요 청자에 대한 문헌이 많은데 중국과 일본 두 나라 것으로 대별되고 있습니다. 「다경(茶經)」, 「노학암필기(老學庵筆記)」, 「여요현지(餘姚縣志)」, 「선화봉사고려도경(宣和奉使高麗圖經)」, 「송회요(宋會要)」「전당시(全唐詩)」, 「송사(宋史)」, 「당육전(唐六典)」 등에 중국의 문헌이 기록되어 있습니다."

"그렇군요."

"그런데 말입니다. 이러한 월주요 청자에 대해 육우(陸羽) 등의 당대 문사들이 노래할 수 있는 감상의 대상이 되었는데 나중에는 비색청자(秘色青磁)로 불리면서 한 세상을 풍미했습니다. 중국의 시인 육우는 월주요 청자다완은 상품으로 색은 청색이나 녹색이고 옥(玉)에 비유를 하였지만, 그러나 월주요는 그 뒤로 취색(翠色)으로 변해갔습니다. 9세기 중엽의 시인 허혼(許渾)은 월주요 청자사발이 '가을물처럼 맑다(越甌秋水澄)'라 하였고, 육구몽(陸龜蒙)은 비색월기(秘色越記)야말로 '천봉취색(千峰翠色)'이라고 표현했습니다. 서인(徐寅)은 '공여비색차잔(貢餘秘色茶盞)'이란 시에 '취색을 짜내 청색에 녹여낸 서색(瑞色)이 새롭다'는 표현을 볼 때 월주요 청자의 유색은 취색이었습니다. 월주요 청자의 기형과 문양에 밀접한 관계가 있는 당대 금속기(唐代金屬器)는 이미 8세기부터 미친 영향이 있었습니다. 그것은 섬서성(陝西省)과 하남성(河南省), 그리고 하북성(河北省)을 중심으로 출토되고 있는 것으로 보아 확실한 근거가 되고 있습니다."

"월주 지역은 지금 어디를 말하는가요?"

"월주 지역은 현재 절강성 사우(上虞) · 여요(餘姚) · 영파(寧波)를 중심으로 넓은 지역을 말합니다. 그럼 한국에서 출토된 중국 도자기는 어디어디일까요? 지역적으로 공주 부여 및 경주 지역의 절터와 성터에서 출토되고 있는데 대표적으로는 부소산성 · 미륵사지 · 성주사지(聖住寺址) · 신금성(神衿城) · 안압지 · 황룡사지(皇龍寺址) · 배리(拜里) 유적 등을 들 수 있습니다."

"광범위하게 분포되어 있군요."

그런데.

나는 잠시 고개를 좌우로 흔들었다. 강진의 이웃 군인 완도에서는 그동안 장보고의 위대한 업적을 기리기 위해 기념관을 만드느니, 청해진을 복원한다느니 하는데 정작 고려청자의 원산지인 강진에서는 장보고의 '장'자도 언급한 적이 없질 않는가. 특히 완도는 장보고의 일생을 담은 『해신(海神)』이란 드라마의 촬영지가 되어 엄청난 관광객들이 찾아오는 대박까지 터뜨렸던 것에 반해 강진은 장보고를 철저히 외면하고 있다는 사실이었다.

나는 자신도 모르게 신음소리가 흘러나왔다.

장보고에 대한 문헌으로는 『번천문집(樊川文集)』이 있었다. 당나라 시인 두목(杜牧)의 문집인데 이 책의 6장 「보고 정년전」에 장보고와 정년(鄭年)의 전기가 수록되어 있으며 장보고와 정년을 기록한 최초의 문학이라고 소개하고 있었다.

『번천문집』이라.

나는 잠시 『번천문집』에 대해 알아보았다. 당나라 유명한 시인 두목은 경조부 만년현(京兆府萬年縣) 사람으로 이상은(李商隱)과 더불어 이 두보(杜甫)라고 불리는 시인이었다. 시 또한 두보와 비슷한 탓에 소두(小杜)라고 불리는 시인이었는데, 바로 그 두목이 장보고와 장보고의 의형제 정년의 전기를 쓴 것이었다.

시인 두목은 『번천문집』에 장보고의 위대성을 실었고, 동방세계의 중심이던 당나라 정사(正史)에 장보고의 전기가 실려 있다는 사실만 보아도 장보고가 세계인(世界人)이며 무역인(貿易人)임을 알 수 있었다.

두목은 「보고 · 정년의 전기」에서 장보고야말로 당대 안사(安史)의 난(755-764)을 평정한 분양왕(汾陽王) 곽자의(郭子儀)에 필적

할 만한 현인이며 인의(仁義)의 사람이었다고 극찬했다. 또한 사사로운 원한 따위에 구애받지 않고 능력을 평가하여 인재를 기용하는 대공무사(大公無私)의 큰 인물로 묘사했다.

두목은 장보고와 그의 동향 친구인 정년의 관계를 안사의 난 직후의 분양왕 곽자의에 비유했을 뿐 아니라 '나라에 한 사람이 있으면 그 나라가 망하지 않는다'는 잠언을 인용하여 장보고야말로 그와 같은 인물이라고 극찬했다. 『신당서』를 지은 이는 '진(晋)에 기해(祁奚)가 있고 당(唐)에는 분양(汾陽)과 보고(保皐)가 있는데 누가 감히 동이(東夷)에 인재가 없다고 할 수 있겠는가'하고 말하고 있다. 만일 두목의 『번천문집』이 없었더라면 오늘 날 장보고가 제대로 평가받을 수 있었을까 생각하자 소름이 끼쳤다.

그러나 이러한 중국 측의 기록과는 달리 『삼국사기』는 장보고가 청해진에 거하여 반란을 일으켰다고 기록하고 있기 때문에 더욱 그런 생각이 들었다.

두목은 2년여 동안 양주에서 두 차례나 생활하였는데, 거기에서 장보고의 활동을 볼 수 있었을 것으로 짐작되었다. 당시 양주는 진귀한 보물들을 비롯해서 향료 · 약초 · 비단 · 도자기 · 차 · 동기 · 복장 등을 매매하고 선박까지도 매매하는 활달한 도시였다. 게다가 양주는 장강하류의 정치 · 경제 · 사회 · 문화의 심장부였기 때문에 번영과 도약의 도시였다.

일본의 정창원(正倉院)에는 '매신라물해'란 문서가 많이 있는데 일본 귀족들이 신라 상인들로부터 박래품을 구입하기 위해 미리 필요로 하는 물품의 품목 · 수량 · 가격 등을 기록하여 일본 정부의 대장성(大藏省)에 제출하는 일종의 신청서였다. 그 신청서를 보면 향료 · 약물 · 기물 · 조도(調度:세간기물) · 서적 등 다양한 물품명이 적혀 있다. 이 모든 것들은 장보고가 해상 무역을 했을 때의 품목들이었다.

『입당구법순례행기(入唐求法巡禮行記)』도 있었는데, 일본 승려 엔닌이 당나라 불교 성지를 돌아보고 기록한 여행기로 모두 4권이라고 소개하고 있었다. 신라와 관련이 있는 부분은 2권과 4권으로 2권에는 당시 청해진 대사 장보고가 세운 법화원에 대한 이야기도 나온다며, 이 책은 9세기 전반 동북아시아 정세를 기록한 정치사 문헌이자 불교사의 한 측면을 전하는 귀중한 문헌이라고 강조하고 있었다.

지금도 일본 시가현 오오쯔시 온죠지에 가면 신라명신좌상을 모신 궤가 있다고 한다. 그러니까 엔닌이 당에서 귀국할 때 그를 온죠지로 이끌었다고 전해지는 신라명신(新羅明神)의 좌상이 모셔져 있는 것이다. 긴 수염에 흑색의 삼산관(三山冠)을 쓰고 포(袍)와 바지를 입고 있는데, 오른 발을 위로 올려 평좌하고 있는 모습이다. 왼손에는 석장(錫杖)을 들고 있고, 오른손에는 경권(經卷)을 쥐고 있는 신라명신.

엔닌은 858년 6월에 당으로부터 귀국할 때 선상에 나타나서 '나는 신라국명신이라고 하며 화상을 위해 불법을 수호하고 대사를 지금의 온죠지 터로 인도했다'는 신이었다. 엔닌은 제자들에게 유언하기를 신라명신을 모실 것을 당부했고, 제자들은 스승의 말대로 적산선원을 건립한 후 신라 명신을 모셨다. 신라의 무역상인 흠량휘의 선단을 통해 당나라로 건너갔고 다시 귀국할 때에도 신라의 무역선단을 이용했기 때문에 장보고와 밀접한 관계가 있었던 것이다.

일본인들은 장보고의 한자 이름을 보배 보(寶)자와 높을 고(高)를 쓰고 있는데, 장보고를 세계의 큰 부자로 생각했다. 『속일본후기』에 따르면 장보고 선단의 물건은 인기가 좋아서 항상 비싼 값에 사거나 예약금을 미리 주었다고 전하고 있다.

『삼국사기(三國史記)』도 소개하고 있었다. 고려말 최고 지식인이었던 김부식(金富軾)이 1145년 인종 23년경에 왕의 명을 받아 편찬한 정사가 『삼국사기』였다. 이중 「신라본기」권 제10권과 「신라본기」11, 『삼국사기』44(연전 4에) 장보고와 정년에 대한 기록이 있다고 소개하고 있었다. 김부식은 『삼국사기』(권43) 「김유신전」 말미에 이러한 찬문을 써놓기도 했다.

'중국의 서적이 아니었던들 을지문덕의 지략과 장보고의 의용이 인멸되어 전문할 수 없었을 것'이라고 하였는데, 김부식이 말한 '중국의 서적'이란 바로 두목의 『번천문집』이었다. 그러므로 박물관에서 『번천문집』을 보관하는 것은 너무도 당연한 일일 터였다.

장보고의 영정도 보였다. 갑옷과 투구를 쓴 무장의 모습이었는데, 늠름하고 지혜로운 장수의 모습이었다. 서울대학교 명예교수 이종상 화백이 그렸다는 장보고의 영정은 장보고 국가 표준 영정이라고 소개하고 있었다.

나는 영정 앞에서 잠시 머리를 숙였다.

장보고.

불세출의 영웅. 우리나라 역사상 바다를 다스리는 자가 세계를 지배한다는 전략을 몸소 실현한 해상왕.

그러나 어떤 수식어보다도 고려청자를 만들게 한 장본인이라는 사실이 큰 감동을 주고 있었다.

나는 학예사에게 감사하다며 악수를 건네주고 나서 천천히 걸음을 옮겨 청해진이 있었던 장도(將島)란 섬을 향해 걸어 나갔다. 장도는 장보고기념관에서 가까운 거리에 있었다. 한반도의 남쪽 끝자락에 있는 작은 섬이기 때문에 지도에서조차 찾아보기도 힘든 섬이었다.

그런데 섬을 둘러싸고 있는 견고한 성벽과 그 부속시설인 고대(高臺), 치(雉) 등의 모습이 완벽하게 갖춰져 있었다. 웅장한 건물들도 있었고 섬 중앙에는 크고 높은 굴립주 건물들이 위용을 자랑하고 있었다. 특히 청해진 입구에는 장보고 군사들이 식수로 사용했을 우물도 복원되어 있어 금방이라도 장보고 대사가 긴 칼을 옆에 차고 툭 튀어나올 것만 같은 느낌이었다. 『삼국사기』권32에 나타나 있는 '청해진 조음도(助音島)'가 바로 완도읍 장좌리에 있는 자그마한 섬 장도인 것이다. 주민들은 이 섬을 장섬 또는 장군섬이라 부르기도 했고 섬 안에 있는 선착장을 '조금선창'이라고 불렀으니 역사적 기록인 조음도와 지금의 장군섬이 매우 유사하다는 것을 알 수 있었다.

나는 운 좋게도 안내원의 안내를 받으며 복원된 청해진을 둘러볼 수가 있었다. 바로 저 성곽에서 해상왕 장보고는 바다를 호령했으리라.

안내원은 열심히 내게 청해진에 관해 설명했다.

"복원된 청해진을 보고 있노라면 장보고 대사야 말로 대단한 인물이었다는 것을 느낄 수가 있습니다."

"저도 그렇게 느껴집니다."

"이 섬의 전체 면적은 38,000평입니다. 물론 작은 섬이라고 생각하실지 모르겠지만 보시다시피 성곽은 결코 작은 것이 아닙니다. 청해진의 위상이 고스란히 살아나 있질 않습니까?"

"그렇군요."

내가 웃으며 말했다.

"섬 내부에 축조된 성곽의 총 연장은 약 890m입니다. 발굴조사 결과 섬 입구 쪽에는 성벽을 겹겹으로 둘러쌓아 출입구를 이중으로 하였고, 그 안쪽은 주변의 흙으로 단단하게 쌓아 올린 것으로 보아 관측 성벽임이 밝혀졌습니다. 또한 방어용 목책으로 추정되는 해변 원목열(圓木列)의 규모와 구조를 파악할 수 있었습니다. 이 섬의 입구와 남쪽 해변에는 방어를 위해 원목열 흔적이 남아 있는데 조사를 해본 결과 해변을 따라 80cm로 U자형의 도랑을 깊게 판 후 그 안에 소나무와 참나무 원목을 일렬로 촘촘하게 세웠던 것이지요."

"그럼, 그 길이가 얼마나 되었습니까?"

"331m였습니다. 그리고 섬 입구쪽에는 지하 1~2m 아래에 직경 10cm 굵기의 소나무와 참나무가 아주 가깝게 수천 개가 박혀있는 잔목렬이 있다는 사실도 밝혀졌습니다. 아마도 조사결과 다른 성곽유적에서는 볼 수 없었던 최초의 잔목렬이었습니다. 지금까지 섬에서는 여러 가지가 발견되었는데, 굴립주 건물지가 2개소, 기단석축 건물지가 3개소 등입니다."

"그렇다면 청해진이야말로 대단한 군사기지였군요."

"청해진은 장보고 대사의 핵심거점이었습니다. 천혜의 요충지로서 조금도 손색이 없을 만큼 장보고 대사의 천재적 식견에서 비롯되었다고 생각합니다. 바로 이 청해진은 신라, 당나라, 일본, 세 나라의 해상기지였습니다. 특히 청해진과 아주 가까운 곳에 있는 강진, 해남 일대에서 도자기 생산지로 크게 번창할 수 있었던 것은 장보고 대사가 있었기 때문이었습니다."

안내원은 손가락으로 강진 쪽을 가리키며 말했다. 섬들에 가려져서 강진땅은 보이지 않았지만 헤엄쳐서도 갈 수 있겠다는 생각이 들 만큼 가까운 곳에 강진은 있었다.

"그렇다면 그만한 근거가 있습니까?"

나는 정확히 알고 싶어 물었다.

"장도에 대한 발굴조사는 지금까지 8차에 거쳐 있었습니다."

"여러 차례 했군요."

"그렇습니다. 그런데 발굴조사 중 무엇을 알고 싶습니까?"

"많은 것을 발굴했겠지만 저는 도자기에 대해 알고 싶고 그것이 매우 궁금합니다."

"장도 청해진 유적에서 출토된 자기 중에는 고려시대와 조선시대의 청자나 분청사기, 그리고 백자를 제외하고 중국에서 생산된 것들이 많았습니다. 그러나 고려시대와 조선시대의 자기들은 청해진과 관련이 없는 것으로 해석을 하고 있습니다."

"처음부터 이해할 수 없는 말씀을 하시는군요. 청해진과 관련이 없는 자기들이 왜 많이 나왔을까요?"

내가 의문을 갖자 그가 웃으며 말했다.

"장보고는 신(神)이었습니다."

신이라니? 나는 어안이 벙벙해서 눈을 치켜세웠다.

"바다의 신, 해신(海神) 말입니다."

"그것과 자기와는 무슨 관계가 있었다는 것입니까?"

"오늘 날 이곳 장도에서는 매년 정월 보름날 아침 당제를 지내고 있습니다. 이 당제 풍습은 이미 조선시대 중엽에도 있었는데 당제의 주신(主神)은 송철(宋徹) 장군이었습니다."

"송철 장군은 누구입니까?"

"송철 장군은 완도와 강진포구에 걸쳐 있는 지역신입니다. 그러기 때문에 정사에는 기록이 없습니다. 하지만 강진현 「고적(古跡)」 편의 '사현(射峴)'에 나와 있습니다. 내용인즉슨, 사현은 완도에 있다. 전설에 이르기를 옛날에 섬 사람으로 이름을 송철이라 부르는 사람이 있었는데, 무용이 당할 사람이 없고 활을 쏘면 60리 밖에까지 미치며 활시위를 끊으면 피가 나왔다고 하는 전설이 있으며 지금도 반석에 활의 흔적이 남아 있으므로 이곳의 이름을 사현(쏠고개)이라 한다는 것입니다."

"그래서요?"

"당제에 대해 연구를 한 학자는 이곳의 당이 송철을 주신으로 삼고 정년(鄭年)과 혜일(慧日) 스님을 배향하고 있는 것으로 보아 송 장군은 역적으로 몰려 죽은 장보고 장군의 변이 전설일 뿐 동일인물이라는 견해를 밝히고 있습니다. 이런 견해 때문인지 수십 년 전부터는 이곳 사람들이 아예 당집의 주신을 장보고 장군으로 바꿔버렸습니다."

"그래서요?"

"송철 장군은 그렇다손치더라도 정년은 장보고 장군과 무슨 관계가 있으며 혜일 스님은 또 누구입니까?"

"정년은 장보고 장군의 후배로서 무예가 뛰어났던 사람입니다. 함께 당나라에 갔었고, 돌아와서는 장보고 휘하에서 장수로서 일을 했던 인물입니다. 혜일 스님은 동리산문의 개창자인 혜철 스님을 뜻하지 않나 생각합니다. 혜철 스님은 839년 장보고 선단을 이용해 귀국한 후 무주 쌍봉사에 머물다가 장보고가 죽자 대안사(大安寺)에 주석하면서 동리산문을 개창하였습니다. 혜철 스님은 당나라에 도착하자 바로 천태산 국청사에 한동안 머물다가 서주(西州) 부사사(浮沙寺)에 가서 대장경을 탐구한 스님입니다. 혜철 스님이 힘겹게 신라로 돌아왔을 때에는 장보고의 군대를 끌고 가서 앞서 말한 정년이 서라벌을 초토화시키고 있을 때였습니다. 그러니까 신라시대 때 장보고를 청해진 대사로 임명한 흥덕왕이 승하하자 뒤로 희강왕이 왕위에 올랐는데, 왕위 계승분쟁에서 패배한 김우징이 청해진으로 피신을 해온 후 희강왕을 피살시키고 김우징이 신무왕이 되는 바로 그 때입니다.

그러나 장보고의 도움을 받고 지내던 혜철 스님은 장보고가 죽자 무주에서 벗어나 곡성의 대안사로 가게 됩니다. 장보고 집단의 정신적인 지주였던 혜철 스님이었기 때문에 정년과 혜철 스님을 송철 장군과 함께 배향해 왔던 것입니다. 그러다가 장보고 장군만 모셔오고 있는데, 이러한 장보고 장군에게 제사를 모시기 위해 전국에서 찾아와 지역민 모르게 제사를 지낸 후 사용했던 제기를 버려두고 갔기 때문에 고려시대나 조선시대 자기들이 많이 출토된 것입니다."

"그랬군요."

나는 먼 바다를 향해 시선을 멀리 던지며 말했다.

"그런데 말입니다, 아까 말했던 중국산 자기가 많이 출토되었다고 말씀드렸지요?"

"그렇게 말씀하셨습니다."

"중국산 자기 중에는 절강성 월주요에서 생산되었던 해무리굽 청자가 대표적입니다. 그 질 또한 상당히 우수해서 중국에서도 귀족층 유적지에서만 출토가 된다고 합니다."

"해무리굽 청자란 무엇을 말합니까?"

"상당히 꼬치꼬치 묻는군요."

그가 웃으며 나를 쳐다보았다.

"이처럼 자세히 알려고 한 분은 처음입니다. 해무리굽 청자는 굽의 접지면이 편평하고 넓어 해무리를 연상시키기 때문에 붙여진 이름입니다."

"그렇듯 해무리굽 청자를 강조하는 까닭이 무엇입니까?"

나는 애써 확답이라도 들으려는 듯 물었다.

"질문을 잘해 주셨습니다. 해무리굽 청자는 월주요가 가장 활발하게 생산되던 시기와 장보고의 선단 준비 기간과 일치한다는 점입니다. 그러므로 당시 최고급품인 월주요 생산 기술이 장보고에 의해 한반도로 전해졌다는 점이지요."

"친절히 말씀해 주셔서 고맙습니다."

나는 안내원에게 손을 흔들며 장도를 빠져나왔다. 그리고 돌아오는 길에 장보고 일생에 대해 추적을 해보기로 맘을 먹었다. 이것이 내가 할 일이요, 사명이라는 생각이었다. 장보고를 추적한다는 것은 곧 강진의 고려청자가 어떻게 만들어지게 되었는가를 알 수 있는 일이기 때문이었다.

2

완도(莞島).

궁복도(弓福島)라고 부르기도 했는데 이는 완도의 또 다른 별칭이다. 『동사열전』과 『동환록』 그리고 다산의 시구에도 나와 있거니와 궁복은 장보고의 본명이었다.

고려가 세워지면서부터 비로소 완도라고 불러지게 된 이 섬은 한 개 푸른 구슬처럼 생긴 섬이었다. 풀과 나무가 무성해 왕골풀과 같다고 해서 완도라는 지명을 사용하게 되었다는 설과 아득한 옛날부터 수목이 울창하여 궁궐을 짓는데 쓰이는 재목이 많았고, 사슴 등 귀한 짐승이 많다 보니 국원(國苑)으로 정한 것이었으나 원도가 완도로 와전되었다는 설이 있다. 하지만 둘 다 확실한 근거는 없다.

완도는 무인도를 포함해서 203개의 섬으로 이뤄져 있는데, 청해진이 있었던 장보고 시대에는 지금의 장흥, 강진, 해남, 영암에 각각 나뉘어 있었다. 바로 그 강진에 현재 완도, 모도와 소모도, 고금도, 신지도, 조약도, 청산도, 여서도, 고마도와 사후도와 죽도가 있는 백도면, 가우도가 있는 대구면이 있었다. 그러므로 장보고는 강진에서 활동한 해상왕이었다. 분명 강진 사람이란 점에서 다정한 느낌, 뭐랄까 한 핏줄 같은 견인력을 느낄 수 있었다.

어쨌든 장보고는 흥덕왕으로부터 '청해진 대사'라는 직함을 제수 받은 후 1만 군사와 함께 완도에 도착했는데, 고향을 떠난 지 20년만이었다. 중국에서 지낼 때 그 얼마나 고향이 그리웠던가. 완도 앞바다의 푸른 물결이 얼마나 보고 싶었던가. 신분을 뛰어넘어 뭔가 큰일을 해보고자 당나라로 건너갔다가 이제 금의환향

(錦衣還鄕)한 셈이었다.

마을 사람들은 경천동지(驚天動地)할 만큼 큰 출세를 하고 돌아온 장보고를 보고 두 눈이 휘둥그레졌다. 그리고 너도나도 손뼉을 치며 환호를 질렀다.

"우리 섬에서도 저러코롬 훌륭한 사람이 다 생겨나는구만."

"보잘 것 없는 섬에 저 많은 군사들을 몰고 오는 것 좀 보아."

"머리털 나고 많은 사람들이 몰려오는 것은 첨 보는구만."

"앞으로 우리 섬은 서라벌 못지않게 번창하것어. 군사도 군사지만 큰 배들이 몰려오고 있응께 말이여."

장보고는 어디서든 생사를 함께 할 수 있는 부하들과 조음도(助音島:장도)를 향해 걸어 나갔다. 조금섬이라고 하기도 한 조음도는 완도 본섬의 동쪽 중간쯤에 위치해 있었다. 동북쪽으로는 고금도(古今島)가 있고 동쪽에는 조약도(助藥島:약산)와 신지도(薪智島)가 섬을 에워싸듯 들어서 있었다. 북쪽으로는 해남과 강진이 있고, 남동쪽 멀리로는 청산도가 있기 때문에 조음도는 주변의 섬들에 의해 하나의 거대한 만(灣)을 형성하고 있었다.

섬들이 지켜주는 섬, 조음도. 지형적으로 살펴볼 때 천혜의 요새였다. 왜냐하면 조음도를 출입할 때에는 주변의 섬을 끼고 들어와야 하기 때문에 항아리 속의 요새나 다름없었던 것이다.

장도의 면적은 38.000평이고 해발 고도는 43.4m인데 섬의 동쪽과 북쪽, 그라고 남동쪽에는 가파른 절벽이 있어 함부로 접근이 힘든 섬이었다. 대신 서쪽과 남서쪽은 경사가 완만해서 육지에서의 접근이 용이했고, 특이한 것은 섬의 서쪽에 활등처럼 휘어진 만곡(彎曲)의 해안이 형성되어 있어 태풍이 불어올 때면 배를 피난시킬 수 있는 곳이었다. 이상하게도 장도는 육지와 가까운 관계로 썰물일 때면 곧장 걸어서 갈 수 있었고, 밀물일 때는 배를 타야만 건너갈 수가 있는 섬이었다.

장보고는 바로 이 섬에서 어린 시절 활을 잘 쏘고 창을 대단히 잘 썼다. 그래서 이름이 궁복 또는 궁파(활바)라고 불렸는데 섬에서 나고 섬에서 자란 탓에 물속꿰기도 잘했다. 후배인 정년과는 함께 컸는데 그 역시 무술이 뛰어나고 힘이 장사였으며 수영을 잘했다. 물속으로 50리를 걸어갈 정도였으니 수영만큼은 장보고가 따라가지 못했다.

장보고는 정년과 함께 당나라로 건너갔다가 이제 성공해서 고향땅을 밟는 감회는 이루 말할 수가 없었다. 그러나 한쪽 마음이 아파오는 것은 바로 정년을 당나라에 놓아두고 왔다는 사실이었다. 정년이 곁에 있었더라면 어린 시절의 추억을 더듬으며 그동안 겪었던 이야기를 나눌 수 있을 터였다.

정년은 장보고가 당나라를 떠나려했을 때 배에 오르지 않았고, 장보고 또한 애써 승선하라는 말을 못한 것은 그만한 이유가 있었다. 누군들 자신의 아내를 사랑하지 않는 남편이 없겠지만 유독 그는 아내를 사랑했고 아꼈다.

하지만 그는 술버릇을 이겨내지 못했고 아내는 그 술버릇으로 인해 스스로 목숨을 끊고 말았다. 정년의 주벽은 유별났는데 때로는 아예 딴사람이 되어버렸다. 정년은 술이 깨면 한숨을 푹푹 쉬며 후회스러워 했으나 그 술버릇은 고쳐지기는커녕 더해만 갔고 끝내 아내를 잃고만 것이었다.

“내 아내는 내가 죽인 것이나 다름이 없어. 나는 천하에 못된

놈이야!"

아내가 죽고 나서 정년은 단칼에 술을 끊었지만 한 번 저 세상으로 간 아내가 살아 돌아올 리 만무했다. 아내에게 미안한 마음이 컸던지 어떤 청혼도 받아들이지 않은 채 지내는 정년을 두고 청해진으로 왔다는 사실에 장보고는 마음이 아려왔다. 그와 당나라를 향해 완도를 떠났을 때 얼마나 든든한 사람이었던가?

정년의 집안과 장보고의 집안 내력은 비슷했다. 장보고의 어린 시절은 아버지가 여러 척의 배를 이끌고 당나라를 다니며 장사를 하고 살았지만 그만 풍랑에 빠져 죽고 말았다.

정년은 고조부가 백제 때 현령으로 벼슬을 했지만 백제가 망하게 되자 부흥군에 참가해 나라를 살리려고 애를 썼다. 그마저도 뜻대로 되지 않자 일본으로 도망을 치려고 했지만 맘먹은 대로 쉽게 갈 수 있는 뱃길이 아니었다. 거센 풍랑을 만나 섬에 주저앉게 된 것이었다.

그런 정년은 어렸을 때부터 형이라 부르며 장보고를 잘 따랐다. 장보고 역시 헤엄을 잘 치고 무예도 잘 하는 정년을 좋아했고 함께 어울리며 어린 시절을 보내다가 당나라까지 함께 갔던 거였다. 그러나 함께 돌아오지 못했다는 사실은 장보고에게 남모를 아픔이었다.

"나는 이곳에 청해진을 세우겠노라!"

장보고는 섬의 가장 높은 언덕으로 올라가 이렇게 외쳤다. 쩌렁쩌렁한 목소리에 철썩거리던 바다가 숨을 죽인 듯 조용해지는 것 같았다.

"모두들 듣거라!"

장보고의 고함소리에 군사들이 일시에 그를 바라보았다. 무슨 명이든 목숨을 바쳐 따를 군사들이었다.

"나는 대왕마마로부터 청해진 대사로 제수를 받았으니 여러분과 함께 이 땅을 유린하고 침략하는 해적을 물리치고 신라인을 잡아다 파는 자가 없도록 할 것이다! 또한 누구든지 대왕마마의 뜻을 받들어 나와 함께 하고자 하는 사람은 받아들일 것을 만천하에 선포하노라!"

장검을 빼어든 다음 허공 높이 치켜든 장보고의 모습을 보고 군사들은 섬이 떠내려갈 만큼 크게 환호를 질렀다.

"청해진 대사 장보고 장군 만세!"

"청해진 대사 장보고 장군 만만세!"

신라에서는 해적소탕이 급선무였다. 장보고가 외쳤듯이 신라를 유린하고 신라인을 잡아가 파는 일이 없도록 해야만 나라가 안정될 일이었다. 『일본후기(日本後記)』에도 일부 전해지고 있듯이 811년 8월 일본 대재부(大宰府)가 신라 조정에 보내온 공문에 해적의 흔적이 생생하게 남아 있다. 신라인 김파형. 김승제, 김소파 등 세 사람은 지난해 자신들이 살고 있던 고을의 곡식을 운반하던 중 바다에서 해적을 만났다. 함께 배에 타고 있던 나머지 사람들은 모두 죽고 그들만이 겨우 살아남을 수 있었는데, 다행히도 일본 땅에 도착할 수 있었다. 이때 그들은 본국에 혈육이 있으므로 신라로 돌아가길 원한다고 하자 일본 조정에서는 그들을 방환하도록 허락했던 일이었다. 관선(官船)에 곡물을 싣고 남해연안을 항해하던 중 해적의 습격을 받고 많은 사람들이 죽임을 당했을 뿐 아니라 곡물까지 모조리 빼앗겼던 그들이 목숨만 겨우 건진 사건이었다. 1년 뒤 812년 12월에는 또다시 대마도 부근에서 해적이 출몰하더니 813년 2월에는 신라인 110명이 작은 선박 5척에 나누어 타고 소근도(小近島)에 도착했다가 9명은 타살당하고 101명은 일본인에게 붙잡힌 사건이 일어났다. 이 밖에도 크고 작은 사건이 일어나곤 해서 신라 조정은 골치가 아플 지경이었다.

이 시기에 황해에서도 해적집단의 만행이 있었다. 한림랑(翰林郎) 최하(崔賀)가 찬술한 대안사(大安寺) 적인선사조륜청정탑비문(寂忍禪師照輪淸淨塔碑文)에 의하면, 적인선사 혜철(慧徹)이 취성군(取城郡:지금의 황해도 황주 연안)에서 군감(軍監)에게 붙잡혀 30명 모두 죽임을 당했다. 혜철만이 구사일생으로 혼자서 살아남을 수 있었던 것은 집행 직전까지 얼굴이 너무나 평화스러웠기 때문이었다. 군감이 차마 바로 죽이지 못했던 거였다.

해적은 이미 기원전 수 세기로 거슬러 올라갈 만큼 그 역사가 오래되었다. 기원전 600년경 사모스 섬의 왕 포루크라테스는 해적활동으로 막대한 부를 쌓았고, 8~10세기경에 바이킹(viking)은 스칸디나비아 반도를 근거지로 두고 영국해협과 유럽 각지를 위협하였다. 중국에서는 이미 춘추 전국시대부터 해적들이 연·근해에서 소규모로 활동을 하였고, 동진 말에는 대규모 무장 해적단이 출몰해 해적사의 신기원을 만들었던 것이다.

장보고는 조음도를 한 바퀴 천천히 돌기 시작했다. 청해진과 비슷한 곳은 연해주 발해(698-926)의 쁘레아브라줴니예 인근 바다에 위치한 빼뜨로프 섬과 비슷했다. 그 섬 역시 해안의 돌출부분에서 약 250m 떨어진 곳에 있었는데, 섬과 해안 사이에는 돌로 축대를 쌓아올려 언제든지 통행이 가능했다. 그리고 섬 안에는 돌로 쌓은 석성과 우물, 그리고 철기시대와 발해시기의 유물이 발견된 섬이었다.

장보고가 조음도를 가장 중요하게 생각한 것은 1만 군사들이 마실 수 있는 우물이 있다는 점이었다. 만일 우물이 없고 군사들이 섬 안에서 마실 물을 구할 수 없었다면 조음도에 청해진을 세우지 않았을 것이었다.

"역시 내가 자라고 컸던 조음도를 누구보다도 잘 아는 사람은 나일 것이다. 이 섬이야말로 해적을 물리치는 것은 물론 군사적인 중심지로서 그 역할을 톡톡히 해낼 것이다."

장보고는 혼잣말로 중얼거리며 상황봉(象皇峰)을 치어다보았다. 644m인 상황봉은 완도의 주산이었다. 육산인 탓에 잡목숲이 울울창창 우거진 산이었는데 높기도 하려니와 깊은 맛이 있어 사람이 기댈만한 산이었다. 저 산이 있으므로 조음도 또한 전략적인 요충지가 될 것이었다. 그래서 왜구로 유명한 일본의 해적단과 당나라 해적단, 그리고 신라의 해적단을 깡그리 없애야만 될 일이었다. 가장 가슴 아픈 일은 신라 해적단이었는데, 그들은 자기 나라의 동포를 잡아다가 당나라 노예로 팔아넘겨 돈벌이를 했던 거였다.

장보고는 부하 장수들과 함께 상황봉을 올라갔다. 고향 완도에 와서 청해진을 세운 이상 완도의 가장 높은 산을 오르는 것은 당연한 일이었다. 완도의 상황봉은 높이가 비슷한 백운봉과 더 낮은 숙승봉과 함께 솟아올라 있는데, 보길도 적자봉, 생일도의 백운산, 청산도의 매봉산, 소안도의 가학산 등이 높은 산이었다.

장보고는 상황봉에 오르면서 한눈에 내려다보이는 다도해를 바라보며 가슴이 확 트이는 것을 느낄 수 있었다. 상황봉의 기상이 엄숙하고 웅장한 것에도 마음이 흡족했다. 그리고 이러한 산이 있는 이상 1만의 군사가 기댈만한 군사기지로도 충분하다는 생각이 들었다.

"대사님. 이 산의 이름은 도치봉이 아닙니까? 그러나 청해진을 세운 이상 이 산의 이름도 바꾸는 것이 좋을 듯싶습니다."

부하 낙금(駱金) 장수가 의견을 말하자 장변(張弁) 장수도 동의했다.

"그렇습니다, 대사님. 청해진에 걸맞은 이름이 필요합니다."

장보고가 한참동안 생각에 잠겼다가 입을 열었다.

"장수들의 말이 맞다. 1만 군사가 있는 청해진의 주산 이름이 도치봉이라고 해서야 되겠느냐? 상황봉이라 명명할 것이다."

이번엔 장건영(張建榮)과 이순행(李順行) 장수가 동시에 의견을 냈다.

"대사님! 대사님께서는 중국 적산촌에 법화원이란 절을 지으셨습니다. 산동반도에서 가장 큰 절이 아니었습니까? 그래서 드리는 말씀이온데 이곳에도 절을 지으십시오."

"장건영 장수의 말이 옳습니다. 대사님께서는 유독 관세음보살을 좋아하지 않으셨습니까? 그렇다면 관음사를 지으시는 것이 더욱 좋을 듯 싶습니다."

두 장수의 말에 장보고는 빙그레 웃었다. 어쩌면 자신의 마음속을 손금 들여다보듯 잘 알고 있었기 때문이었다. 관세음보살이 보살펴 주지 않았더라면 어떻게 당나라에 가서 성공을 할 수 있었으며, 또 신라에 돌아와서도 청해진 대사가 될 수 있었겠는가.

"음, 관음사가 좋겠군 그래. 당장 목수를 불러들여 시작하도록 하라."

장보고는 상황봉에서 내려오다가 명당 터를 발견하고 그 자리에서 명했다. 양택이든 음택이든 앉아서 편안한 곳, 그래서 오래도록 머무르고 싶은 곳이 곧 명당일 터였다. 앞은 탁 트이고 좌청룡 우백호가 뚜렷한 곳에 장보고는 관음사란 절을 지을 것을 명했던 것이다.

장보고는 장수들과 시종들을 물리치고 홀로 너럭바위 위에 앉았다. 잠시 혼자 있고 싶으니 다들 물러가라고 말한 장보고는 조금 전에 명명한 상황봉 아래로 펼쳐진 섬들을 내려다보며 옛 추억에 잠겼다. 또다시 정년의 얼굴이 떠오르면서 함께 당나라로 갔던 때가 떠올랐다. 사람은 출세를 하고나면 어렵고 힘들었던 때가 더욱 떠오르기 마련이었다.

그러니까 20년 전, 장보고의 집안은 말하기가 어려울 만큼 살림이 곤궁했다. 바다에 나가서 이런 고기 저런 고기를 잡아서 먹고 사는 어부의 집안이었던 것이다. 게다가 천민의 신분이기 때문에 어떤 희망도 있을 수 없었다. 그저 할아버지가 그래왔고 아버지가 그래왔던 것처럼 거친 바다에서 고기를 잡아 호구지책을 삼는 길 뿐이었다. 손바닥만한 밭뙈기에서 푸성귀 조금 얻을 수 있을 뿐 사면이 바다였기 때문에 곡식을 구한다는 것은 먼 나라의 일이었다. 그렇다고 달린 입에 풀칠이라도 하려면 고기라도 잡아서 곡식과 바꿔먹어야만 했다.

조음도. 장보고가 사는 조음도는 섬치고는 아주 작은 섬이었다. 가까이에 있는 고금도나 신지도는 섬이 제법 크기 때문에 자급자족을 할 만큼 쌀을 생산할 정도였다. 그러나 조음도는 크기가 작아서 육지와 가까워서 썰물 때면 그대로 건너갈 수 있고 건너올 수 있다는 장점이 있었다. 그리고 조음도는 여러 개의 섬들에 둘러싸여 있기 때문에 풍수지리적으로 본다면 안온한 섬이었다. 거센 풍랑이 일어도 다른 여러 섬들이 막아주는 형국이었다. 그러면서도 육지와 가깝고 어떤 곳이든 쉽게 갈 수 있는 교통 중심지였다.

그런 탓인지 조음도에는 많은 배들이 들어오고 나갔다. 육지와의 유일한 통로가 조음도였던 것이다. 게다가 당나라에서 온 배들도 물건을 싣기도 하고 물건을 퍼내기도 했다.

하지만 장보고에게 있어서는 출신부터 별 볼일 없는 신분이었고 성(性)조차 무엇인지 정확히 알지 못할 만큼 미천했으므로 벼슬 따위는 지붕 위에 올라간 닭을 쳐다보는 개 신세였다.

'언젠가는 저렇게 큰 배를 타고 큰 바다를 다니는 때가 있을 것이다.'

장보고는 막연하게나마 수평선이 있는 큰 바다를 마음껏 다닐 수 있는 꿈을 꾸었다. 그러나 장보고의 어머니가 생각하기로는 가당찮은 일이었다. 일찍 여읜 서방을 대신해서 장보고가 살림살이에 보탬이 되어주길 간절히 바랐지만 장보고의 꿈은 오직 배를 타고 조음도를 떠나는 일이었다.

그렇다고 당장 배를 탈 수도 없는 일이었고, 물고기를 잡는 일은 죽기보다 싫었던 장보고가 가장 좋아하는 일은 활 쏘는 일이었다. 상황봉 기슭으로 올라간 장보고는 종일 화살을 쏘아대며 지냈는데 전혀 싫증이 나지 않았다. 오히려 날아간 화살마다 잘 맞추는 편이어서 자신감이 생겼고 담력이 커져갔다.

마을 사람들은 그런 장보고를 보고 궁복(弓福)이라고 불렀다.

활 쏘는 솜씨가 좋다보니 자연스레 마을 사람들은 복이란 이름에 활 궁(弓)를 앞에 붙여 궁복이라 불렀던 것이다.

하지만 애옥살이를 잘 말해주고 있는 것처럼 그가 사는 집은 삼간초옥이었다. 못살기 때문에 고기라도 잡아야 했고 그렇지 않으면 뭐라도 해야 삼시세끼를 이어가는 처지였다. 그래서 활밖에 모르는 궁복의 행동에 그 어머니의 마음은 숯검정이었다.

"궁복이더러 활만 쏘아대지 말고 노루며 꿩을 잡아가지고 오락하소."

마을 사람들은 궁복의 어미에게 맨날 화살통만 짊어지고 산으로 쏘다니지만 말고 짐승이라도 잡아가지고 와야 되지 않겠느냐고 말하곤 했다.

"큼매 말이요. 내 자석이제마는 내 맘대로 못하는 것을 으짤 것이요. 아닌게 아니라 짐승이라도 좀 잡아가지고 오라고 말을 했소마는 소용이 없구만이라."

궁복의 어미는 한숨을 폭 내쉬었다.

궁복은 활쏘기만 하는 것이 아니었다. 밤낮없이 한 마을의 정년이와 붙어다니며 무예를 닦았다. 무엇보다도 정년은 물속꿰기를 잘해서 궁복이 따라잡을 수가 없었다. 한 번 물속으로 자맥질을 시작하면 어느 틈에 오리 밖에서 솟구치는 것이었다. 때로는 십리 정도는 좋이 되어 보이는 무인도 자그만 섬에서 무슨 귀신처럼 나타나는 것이어서 도무지 저게 사람일까 싶었다.

또한 나이는 장보고가 많았지만 무예는 정년이 한 수 위였다. 궁복은 이름 그대로 활을 잘 쏘았는데 정년은 말을 잘 탔고 창 솜씨가 좋았다. 그런 정년을 보면서 궁복은 부럽기도 하고 시샘이

날 정도였다.

그날도 장보고는 정년이의 물속꿔기를 바라보면서 많은 생각에 잠겼다. 이대로 살다가는 사나이로서 꿈 한 번 펼쳐보지 못한 체 죽을 것 같았다.

'당나라로 가야 한다!'

장보고는 이렇게 결심하면서 어금니를 오도독 깨물었다. 사흘이면 당나라에 도착할 것이고, 그곳에 가면 분명 새로운 세상이 펼쳐질 것이었다.

"형님, 뭘 그렇게 생각하고 있소?"

어느 틈에 아득히 먼 무인도에서 조음도로 돌아온 정년이 웃옷으로 몸을 닦고 나서 말했다.

"우리 함께 당나라로 가자!"

"형님, 정말이요? 형이 간다면 나도 따라갈 수 있소."

"마침 당나라로 가는 배가 내일 떠난다고 하니까 기왕 맘먹은 김에 곧장 떠나자꾸나."

다음날, 두 사람은 당나라로 가는 배에 올랐다. 배 안에는 여러 사람들이 타고 있었다. 불법을 공부하러 떠나는 승려, 유학을 떠나는 명문귀족의 자제들, 물물교환으로 돈을 벌기 위해 떠나는 장사치들이었다.

그러나 배는 사흘 안에 당나라에 도착하지 못하고 풍랑을 만나 떠내려갔다. 보름이 넘도록 표류하다가 닿은 곳이 페르시아였다. 그곳에서 당나라 상인들은 페르시아인들에게 돈을 내놓으며 파손된 배를 수리해 달라고 요청했다. 한 달이 걸려서야 배가 복구되자 다시 배는 출항을 해서 열나흘이 지나 당나라 영성의 적산포(赤山浦)에 이르렀다.

이러한 과정을 겪으며 장보고가 당나라로 건너간 것은 그의 나이 20대 초반이었다. 10세 연하인 정년과 함께 건너간 것이다. 신라는 극심한 기근과 대규모 반란이 일어나면서 민심이 흉흉하던 때였고, 당나라 역시 반당적(反唐的) 세력인 번진(藩鎭)과의 싸움으로 큰 혼란에 빠져 있었다.

장보고는 당으로 건너간 다음 서주(徐州) 지방에 자리를 잡았다. 그곳은 신라인들에게 생소한 땅이 아니었다. 서주에 인접한 산동반도 일대가 고구려 유민 출신 이정기(李正己) 일가에 의해 점유되었기 때문이었다.

이정기.

이정기는 안록산(安祿山)의 반란을 계기로 출세를 하게 된 인물이었다. 중국 역사상 안록산의 난을 떠올리면 양귀비(楊貴妃)를 떠올리지 않을 수 없다. 양귀비는 중국 4대 미인의 한 사람이었다. 당 현종을 미치게 만들었던 양귀비는 안록산의 난이 일어나자 당 현종과 함께 피난을 갔다. 황급히 연추문(延秋門)을 빠져나와 서쪽으로 피난을 갔는데, 100여 리 쯤 가다가 피로와 배고픔을 견디지 못한 군졸들이 양귀비를 죽여야 한다고 주장했다. 이러한 사태를 만든 원인이 양귀비에게 있다는 거였다. 당 현종은 결국 양귀비에게 흰 비단으로 목을 매 죽게 만들었다.

어쨌든 바로 이 안록산의 반란을 계기로 이정기는 762년 당나라 조정으로부터 평로치청절도사(平盧淄青節度使)로 임명되었다. 그리고 상사였던 후희일(候希逸)을 몰아낸 다음 당나라가 약 40~50개의 번진(藩鎭)들이 전국에 걸쳐 설치되었을 때 그들은 4~

5개의 주(州)를 관할했다. 분권시대가 도래했을 때에는 10만 군사의 강력한 군사력으로 산동성 전역을 지배 통치하였다. 때로는 당의 중앙정부와 대립하기도 하면서 소왕국적 강번으로 군림하였고, 번수 또한 혈연적 계승으로 세습되어 갔다. 이정기가 평로치청절도사가 되고부터 50여 년의 세월이었다. 소왕국으로 이씨 일가는 아들 납(納)과 손자인 사고(師古)에 이어 사도(師道)가 3대에 걸쳐 그 직을 세습해 갔는데, 주변 번진들 가운데는 가장 강력한 군사력을 지니고 있었다.

그런데 당시 장보고가 찾아간 것은 지난 날 이정기가 이웃의 번진이 모두 두려워 할 만큼 기세가 등등하던 때가 아니었다. 이정기의 손자인 이사도가 죽자 일족간에 분쟁이 일어났고, 일족의 하나였던 서주자사(徐州刺史) 이유(李洧) 등이 땅을 바치며 당 조정에 귀순해버리자 상황은 완전히 변해버렸다. 즉, 서주자사 이유와 평로치청군이 서로 맞서게 된 거였다. 당나라에 귀순한 서주절도사와 이정기의 대를 이은 평로치청군의 대결은 이사도가 패배하자 그 막을 내리게 되었다.

이정기 일가는 당나라와 등을 지는 한편 발해와 가까이 지내게 되었고, 이러한 이씨 일가의 태도로 인해 신라는 이씨일가를 멀리했다. 또한 신라는 당나라의 요청에 의해 3만의 지원군까지 보냈다. 『삼국사기』 헌덕왕 11년에도 그 내용이 적혀 있다.

7월에 당(唐)의 운주절도사 이사도가 반(叛)하므로 신라 왕은 이를 토평하려 하여 양주절도사 조공을 보내어 우리의 병마를 징발하니, 왕이 제명에 의하여 순천군장군(順天軍將軍) 김웅원(金雄

元)으로 갑병(甲兵) 3만 명을 거느리고 당을 돕게 하였다.

장보고와 정년은 이때 무령군의 아졸(牙卒)로 출발했지만 평로 지청의 토벌에 큰 공을 세움으로써 장보고는 군중소장(群衆小將)이 될 수 있었다. 장보고가 소속되어 있던 무령군은 이씨 일가를 척결하는데 있어 가장 앞장선 군대였다. 원병으로 온 신라와 합세해 이긴 승리였다.

"형님! 이제 무령군 군중소장이 되셨습니다. 경하드립니다."

정년이 군중소장 막사 안으로 들어와 허리를 굽히며 말했다.

"이 사람이 새삼스럽게 경하를 한다고 그런가? 좀 앉게."

"1천 명의 군사를 움직일 수 있는 소장이 아닙니까? 말이 그렇지 아무나 앉는 자리는 아니지요."

정년이 연신 웃음을 터뜨려가며 추켜세웠다.

"다 아우의 덕택이지 않구. 아우가 아니었으면 내가 무슨 공을 어떻게 세웠겠는가?"

장보고의 말은 진심이었다. 정년의 무술 솜씨는 자타가 공인한 터였다. 그런 정년과 함께 이사도를 물리쳤으니 그 공이 작을 수가 없었다. 무령군이 토벌대의 선봉이 되어 싸울 때 정년의 무예는 십분 그 실력을 발휘했던 것이다.

"그런데 형님!"

정년이 정색을 하고 장보고를 빤히 바라보았다.

"무슨 말이든지 해 보게. 우리 사이에 못할 말이 어딨겠는가?"

"형님이 이번 이씨 일가와 싸워 이긴 것은 백번 잘 한 일이오. 그런데 이정기 일가가 몰락하는 바람에 산동 지역이 오히려 해적들의 세상이 되어버렸다니까요."

"그게 무슨 말인가?"

"신라가 제대로 변방통제를 못하니까 생긴 일이지요. 이정기 일가가 없어지니까 힘의 공백이 생긴 것은 사실인데 신라에서 제대로 관리를 못하고 있질 않습니까."

"그건 나도 느끼고 있는 사실이긴 하네만."

"해적들이 신라인들을 약매(掠賣)하고 있으니 우리가 그냥 보고만 있을 수는 없질 않습니까?"

"당연한 일이지. 우리가 어느 나라 사람인가? 바로 신라 사람이 아닌가? 신라가 기근으로 인해 당나라로 가서 살기를 원하는 사람들이 많았고 이들을 수송하는 과정에서 노비로 팔아넘기는 일이 있었는데, 이제는 아예 약매를 하는 모양이군."

"그렇습니다. 결국 우리가 해내야 할 일이 아니겠습니까?"

"내 바로 움직일걸세."

장보고가 어금니를 꽉 깨물며 말했다.

장보고가 산동 지역을 중심으로 해적을 물리치기 시작했을 때 당에서는 감군정책(減軍政策)이 실시되었다. 군중소장이 되어 활동을 시작한 지 불과 몇 년 되지도 않아 생긴 일이었다.

"이것이 기회다!"

장보고는 미련없이 군중소장직을 버리고 적산포(赤山浦)를 중심으로 무역활동을 시작했다. 공무역체제가 무너졌다는 사실이 장보고로서는 기회라고 생각했던 거였다.

장보고의 생각은 정확했다. 이사도가 권력을 쥐고 있을 때 그는 절도사이면서도 해운압신라발해양번사를 겸했는데, 신라와 발해의 교역을 통제하면서 황해바다의 주인으로 행세했었다.

남방해로(南方海路).

남방해로는 아라비아, 페르시아, 인도 상인들의 길목이었기 때문에 남방해로를 통해 신라와 당나라와 일본을 연결하는 한편, 국제해상무역의 한 축이 되고 있었다.

장보고는 당으로 건너가 당나라 대운하 요충지인 서주를 관장하는 무령군에서 일을 했기 때문에 엄청난 경험을 할 수 있었다. 지리와 군사, 그리고 경제에 일찍이 눈을 떴던 것이다.

지금도 중국 산동성 영성시 적산포에 법화원이 자리 잡은 '위해석도적산풍경명승구(威海石島赤山風景名勝區)' 법화원 위쪽으로 거대한 청동관음상이 모셔져 있다. 높이 25.8m, 무게 200여 톤에 달하는 거대한 청동관음상은 1980년에 절을 중건하며 만든 것으로 주위를 둘러싼 9마리 용의 입에서는 물줄기가 쉬지 않고 뿜어져 나온다.

장보고가 법화사상의 영향을 받은 것은 험한 바다를 항해하는 뱃사람이었기 때문이었다. 법화사상의 중심은 관음신앙인데, 관세음보살은 천수천안(千手千眼)으로 중생의 고통을 보고 어루만져 준다고 알려져 있다. 무엇보다도 뱃사람들이 거친 파도를 만나는 경우에도 파도를 가라앉혀 무사히 항해할 수 있도록 도와주는 자비의 보살이었다. 뱃길은 언제 어떻게 변할지 모르는 변화무쌍한 모험의 길이지만 장보고 선단과 그 상인들이 바다를 조금도 두려워하지 않고 당나라, 신라, 일본 등 3국을 누비며 다닐 수 있었던 것은 법화사상을 믿고 의지했기 때문이었다. 신라인들이 먼 타국에서 힘들게 살아갈 때 부처님의 사상과 관세음보살의 위신력을 염원하면서 타국생활을 했던 것이고, 항해를 할 때는 법화경을 늘 수지하고 관세음보살의 명호를 불렀던 것이다.

적산법화원.

적산법화원은 여름에는 『금광명경(金光明經)』을 강설했고 겨울철에는 『법화경』을 강설하면서 오랫동안 강경법회가 열렸다. 본디 강경은 경전을 강의하거나 해석하는 것으로 출가승과 일반대중을 대상으로 하는데, 이 의식을 통해 불교의 대중화와 민중의 교화를 목적으로 하였다.

오전 8시에 강경을 알리는 종이 울렸을 때 대중들이 강당에 들어오고 곧이어 착석을 알리는 종이 울렸을 때 강사가 입당한다. 고승대덕이 강사이기 때문에 고좌(高座)에 오르는 동안 불명(佛名)을 찬탄하는데 그 곡조는 당과는 다르게 신라의 음곡이었다. 이때 하좌(下座)에 자리하고 있던 한 스님이 범패를 불렀다. '원하옵건대 부처님이시여 오묘한 참뜻을 열어주소서' 하고 그 절에 이르면 대중이 한 목소리로 '계향정향해탈향(戒香定香解脫香)' 등을 부른다.

범패의 송이 끝나면 강사는 이날 강의할 경의 제목을 창한다. 곧이어 대의를 해설하여 삼문분별(三門分別)로 나누어 설명한다. 제목의 해설을 마치면 사원의 승려를 총괄하는 유나사(維那師)가 나와서 고좌 앞으로 다가간다. 유나사는 오늘 법회를 마련한 연유와 시주의 이름 및 시주 물건을 읽어 알리고 그 문서를 강사에게 전한다. 강사는 주미(麈尾)를 들고서 하나하나 시주의 이름을 부르며 혼자 서원하는데, 그 서원이 끝나면 논의자는 논단(論端)하여 질문을 한다. 질문을 하는 동안 강사는 주미를 들고 질문자의 말을 듣다가 그 질문이 끝나면 이내 주미를 기울였다가 다시 이를 들고 질문자에게 감사하고 이내 대답을 한다. 난의식(難儀式)을 하고 강사가 고좌에서 내려와 법당을 나가면 다시 복강사(覆講師)가 있어 고좌의 남쪽 아래 자리에서 강사가 어제 강의한 경문을 읽으며 중요한 부분은 그 경문을 다시 읽으며 그 뜻을 설명한다. 이러한 강경의식은 11월 16일에 시작하는데 다음해 정월 15일에 마치는 법회의 하나이다.

그런데 장보고는 법화사상만 믿는 것이 아니라 신라 선승의 당나라 유학을 애써 도와주기도 했다. 당시 신라는 화엄을 뒤로 하고 선종(禪宗)이 대두되기 시작했는데, 이는 당나라에 유학을 했던 선승들이 신라로 돌아가 널리 전파하였다. 이때 장보고는 선승들이 자유롭게 당나라에 올 수 있도록 도와주곤 했던 것이다. 선단을 이용해 올 때나 갈 때나 편의를 제공했고, 또 귀국 후 선문을 개창하는 과정에서 많은 시주를 해주었다.

장보고는 천장 원년(824년)에 일본을 다녀왔는데 돌아오는 길에 환속승인 이신혜(李信惠)와 동행을 한 바 있었다. 이신혜는 고닌(弘仁) 원년(815)에 일본의 다다이후에 도착하여 8년을 살았던 인물이었다. 만나지는 않았지만 일본 천태종 승려 엔닌(圓仁)도 그의 『입당구법순례기』에서 적산법화원에 대한 기록을 남겼다.

'산에는 절이 있는데 그 이름은 적산법화원이다. 본래 장보고가 처음 세운 절이다. 오랫동안 장전(莊田)을 가지고 있어 식량에 충당하고 있다. 그 장전은 1년에 500석의 곡식을 수확하였다. …… 남쪽과 북쪽에는 바위봉우리가 솟아있고 물은 법화원 마당을 지나 서쪽에서 동쪽으로 흐르고 있다. 동쪽은 바다를 바라보며 멀리 열려 있고, 남 · 서 · 북쪽은 봉우리가 이어져 벽을 이루고 있다. 다만 서남쪽만은 아래로 비탈져 있을 뿐이다. 지금은 신라통사(新羅通事) 압아(押衙)인 장영(張詠), 임대사(林大使), 왕훈(王訓) 등이 도맡아 관리하고 있다.'

또 장보고에게 보낸 편지도 『입당구법순례기』에 있다.

'남(南) 판관께 드림

존체 만복을 빕니다. 비록 직접 뵈온 적은 없으나 일찍이 귀하에 관해 들은 바 있기에 뵌 것과 마찬가지의 느낌이 드옵니다. 바라옵건대 사정이 지난날과 같음을 살피시어 제가 이런 말씀을 드리는 것을 물리치지 마시옵소서. 이 엔닌은 대사의 어진 덕을 입었기에 삼가 우러러 뵙지 않을 수 없습니다. 저는 이미 뜻한 바를 이루기 위해 당나라에 머물러 있습니다. 부족한 이 사람은 다행히도 대사께서 발원하신 곳(적산원)에 머무를 수 있었던 데 대해 감경(感慶)한 마음을 달리 비교해 말씀드리기 어렵습니다. 제가 고향을 떠날 때 지쿠젠의 대수(大守)가 편지 한 통을 주면서 대사께 바치라 했습니다. 그러나 갑자기 배가 바다에서 침몰하면서 모든 물자를 유실했는데, 그때 대사께 바칠 편지도 함께 파도에 떠내려갔습니다. 이로 인한 슬픔을 하루도 느끼지 않은 적이 없습니다. 엎드려 비옵건대 심히 꾸짖지 마옵소서. 언제 뵈올지 기약할 수 없으나 다만 대사에 대한 생각만이 날로 깊어집니다. 삼가 글을 바쳐 안부를 여쭈옵니다. 이만 줄입니다. 삼가 올립니다.

개성 5년 2월 17일

일본국 구법전승 전등법사위 엔닌 올림
청해진 장 대사 휘하 근공'

엔닌은 또 적산법화원의 불교 강회(講會)에 대해서도 기록하였는데, 법화원에서는 겨울과 여름에 불경 강회가 있으니 겨울철에는 『법화경』을 강설하고, 8권본 『금광명경』을 강의한다는 중요한 내용이었다. 두 경전은 모두 어려움에 직면한 인간이 기원하면 바로 해결해 준다는 것이었다. 『법화경』의 「관세음보살보문편」을 볼 때 관세음보살의 이름을 부르면 위험에서 벗어날 수 있다고 설하고 있고, 『금광명경』 역시 나라를 지키는 경전이면서도 명왕(明王)을 믿으면 곤경에서 벗어나 복을 받을 수 있다는 경전이었다.

적산법화원에서 관세음보살을 항해의 수호신으로 삼는 것은 당연한 일이었다. 만일 백 천 만 억 중생이 금 · 은 · 유리 · 자거 · 마노 · 산호 · 호박 · 진주 등 보배를 구하기 위해 큰 바다에 들어갔을 때 가령 폭풍이 불어서 그 배가 표류하여 나찰귀의 나라에 떨어지게 되었을지라도, 만일 한 사람이라도 관세음보살의 명호를 부르면 이 모든 사람들이 다 나찰의 환난을 벗어날 수 있다고 설했다.

게다가 장보고는 적산법화원을 단순히 절로서만이 아니라 산동성 일대 재당 신라인들을 결집시키는 장소로도 이용하였다. 추석 명절 때면 으레 재당 신라인들이 한데 모여 춤추고 놀았는데, 이는 법화원이 신라인들의 구심점 역할을 했던 것이다.

법화사는 많은 사람들이 모여 문물교환도 하고 때로는 현지인들과 네크워크를 형성하는 기지역할도 했는데, 이러한 장보고의 불교적 활동은 신라 해상무대의 기지였던 청해진과 법화사를 세운 완도, 제주도, 적산법화사를 창건한 당나라 산동성 등 곳곳에서 짐작할 수 있게 한다.

3

장보고와 신라 흥덕왕과의 만남은 정치를 바꿔버린 대사건이었다. 흥덕왕은 개혁군주였다. 장보고는 한때 당나라에서 군인으로 이름을 날린 적이 있었고 당시는 무역상인이었다.

신라 제42대 개혁의 군주 흥덕왕.

흥덕왕은 777년 원성왕의 장남인 김인겸의 아들로 태어났는데 본명은 수종(秀宗)이었다. 그리고 826년 헌덕왕의 뒤를 이어 왕위에 올랐다. 『삼국사기』에도 기록되어 있지만 이 무렵 신라는 많은 재앙과 빈곤에 시달리고 있었다. '신라 사람 179여 명이 당나라에 넘어가 양식을 구하려 했고 기근 때는 자식까지 파는 일이 있었다'고 기록되어 있다. 이뿐 아니라 일본사서도 '811년부터 824년까지 13차례에 걸쳐 826명의 신라인이 궁핍함을 피하기 위해 일본으로 건너왔다'고 기록되어 있다. 가뭄으로 인한 흉년이 계속 이어지고 먹을 것이 없자 사방에서는 도적떼가 창궐했다. 게다가 당나라 해적들은 신라 영토에서 신라인들을 잡아다가 노예로 팔아넘기는 일까지 생겼다. 흥덕왕 재위 전부터 당에 신라인을 대상으로 한 노예 매매 행위를 단속해 달라고 말했지만 이행되지 않고 있었다.

특히 전성기를 맞은 발해의 남하 정책도 큰 부담을 느끼게 하고 있었다. 발해는 일본과 교류하면서 신라를 압박했는데 국력이 최대의 전성기였기 때문에 대적하기가 힘겨웠던 것이다. 홍덕왕은 친히 신라의 남쪽 고을을 두루 돌면서 늙은이와 홀아비, 홀어미, 부모 없는 어린아이, 자식 없는 늙은이들을 위문하고 곡식과 베를 차등 있게 내려주었지만 언 발에 오줌 누기 식이었다.

'貿易之人間(무역지인간)'

이 글자는 국립경주박물관 수장고에 보관된 홍덕왕릉의 비석 파편이다. '무역하는 사람'이라는 뜻이었다. 홍덕왕은 국립경주박물관 입구 쪽에 있는 반월성이란 곳에서 재위 기간을 보내다가 재위 3년인 828년 무역하는 사람 장보고를 만났다.

홍덕왕은 장보고를 만나기 전, 신라 귀족세력들의 사치와 허영, 그리고 국정의 농간에 몹시 시달리고 있었다. 비담(毗曇)이 난을 일으켰을 때 김춘추와 김유신의 후예 세력으로 제압한 이후, 그들은 더욱 기세등등해졌던 것이다. 진골(眞骨) 세력들은 나라를 지켜냈다는 자부심과 진골만이 차지할 수 있는 높은 벼슬의 기득권을 내세우며 나랏일을 좌지우지했다. 무엇보다도 사치와 향락이 극에 달해 홍덕왕은 그것에 제동을 거는 교서를 내리기에 이르렀다.

'풍속이 점점 각박해지고 백성들이 서로 다투어 사치와 호화를 일삼고, 다만 외래품(外來品)의 진귀한 것들만 숭상하고 도리어 토산품의 야비한 것을 싫어하니 예절이 참람하려는 데 빠지고 풍속이 파괴하려는 데 이르렀다. 이에 옛 법을 따라 엄명을 베푸는 것이니 그래도 만일 일부러 범하는 자가 있으면 국법을 시행할 것이다.'

당시 시대의 상황은 교서 내용처럼 진골 귀족들의 사치와 호화는 상식을 뛰어넘는 수준이었다. 재상가에는 녹(祿)이 그치지 않고, 노동(奴僮)이 3천 명이나 되며 갑병(甲兵)과 우마 · 돼지 등도 이에 맞먹었으며, 가축은 바다 섬의 산에 방목하였다가 필요할 때는 활을 쏘아서 잡아먹을 만큼 화려한 생활을 누렸다.

'이렇게 나라가 흘러가서는 종내 망하고 말 것이다. 저 진골 귀족을 개혁하지 않고서는 신라는 참으로 위태로운 지경에 빠질 것이다.'

진골 귀족은 흥덕왕의 걱정과 염려에도 불구하고 사치와 호화에 그치지 않고 권력을 움켜쥐기 위해 반란도 서슴지 않았는데, 바로 6년 전에 일어났던 김헌창의 난이 그것이었다. 김헌창은 지방 세력들의 적극적인 동조에 힘입어 국호를 장안(長安)이라 칭하고 연호는 경운(慶雲)이라 하고서 웅진이 있던 웅천주의 모든 위임을 받아 당당하고도 기세 좋게 개국을 선언했다. 김헌창 역시 진골 귀족 출신으로 무열왕 김춘추의 후예였으므로 신라에서는 최고의 금수저였다. 아버지 김주원은 진골 중에 진골이었고 재상 중에 상재상(上宰相)을 지낸 명문이었다.

왕위도 오를 수 있는 신분인 그는 애장왕 때 시중을 지냈으나 애장왕이 죽자 지방을 전전하는 신세가 되고 말았다. 그러던 중,

13세란 어린 나이에 왕위에 오른 애장왕을 위해 섭정을 하던 헌덕왕이 조카가 되는 애장왕을 죽여 없애고 스스로 왕위에 오른 모습을 보고 반란을 일으킨 것이었다. 헌덕왕이 왕위에 오른 것도 있을 수 없는 일이었지만 그가 왕위에 오르자 친인척이 중앙의 요직을 장악해버린 것에 분심을 품은 것이었다.

김헌창의 아버지 김주원은 왕위에 오를 수 있는 기회가 있었으나 하필이면 나라의 중대사를 결정하던 때 폭우가 쏟아지는 바람에 참석을 하지 못했다. 그러니까 785년 선덕왕이 후사를 두지 못한 채 승하하자 다음 왕으로 지목된 김헌창의 아버지 김주원은 궁궐을 급히 가려고 했으나 때마침 폭우가 쏟아져 내렸다. 그러자 알천(閼川) 강물이 크게 불어나 건너갈 수가 없었다. 한편 궁궐에 모인 귀족들은 김주원이 나타나지 못한 것은 폭우 때문이겠지만 이는 하늘의 뜻이라 여기고 다른 인물을 왕으로 추대하고 말았다. 왕위를 눈앞에 두고 놓쳐버린 김주원은 강릉지역으로 떠나 지방호족으로서 자기 세력 기반을 만들었다.

김헌창은 아버지 김주원이 왕위를 얻지 못하자 반란을 일으켰지만 거창했던 초기와는 달리 연이은 패배를 당하고 말았다. 웅진성으로 몸을 피해 최후의 결사항전을 해보았지만 패배를 직감한 김헌창은 스스로 목숨을 끊고 말았다.

그리고 성이 함락되자 그를 따르는 추종자들은 모조리 죽임을 당했고, 김헌창 역시 무덤 속에서 다시 나와 부관참시를 당해야 했으며, 그의 친족 등 239명은 모조리 죽어야만 했다.

이때 김헌창의 아들 김범문은 가까스로 살아남았는데 고달산 도적 100여 명과 함께 모반을 꾀했으나 역시 실패로 끝나고 말았다. 결국 김범문도 죽임을 면할 수 없었다.

이러한 권력투쟁을 지켜보며 지내온 흥덕왕이었으므로 일찍이 당나라로 건너가 서주 무령군에 입대한 후 장교가 되었고, 다시 반란군을 진압한 공로로 군중 소장에까지 오른 장보고를 눈여겨보지 않을 수 없었다.

한편 장보고는 당나라 대국에서 장교까지 올랐다는 경력으로 자신감이 충만해 있었다. 어떻게 하든지 신라로 돌아가서 큰일을 해낼 수 있는 큰 자리를 얻고 싶었다. 자신은 진골이 아니었으므로 재상이 될 수는 없을지라도 대국의 장교를 지냈다는 경력과 자신의 무술실력을 흥덕왕에게 보여주고 출세길을 열고자 하는 마음이 생겼다.

장보고는 경주에서 큰소리를 치며 살아가고 있는 권력의 중심부인 진골세력들에게 엄청난 선물공세를 펼쳤다. 당나라에서도 구하기 힘든 물건들이었으니 진골세력들은 벌어진 입을 다물지 못했다. 선물을 보낸 이유는 간단했다. 그저 흥덕왕을 배알하게 해달라는 것과 배알을 하면 신라인들이 해적들에게 납치되어 노예로 팔리고 있는 참상을 보고하겠다는 것이어서 어려운 일이 아니었다. 아니 장보고를 배알케 해주는 것이 곧 신라를 살리는 충성이기도 했다.

"대왕마마. 장보고를 만나보시옵소서. 그를 만나서 지금 신라가 처해 있는 국난을 극복하심이 좋을 듯 싶사옵니다."

"그러하옵니다. 신라인들이 노예로 팔려나간다는 것은 국가의 중차대한 일이 아닐 수 없습니다. 장보고의 힘을 빌려 해적을 소탕하심이 신라를 위해서 옳은 일이옵니다."

신하들은 한 목소리로 나라를 걱정하는 말을 쏟아냈다. 모두가 다 왕과 신라를 생각하는 충신들이었다. 다른 때 같으면 장보고는 미천한 해도인일 뿐 아니라 그가 태어난 곳이 옛 백제의 땅이므로 무엇보다도 믿을 수 없다는 점을 강력히 주장했을 신하들이었다.

그런데 왜 모두가 장보고와의 만남을 찬성하는 것일까?

흥덕왕은 알다가도 모를 신하들의 의견에 매우 흡족한 미소를 지었다. 모두들 장보고로부터 상상도 할 수 없는 선물을 받고 한 말들이었다. 그러니 믿을 수 없는 신하들이었다. 언제 어떻게 권력을 위한 일이라면 배신할지도 모르는 신하들이었다.

흥덕왕은 단순히 장보고의 의견만을 듣기 위해 만나려고 했던 것은 아니었다. 장보고 역시 흥덕왕을 배알하고 해적들을 소탕할 계책만을 알려주기 위해 만나는 것은 더더욱 아니었다. 장보고의 꿈은 해상왕이 되는 일이었고, 흥덕왕 역시 그가 해상왕이 되어주길 바라고 있었다. 해상왕이 되었을 때 일단 해적들을 소탕할 수 있을 것이었다.

장보고가 부하인 장건영, 이순행 등과 함께 신라의 수도 서라벌에 입성한 것은 봄 어느 날이었다.

서라벌.

『삼국유사』의 기록에 의하면 당시 서라벌의 주택은 17만 8천 9백 36호였고, 1천 3백 60만 방(坊)에 55리를 가지고 있었다. 또한 35개의 금입택을 가지고 있었다. 1백만 명이 살고 있는 서라벌은 대도시로서 두품(頭品) 이상의 귀족들이 대부분이었다.

장보고가 말을 타고 서라벌의 중앙로를 걸어 나가자 서라벌 사람들은 난생 처음 보는 화려한 행렬에 두 눈이 휘둥그레졌다. 더군다나 당나라에서 가져왔다는 진귀한 물건들이 가득 찬 수레를 이끌고 당당하게 말을 타고 가는 사람이 장보고란 말에 너도나도 한마디씩 입을 열었다.

"우리 신라 사람이 당나라에 가서 큰 공을 세웠다지?"

"그려. 그래서 장교까지 되었다는 소문이야."

"저렇게 훌륭한 장군이 신라로 돌아왔으니까 이제는 신라가 잘되겠어. 해적들한테 잡혀가는 사람도 없을 게 아닌가."

"그렇게만 된다면 얼마나 좋겠어. 우리 대왕마마가 한시름 놓으실려나."

인산인해를 이루며 구경나온 신라 사람들은 장보고가 입고 있는 장군복을 보면서도 벌어진 입을 다물지 못했다.

"서주 무령군 소장까지 지냈다더니 입고 있는 군복도 특이하구만 그래."

"저 군복이 당나라 장교복장인가 보네. 어쨌거나 대국에서 지휘관 노릇을 했으니 우리 신라로서도 자랑스러운 일이 아닌가."

장보고는 갑옷투구 차림으로 인화문(仁化門) 앞까지 갔다. 말에서 내린 장보고는 흥덕왕을 배알하기 위해 신하들과 함께 흥덕왕이 기다리는 궁궐로 들어갔다.

"신 장보고 대왕마마를 뵙기 위해 이곳에 왔나이다."

"어서 오라. 신라인으로 대국에서 무령군 소장까지 지내다니 대단한 사람이 아니냐?"

장보고가 절을 올리자 흥덕왕은 만면에 미소를 지으며 말했다.

"황송하옵나이다."

"무슨 소리! 더군다나 그대는 활을 잘 쏘는 등 무술이 능하다고 들었느니라."

"부끄럽사옵니다."

"부끄럽긴 뭐가 부끄럽다고 하느냐? 너의 활 솜씨는 감승(甘蠅)과도 같다는 말을 들었느니."

홍덕왕이 말하는 감승이란 사람은 『열자(列子)』 탕문편에 나오는 인물이었다. 감승과 함께 비위(飛衛), 기창(紀昌)은 3대 신궁 사제지간이었다. 감승은 활시위를 당기기만 해도 짐승들은 꼼짝 못하고 엎드렸으며, 새들 또한 하늘을 날지 못하고 땅으로 내려와 머리를 풀숲에 처박고 꽁지를 하늘로 치켜든 채 숨었다. 그런데 비위란 제자는 스승인 감승보다 한 수 위였다. 그런 비위는 제자 기창을 가르쳤는데, 처음에 말하기를 "너는 절대 눈을 깜박이지 않아야만 활쏘기를 배울 수 있다."고 말했다. 그러자 기창은 집에서 부인이 베를 짜는 베틀 아래 누웠다. 부인이 얼겅덜겅 베를 짜기 시작하자 날실 틈으로 왔다 갔다 하는 씨실을 풀어주는 북이 바로 눈앞을 쉬지 않고 지나갔다. 3년 뒤에는 날카로운 송곳 끝이 눈꼬리에 이르러도 눈을 깜박이지 않았다. 다시 비위는 기창에게 말했다.

"지극히 작은 것을 크게 보고 지극히 가는(細) 것을 굵게 보는 연습을 해야 한다. 그리하여 네 눈에 작은 것이 크게 보이고 가는 것이 굵게 보이거든 그때 와서 활 쏘는 법을 배워야 한다."하고 말했다. 기창은 바로 그날부터 집에 돌아 와 이(虱) 한 마리를 잡아서는 머리털로 묶은 후 문지방에 걸어두고 반듯이 앉아 바라보기 시작했는데, 그 같은 일을 3년 동안 계속했다. 그러자 작은 이가 수레바퀴처럼 크게 보이는 것이었다. 기창은 스승 비위의 비법을 터득한 후 어느 날 아무도 없는 허허벌판에서 두 사람은 만나게 되었는데, 기창은 스승 비위를 쏘아 죽일 것을 생각했고, 비위는 기창의 화살을 막아낼 것을 생각했다. 절대 절명의 순간이었다. 두 사람은 상대방을 향해 화살을 날렸는데 중간에서 촉과 촉이 마주쳐 땅에 떨어졌다. 이윽고 비위가 지닌 화살은 다 떨어졌고 기창의 손에는 단 한 대의 화살이 남았다. 기창은 마지막 한 대의 화살로 비위를 죽일 수 있다고 생각하고 정신을 집중해 화살을 날렸다. 이때 비위는 침착하게 곁에 있는 가시 넝쿨에서 가시 하나를 따낸 후 그것으로 날아오는 화살을 막아냈다. 두 사람은 활을 던지고 울면서 부자지간(父子之間)이 될 것을 맹세했다. 그리고 활 쏘는 기술을 누구에게도 알리지 말자고 약속했다.

홍덕왕은 바로 열자에 나오는 감승을 비유하며 장보고를 극찬했다. 그러자 장보고는 자신의 활솜씨에 대해선 함구하면서 아예 정곡을 찔렀다.

"대왕마마. 맹자(孟子)는 이렇게 말했나이다. 화살을 만드는 사람이 어찌 방패 만드는 사람보다 어질지 못하랴. 하지만 화살을 만드는 사람은 오로지 화살을 쏘아서 사람을 상하지 못할까 걱정이고, 방패를 만드는 사람은 오직 화살을 막지 못할까 걱정을 한다는 것입니다."

"하하하. 그럼, 그대는 화살을 만드는 사람이고 짐은 방패를 만드는 사람인가 보구나."

홍덕왕은 장보고의 말에 파안대소를 했다. 어렸을 때 이름이 궁복이라고 할 만큼 활솜씨가 뛰어난 장보고를 칭찬하기 위해 감승이란 전설 속의 활꾼 얘기를 꺼냈는데 그는 오히려 한 술 더 떠서 말하고 있었다.

"그러하옵니다, 대왕마마. 화살을 만드는 사람은 신이옵고 방패를 만드는 사람은 대왕마마이십니다. 신이 직접 본 일입니다만 당나라의 해적선들은 우리 신라 사람들을 납치해서 노비로 팔아넘기고 있습니다. 이 어찌 통탄할 일이 아니겠나이까?"

"어찌 통탄하지 않을 수가 있겠느냐? 이 일로 해서 짐은 밤잠을 제대로 못 이루며 지내고 있구나."

"그렇다면 대왕마마! 신을 화살로 사용하시옵소서. 화살은 어떤 해적도 맞출 수가 있나이다. 신의 화살은 대왕마마께서도 인정을 해주셨듯이 그들의 심장을 관통시키겠나이다."

장보고는 자신만만하게 말했다. 장보고가 해적의 심장을 관통시키겠다는 말은 일종의 관슬(貫蝨)을 일컫는 것으로 백발백중의 고사성어는 '천양관슬(穿楊貫蝨)에서 나온 말이었다.

"그대가 활이 되어 신라 사람들을 노비로 팔아넘기는 해적들을 물리친다면 짐에게는 더 없는 방패가 되겠구나. 신라를 지키는 방패 말이다."

"그러하옵니다, 대왕마마. 대왕마마께서는 신라를 지키는 방패가 되셔야 하옵니다. 그래서 다시는 신라 사람들이 노비로 팔려나가는 일이 없도록 하셔야 할 것이옵니다. 신라를 지키는 일은 신라 사람을 지키는 일이어서 더 큰 일이 어디에 있겠나이까? 노비로 팔려나가면 그들은 한평생 노역에서 벗어나지 못할 뿐 아니라 가족과도 영영 헤어져서 지내야 하옵니다. 이보다 더 억울한 일이 어디에 있사오리까?"

장보고는 웅변하듯 열변을 토해냈다.

"그대가 활이 되고 짐이 방패가 되려면 무슨 일을 어떻게 해야 하느냐? 대국에서 살다 온 네가 잘 알 수 있을 것이다. 어서 말해 보거라."

홍덕왕이 지푸라기라도 잡겠다는 심정으로 간절히 물었다.

"제게 진영을 하나 주십시오."

"진영이라면 군사를 주둔시키겠는 말이더냐?"

"그러하옵니다. 신은 완도의 청해라는 조그만 섬에서 자랐나이다. 그래서 근방의 뱃길은 훤하옵니다. 이 섬에 가면 무엇이 다르고 저 섬에 가면 무엇이 다르다는 것을 손금 보듯이 알고 있나이다. 제가 말씀 올리는 청해라는 곳은 천혜의 요새이옵니다. 그곳에는 크고 작은 섬들이 많사옵니다만 내륙 깊숙이 진영이 있었을 때 적을 방어하기에도 좋을 뿐 아니라 공격하기에도 좋사옵니다. 그리하여 씨도 없이 해적을 물리치겠나이다."

홍덕왕이 장보고의 말을 듣고 무릎을 치면서 말했다.

"청해라는 곳에 진영을 만들겠다는 것이 아니냐?"

"그렇사옵니다. 제게 1만의 군사를 주시면 얼마든지 해낼 수 있사옵니다."

홍덕왕이 깜짝 놀랐다.

"군사 1만이면 적은 병사가 아니다."

"하오나 해적을 물리치려면 그만한 군사가 있어야 하옵니다. 멀리로는 당나라의 해적을 물리치고 가까이로는 일본의 해적을 물리쳐야 하기 때문입니다. 그러려면 청해만한 요새는 없사옵니다. 청해는 남해안에 있기 때문에 당나라와 일본의 해적을 물리치기에 안성맞춤인 곳이옵니다. 무엇보다도 섬들이 주변에 많기 때문에 더욱 그렇사옵니다."

장보고의 말은 간절했고 깊은 충정을 느낄 수 있었다. 흥덕왕은 서슴없이 장보고의 말을 승낙했다.

두 사람의 만남은 어떤 격식을 따지지 않고 이루어진 파격적인 것으로 『삼국사기』는 이렇게 적고 있다.

淸海大使弓福 姓張氏(一名保皐) 入唐徐州 爲軍中小將 後歸國謁王 以卒萬人鎭淸海

(청해 대사 궁복은 성이 장 씨로, 일명 보고라고도 한다. 당나라 서주에 들어가 군중 소장이 되었으며 후에 본국으로 돌아와 왕을 알현하고 군사 1만 명으로 청해를 지켰다)

흥덕왕은 장보고에게 청해진에 진영을 설치할 것과 대사(大使)라는 특별한 벼슬자리를 제수했다. 아울러 1만 명의 군사를 징벌할 수 있는 특권을 부여하고 나서 흥덕왕이 말했다.

"짐이 특수한 벼슬을 제수하는 것은 앞으로 신라를 위해 분골쇄신 충성을 다해 달라는 것이다."

"대왕마마! 성은이 망극하옵니다."

당시 신라 조정은 김헌창의 난을 겪은 지 불과 몇 년밖에 되지 않았으므로 1만 명의 군사를 줄 수 있는 형편이 못되었다. 그러나 1만 명의 군사를 모을 수 있는 권한을 인정했기 때문에 장보고는 당나라에서 노예로 있던 인원과 청해진 현지에서 근방의 젊은이들을 포함해 1만 명의 군사력을 가질 수 있었다. 무엇보다도 신라에는 '대사'라는 관직이 없었으므로 장보고에게만 주어진 특별한 직명이었다. 게다가 청해란 말은 바다를 맑게 한다는 뜻이었으므로 신라에 가까운 바다만을 관장하는 것이 아니라 동아시아의 해상을 모두 관할하라는 의미였으므로 청해진 대사라는 직명은 나름대로 자치권을 가지고 일하라는 독특한 직명이었다.

"그리고 짐이 장 대사에게 부탁해마지 않는 것은 무역을 통해 부강한 나라를 만들어 달라는 것이다. 군사력을 바탕으로 남해안 일대의 해적을 소탕해 해상 질서를 확립함과 동시에, 무역을 통해서 이 나라를 부강하게 만들어 달라."

"성은이 망극하옵니다."

장보고는 거듭 머리를 조아리며 충성을 맹세했다.

이제 장보고 대사는 군 · 산 · 상(軍 · 産 · 商) 모두를 이끌고 나가는 최고 책임자요, 최고 지휘관이 되었다. 장보고는 1만 명의 군사력으로 해상질서를 새롭게 할 수 있는 군(軍)과, 당나라와 일본을 다니며 무역을 할 수 있는 상(商)과, 청해진과 가까운 탐진현에서 도자기를 생산할 수 있는 산(産)을 지닌 최고 사령관이 된 것이었다.

"대왕마마. 대왕마마의 성은에 이 몸은 이제 청해진 대사가 되었나이다. 여러 가지 선물을 가지고 왔습니다만 그 중에서 딱 한 가지 물건은 대왕마마께 직접 보여 드리고 싶나이다. 윤허해 주시옵소서."

"장 대사가 가지고 온 물건들은 모두 신라에서는 볼 수도 만질 수고 없는 귀한 것들일 텐데 특별히 내개 직접 보여주고 싶은 물건이 있느냐?"

"그러하옵니다."

"그래, 그 물건이 무엇인고?"

"찻잔이옵니다."

"찻잔이라니? 그것 참 흥미로운 얘기가 아니냐? 그렇잖아도 우리 신라에 차가 들어오게 된 것은 대렴이란 자의 공이었더니라."

"그러한 줄로 아옵니다."

"그런데 그 차를 마시는 찻잔이라. 어서 보고 싶구나."

장보고는 보따리를 풀어 월주요 도자기를 흥덕왕에게 올렸다.

"이 찻잔은 어디서 구한 것이더냐?"

흥덕왕이 월주요 도자기를 요모조모 살펴보며 물었다.

"당나라이옵니다. 월주요는 저우산군도(舟山群島) 푸퉈산 앞 신라초(新羅礁)를 지나 낭보항을 거쳐 상린후까지 가면 월주요가 있사온데 바로 그곳에서 만든 그릇이옵니다."

장보고가 말하는 신라초는 길이가 1백 미터 쯤 되는 바위였다. 푸퉈산 앞에 있는 신라초 바위를 피하지 못해 수많은 배들이 물속에 가라앉곤 했는데, 신라 배 역시 많이 가라앉아서 신라초란 이름이 붙여졌다. 겉으로 보기에는 1백 미터밖에 되지 않지만 옆으로 길게 퍼진 바위였기 때문에 수많은 배들이 좌초되었던 것이다. 마치 북극의 빙산이 수면 위로 떠오른 것보다 수면 아래에 잠긴 부분이 더 크다는 이치와 같은 것이었다.

"푸른 빛깔의 청자구나. 참으로 난생 처음 보는 진귀한 그릇이어서 보기가 좋구나."

"그럴 것이옵니다."

장보고가 당나라에서 가장 관심 있게 본 물건이 있다면 바로 월주요 도자기였다. 지금도 중국의 닝보박물관에 '신라길'이라는 이름을 남길 만큼 장보고는 훗날 동아시아의 바다를 누비게 된다.

"그런데 대왕마마. 신은 대왕마마께서도 반하시는 청자를 신라에서 만들 생각이옵니다."

장보고의 말은 실로 충격적이었다. 시립해 있던 신하들이 웅성거리기 시작했고 흥덕왕이 놀란 표정을 지으며 물었다.

"이런 귀한 그릇을 우리 신라에서도 만들 수 있단 말이냐?"

"그러하옵니다. 청자를 만들려면 재료가 되는 진흙이 좋아야 하고, 물이 풍부해야 하며, 불을 때기 위해서는 나무가 많아야만 하옵니다. 그런데 청해진에서 배로 한 시간 쯤 가면 대구(大口)라는 곳이 있사온데 그곳의 진흙이 월주요 진흙과 다를 바가 없사옵니다. 특히 대구에는 강이 있어 물이 풍부할 뿐 아니라 산이 높고 깊어 땔감이 많은 곳이옵니다. 무엇보다도 배들이 아무 때고 다닐 수 있는 포구가 있어 운반하기에도 매우 적합한 곳이옵고, 경주는 물론 일본과 당나라도 빠르게 갈 수 있는 교통 중심지이옵니다."

"청해진과 가까운 곳에 그리 좋은 곳이 있었더란 말이냐?"

"청해진과 가깝다는 것이 큰 장점이옵니다."

흥덕왕은 장보고의 입에서 실로 상상도 하지 못했던 말이 쏟아져 나오자 만면에 웃음이 멈추질 않았다. 당나라에서만 만들 수 있다는 청자그릇을 신라에서도 만들 수 있다는 장보고의 말은 신라의 국운이 크게 일어날 수도 있다는 말과도 같은 것이었다.

"이런 청자를 만들기 위해서는 그만한 기술이 있어야 될 게 아니냐?"

"송구스러운 말씀이오나 월주요에서는 신라의 노예들이 일하고 있었사옵니다."

"거기에도 신라의 노예들이 있었더란 말이냐?"

"그러하옵니다. 신라의 노예들은 천재지변에 의해 먹고 살길이 막막해서 건너온 자들도 있사옵니다. 그 사람들은 월주요에서 일을 했기 때문에 청자를 만들 수 있사옵니다. 그들을 구하는 것은 신라 사람을 구하는 일도 되겠지만 그들이 습득한 기술을 가져올 수 있기 때문에 신라에서도 청자를 만들 수 있을 것이옵니다. 또한 당나라 기술자들도 몇 사람 함께 왔으므로 청자를 만드는 일은 전혀 문제가 되지 않사옵니다. 또한 신이 당나라 정부에 간하여 노예해방령이 내려지도록 하겠사오니 조금도 염려 마시옵소서."

"장한지고, 장한지고. 청해진 대사야말로 우리 신라를 건지는 영웅이 될 수 있음이야. 나도 당나라에 사신을 보내 노비의 사용을 즉시 중단해 줄 것을 요청할 터이니 장 대사도 노비들을 구하는 데 힘을 아끼지 말라."

흥덕왕은 장보고와 만나자마자 어두운 하늘이 맑게 개면서 밝은 햇살이 쏟아지는 것을 느낄 수 있었다.

장보고가 당나라 월주요의 도자기술을 가져왔다는 정확한 기록은 없다. 만일 그 같은 기록이 있다면 고려청자가 아니라 신라청자라고 해야 옳을 것이다.

하지만 강진청자박물관에 있는 도자기 파편들은 월주요의 특징인 해무리굽 형식의 파편들이고, 완도의 장도나 통일신라 안압지, 황룡사지, 미륵사지, 충남 부여 부소산 등에서 발견된 청자파편 역시 해무리굽 청자였다. 월주요에서 생산된 도자기와 일치

할 뿐 아니라 유약의 색, 또는 굽는 방법이 일치했다.

여기에서 해무리란 태양의 주변에 동그랗게 형성되는 띠 형태를 말한다. 도자기의 밑바닥에 동그랗게 앞쪽으로 튀어나온 부분을 해무리굽이라고 하는 것이었다.

장보고와 흥덕왕과의 만남.

두목의 말처럼 사심을 버리고 국가를 위기에서 구한 인물이 장보고라면, 흥덕왕 역시 백성의 고통을 덜어주고자 기꺼이 장보고의 의견을 들어준 현명한 군주였다. 무엇보다도 해상질서를 바로 세워서 신라 사람들이 노비로 팔려나가는 일을 막는 일도 크다 할 수 있지만 흥덕왕은 장보고의 상술에 깊은 매료를 느꼈다. 장보고를 위해 특별히 연회가 열렸을 때 흥덕왕은 『주서(周書)』를 언급하며 말했다.

"주서에는 이런 말이 있지 않느냐? 농부가 생산하지 않으면 먹을 식량이 모자라게 되고, 장인이 물건을 만들지 않으면 물품이 부족하게 될 것이며, 상인이 장사를 하지 않으면 삼보(三寶:식량·물건·상품)의 공급이 중단된다는 말이다. 또한 나무꾼이 나무를 베지 않으면 자재가 부족해지고, 자재가 부족하면 무슨 일을 할 수 있겠느냐?"

"그러하옵니다, 대왕마마. 그 네 가지야말로 백성들이 입고 먹고 사는 것의 근본이라 들었사옵니다."

"장 대사는 주서에 나온 말을 알고 있구나. 근본이 크면 백성들은 부유해지고, 근본이 작으면 백성들은 가난해 질 게 뻔한 일이지. 이 네 가지는 크게는 나라를 부강하게 하고, 작게는 집안을 부유하게 한다. 그런데 장 대사는 청자를 만들고 장사를 할 수 있으니 대단한 능력이 아니냐? 아무쪼록 신라를 위해 몸을 아끼지 말라."

"대왕마마. 황송하옵니다."

"옛말에 창고가 차야 예절을 알고 먹을 것이 넉넉해야 명예와 치욕을 안다고 했다. 연못이 깊어야 고기가 살고 산이 깊어야 짐승이 사는 법. 사람도 부유해야만 인의가 따르는 것이니 재물의 넉넉함이야말로 백성을 살리고 나라를 살리는 일임을 명심하도록 하라."

"명심하겠나이다. 신은 당나라에 있을 때 대왕마마께서 하신 말씀도 들었거니와 주나라 백규(白圭)라는 자의 얘기도 들었나이다. 위나라 문후 때 이극(李克)은 농사를 중히 여겨서 농경지를 활용하는 데 온 힘을 쏟는 반면, 백규는 시세의 변화에 관심을 가졌나이다. 그래서 백규는 사람들이 돌보지 않을 때는 사들이고, 사람들이 모두 사들이려고 할 때는 내다 팔았나이다. 또한 풍년이 들면 곡식을 사들이고 실과 옷을 내다 팔았으며, 흉년이 들면 누에고치를 사들이고 곡식을 내다 팔았나이다. 백규는 하늘의 변화를 살펴 풍년과 흉년을 예측하면서 거래를 하였는데 해마다 재산이 배로 늘었나이다. 그러면서도 거친 음식을 달게 먹고, 욕심을 억제했으며, 옷은 검소하게 입고, 노비들과 고락을 함께 하였는데, 그와 반면 행동을 해야 할 때는 맹수나 매가 먹이를 낚아채듯 하였나이다. 그는 이렇게 말했나이다. '나는 사업을 하면서 이윤과 태공망이 정치를 하듯이 했고, 손자와 오기가 병법을 쓰듯이 했으며, 상앙이 법을 다루듯이 했다. 많은 사람들이 내게 사업을 배우려고 했으나 임기응변의 지혜가 없는 자나, 결단하는 용기가 없는 자나, 베풀 줄 아는 어짊이 없는 자나, 지켜야 할 것은 반드시 지키는 지조도 없는 자에게는 가르쳐주지 않았다'고 말입니다. 신은 무역을 함에 있어서 백규를 원조로 삼고 산동반도를 중심으로 해상 무역을 시작했나이다."

"백규라는 사람은 사업에 성공을 했겠구나."

"그는 실제로 행하여 성공을 하였나이다. 대왕마마! 또 당나라에서 들었던 얘기를 말씀드리겠나이다. 오지현의 나(倮)라는 사람은 목축업을 했사온데 가축이 늘어나자 이를 팔아서 비단을 구해 융왕(戎王)에게 바쳤나이다. 융왕은 그 대가로 그에게 열배에 달하는 가축을 하사한지라 그의 가축은 온 골짜기에 가득 찼고, 진나라 시황제는 그를 제후와 동등하게 여겨 봄, 가을로 조정에 들게 하였나이다. 파 땅에 사는 과부 청(淸)이라는 여인은 단사(丹沙)가 나오는 굴을 그녀의 조상이 발굴한지라 엄청난 부를 쌓을 수 있었나이다. 사업도 잘 하고 자신의 분수도 잘 지켜내 남에게 침범을 당하지 않았는데, 시황제는 그녀를 정녀(貞女)라 인정하고 객으로 대우했으며, 그녀를 위해 여회청대(女懷淸臺)까지 지어 주었나이다. 대왕마마! 이 두 사람은 산 속에 사는 일개 평민이었나이다. 어진 사람이 조정에 나아가 계책을 내고 절개를 지켜 죽는 것이나, 세상을 피해 숨어 사는 선비가 높은 명성을 얻으려는 것은 무엇 때문이겠나이까? 결국 부귀로 귀착되는 것이라 사료되옵니다. 정나라와 조나라의 미녀들이 얼굴을 아름답게 꾸미고 거문고를 타고, 긴 소매를 나부끼며 천릿길도 마다하지 않고 나아가면서 나이가 많고 적음을 가리지 않았던 것은 결국 부를 좇기 때문이었나이다. 하여 무릇 백성들은 상대의 재산이 자신보다 열 배가 넘으면 그를 무시하고 헐뜯기 마련이지만, 백 배가 넘으면 오히려 두려워한다 하옵니다. 재산이 천 배가 넘으면 그를 위해 기꺼이 다가가서 심부름도 하고 만 배가 넘으면 그의 밑에서 하인 노릇을 하게 되니 이는 만물의 이치라는 말을 들었나이다."

"그대 말을 들으니 그 같은 일은 만물의 이치가 되겠구나."

흥덕왕이 고개를 끄덕였다.

"그런데 부를 얻는 방법으로는 상업이 으뜸이요, 그 다음은 기술이며, 그 다음은 농업이라 들었나이다. 그러나 부자가 되기 위해서는 자기만의 특별한 방법이 있어야 하온데, 농업을 해서 부자가 된다는 것은 드문 일인데도 진(秦)나라의 양씨(陽氏)는 농업을 해서 주(州)에서 가장 부자가 되었고, 도굴은 나쁜 일이긴 하나 전숙(田叔)이란 자는 그것으로 큰 부자가 되었나이다. 도박이란 해서는 안 될 일이지만 환발(桓發)은 도박을 해서 부자가 되었고, 옹락성(雍樂成)은 남자로서 하기에는 창피할 일이었지만 행상을 해서 부자가 되었으며, 옹백 역시 기름장수 하기에는 창피한 일이었지만 그것으로 천금을 벌었나이다. 질씨(郅氏)는 칼 가는 보잘 것 없는 기술로 호화롭게 음식을 즐겼으며, 탁씨(濁氏)는 하찮은 순대장수에 불과했으나 가마를 타고 다녔나이다. 장리(張里)는 재산을 크게 모아 종을 치면 하인이 달려오는 큰 집에서 살았는데 이는 모두 힘을 다하여 부를 축척한 결과라는 말을 당나라에 있을 때 들었나이다. 이로 미루어 볼 때 부를 일구는 데는 정해진 일이 없고, 재물에는 정해진 주인이 없다고 하옵니다. 재능이 있는 자에게는 재물이 모이지만 능력이 없는 자에게는 순식간에 흩어지고 만다 하옵니다. 천금을 가진 부자는 한 도읍의 제후와 맞먹고, 수만금의 부를 누리는 자는 왕실과 그 즐거움을 같이 한다 하니 그들이야말로 진정 소봉이라 할 만하다는 말을 들었나이다."

"짐이 오늘 장 대사에게 참으로 좋은 말을 듣는구나."

"황송하옵나이다. 그러나 제 마지막 말씀을 들어보소서. 당나라 속담에 이런 말이 있사옵니다. '백리 밖에 나가 땔감을 팔지 마라. 천리 먼 곳까지 가서 곡식을 팔지 마라. 일 년을 살려면 곡식을 심고, 십 년을 살려면 나무를 심으며, 백 년을 살려면 덕을 베풀어야 한다'는 말씀이옵니다."

"그 뜻을 말해 보라."

"생각해 보시옵소서. 곡식을 들고 천리 먼 곳까지 가게 되면 노력에 비해 이익이 적나이다. 그러나 덕을 베풀면 그 후손이 은덕을 입지 않겠나이까?"

"장 대사의 말을 듣고 보니 당나라 사람들의 지혜를 알 것 같구나."

"신은 그 말대로 실천을 했사옵니다. 그 말들을 제 뼈 속에 새기면서 해상 활동을 시작했나이다."

장보고가 말한 내용은 『사기열전』 가운데 『화식열전』에 나온 내용이었다. 사마천이 『사기열전』을 쓰게 된 것은 궁형의 치욕을 씻고자 시작했던 일이었으나 만일 그것을 면할 50만 전이 있었더라면 궁형의 벌을 받지 않아도 되었었다. 그러니 사마천에게 있어서 물질이란 인간을 지배한다고 말할 수밖에 없었던 것이었다. 장보고는 당나라에서 들었던 사마천의 『사기열전』 가운데 『화식열전』에 나온 내용을 흥덕왕에게 들려주었던 것이다.

"장 대사야말로 만물의 이치까지 터득한 장수이므로 바다를 통해 신라를 지키고, 무역을 통해 부를 쌓는 신라의 명장이요, 영웅이 되리라 믿어 의심치 않노라."

장보고는 흥덕왕으로부터 어검(御劍)까지 받아들고 화려하게 조음도로 금의환향하였고, 이제 막강한 해상왕으로서의 시대를 열고 있었다.

신라는 삼국을 통일한 이후 신라와 당나라, 그리고 일본의 삼국 관계에서 고립을 면치 못하고 있었다. 무엇보다도 일본의 적대의식과 함께 해상 침입이 걱정이었다. 고구려, 신라, 백제의 삼국 통일전쟁에서 당은 신라를 도왔지만 일본은 백제를 도왔는데, 신라는 663년 백강구 해전에서 왜를 물리쳤고 676년 기벌포 해전에서 당과 연합하여 백제를 멸망시켰다. 그러나 신라와 당나라의 관계가 좋지 않게 흘러감에 따라 일본의 침입이 걱정되지 않을 수 없었던 것이다.

삼국 통일을 이룬 문무왕은 죽어서도 동해바다의 용이 되어 나라를 지키겠다고 늘 말해왔는데 결국 감포 앞바다에 있는 대왕암에 묻혔다. 유언대로였다. 그만큼 일본의 침입은 두려움 그것이었다.

문무왕에 이어 왕위에 오른 신문왕 역시 부왕의 뜻을 이어가기 위해 감은사(感恩寺)를 창건하고, 용이 되어 나라를 지키는 부왕을 위해 감은사에서 용이 돌아다닐 수 있도록 감은사 금당 계단 동쪽 아래에 조그만 구멍 하나를 뚫어두었다. 그리고 동해의 용이 된 문무왕과 하늘로 올라가 천신이 된 김유신이 함께 만파식적(萬波息笛)이란 설화를 유포하였다.

만파식적.

이 말은 험난한 파도를 다스릴 수 있는 피리라는 뜻이다. 바다의 근심거리를 피리 하나로 해결할 수 있다는 말로서 어찌 보면 신라가 안고 있는 모든 문제를 해결할 수 있다고나 할까.

『삼국유사』가 전하는 만파식적의 설화는 다음과 같이 전해져 내려오고 있다.

'어느 날 신라 왕은 바다를 지키는 해관(海官)으로부터 동해에 있는 작은 산이 감은사를 향해 다가오고 있다는 보고를 받았다.

"일관을 불러 점을 쳐보게 하라."

신라 왕이 명을 내리자 일관이 점을 친 다음 말했다.

"문무대왕과 김유신 장군이 덕을 합하여 큰 선물을 내릴 조짐이옵니다."

이에 신라 왕은 동해의 이현대(利見臺)에 행차를 한 다음 동해에 떠 있는 산을 바라보며 사자를 보내 살피고 오라는 명을 내렸다.

이윽고 사자는 배를 타고 동해에 떠 있는 산을 향해 다가갔다. 사자가 살펴보니 그 산 위에는 한 줄기 대나무가 있었는데 낮에는 두 개가 되고 밤에는 하나가 되는 기이한 현상이 일어나고 있었다.

신라 왕은 사자의 보고를 받고 있었는데 이튿날이 되자 대나무가 하나로 합쳐지면서 천지가 진동하고 비바람이 일더니 사방이 캄캄해졌는데 7일간이나 계속되었다. 이윽고 바람이 자고 세찬 물결이 잔잔해지기를 기다려 신라 왕이 그 산에 올라갔다. 그러자 문무왕과 김유신 장군이 시켜서 왔다는 용이 검은 옥대(玉帶)를 바치면서 말했다.

"대나무를 베어서 피리를 만들면 소리로써 천하를 다스릴 것이니 그리 아시옵소서."

신라 왕은 용의 말대로 피리를 만들었으니 그 피리가 '만파식적'이었다.'

제4장
신라도공

1

탐진만은 탐진강(耽津江)의 하류에서 시작되어 청해진이 있는 장도(조음도)까지 이른다. 그래서 장도와 가까운 신지도, 고금도, 완도까지도 뻗치면서 다도해로 향하는 형국이었다. 내륙 깊숙이 파고 든 탐진만은 여인의 자궁과도 같은 모습이었는데, 탐진만의 한 가운데에는 죽도(竹島)란 섬이 있어서 자궁의 음핵처럼 보였다.

봄이면 일망무제로 펼쳐지는 갯벌에서 바지락이며 대합을 캐는 아낙네들의 바지런한 손길이 있었고, 여름이면 쪽빛 다도해를 스쳐 지나온 바닷바람이 더위에 지친 농부들의 흘린 땀을 씻어주었으며, 가을이면 온갖 물고기를 잡아 올리는 어부들의 손길에서 풍요를 느끼게 하였고, 겨울철이면 고니 철새가 떼뭉쳐 날아와 한 철을 보내고 가는 탐진만이었다.

이곳을 백제 때에는 도무군(道武郡)이라 불렀고, 신라 때에는 양무(陽武)라 고쳐 불렀다. 그러니까 현재 강진읍과 대구면의 탐진현(耽津縣)을 양무라 불렀던 것이다.

장보고가 청해진 대사로 부임한 이듬해, 돛난 배 한 척이 청해진에서 미끄러지듯 출발하여 탐진만을 향했다. 돛단배에는 50여 명에 가까운 사람들이 타고 있었는데 모두들 당나라에서 그리운 고향을 찾아온 신라인들이었다. 그들은 월주에서 청자를 만드는 기술을 익혔기 때문에 곧장 가마를 만들고 자기를 만들 수 있는 사람들이었는데, 당나라 사람도 끼어 있었다. 그들은 도자기 기술이 뛰어난 도공들로서 실패함이 없이 완벽하게 만들어낼 수 있는 실력이 있었다.

그렇다고 도공들이 모두 돛단배에 탄 것은 아니었다. 일부는 청해진에서 지내게 될 도공들도 있었다.

장보고는 그들이 청해진을 떠나기 전 한데 모아놓고 당부하기를 빠뜨리지 않았다.

"여러분들은 이제 새로운 땅에 가서 도자기를 만들게 될 것입니다. 새로운 땅이라고 했지만 바로 여러분의 고향이기도 하고 또 고향과 그리 멀리 떨어진 곳이 아닙니다. 여러분들은 신라를 떠나 당나라에서 고생을 해 온 사람들입니다. 그러나 이제부터는 내 나라 내 땅에서 도자기를 만들게 될 것입니다."

장보고는 이렇게 운을 떼고 나서 말을 이었다.

"여러분이 가게 될 땅은 내가 미리 가보았던 땅이기도 합니다. 양질의 태토가 있고 물이 풍부하며 땔감이 많아 아주 적격한 땅이라는 것을 알게 될 것입니다. 도자기를 만들 수 있는 최적지라는 사실입니다. 우리 신라에도 도자기를 만들 수 있는 환경이 있으므로 얼마든지 신라인의 이름으로 만들 수 있다는 것입니다. 앞으로 여러분은 신라의 역군이 되리라 믿어 의심치 않습니다."

장보고의 말에 배 안에 있던 사람들이 환호성을 질렀다.

"청해진 대사님 만세!"

"장보고 대사님 만세!"

장보고가 손을 흔들어보이고는 배에서 내리자 이윽고 돛이 올라가면서 조음도와 멀어지기 시작했다.

장보고는 자신이 말했던 것처럼 대규모 청자생산단지를 물색하기 위해 남해안의 여러 곳을 직접 가보았었다. 그런데 자신이 태어난 완도의 조음도에서 그리 멀리 않는 곳에 청자를 생산할 수 있는 최상의 땅을 발견한 것이었다.

돛단배에 탄 도공들은 대구 당전에 도착하자 너도나도 당장 살 집부터 짓기 시작했다. 나무와 대나무를 베어서 기둥을 세우고 서까래를 올린 다음 대나무로 촘촘히 엮은 그 위에 흙을 얹고 지붕을 만들었다.

"대사 나으리께서 어쩌면 이렇게 좋은 땅을 찾으셨능가 모르겠네."

"바다가 있고 높은 산이 여러 개 있으며 강이 흐르는 걸 보니까 명당 중에 명당일세."

"뭐니뭐니해도 따뜻한 곳이라 좋구만. 산이 많으니 도자기 구울 땔감도 쉽게 구할 수 있고 말이여."

도공들은 사는 집을 만든 후 가마를 만들기 시작했다. 가마는 거의 산기슭에 만들었기 때문에 가장 힘든 작업이라고 할 수 있는 땔감을 구하기가 용이했다.

"가마도 가마지만 우리가 맨 먼저 해야 할 일이 도자기를 만들 흙을 구하는 일일 것이여!"

"암, 그렇고 말고. 대사 나으리가 일러준 곳 말고도 흙이 좋은 곳을 알아봐사 쓸 것이여."

도공들은 도자기를 만든다는 사실에 들뜬 마음이면서도 당나라에서 신라로 돌아왔다는 것에 더욱 신이 나고 힘이 솟구치는 기분이었다.

"우리가 당나라에 살 때 보았제마는 절강성 영파가 해상교류의 중심지가 아니었던가."

"바로 그 영파에 봉화강과 서요강이 합쳐지는 삼강구(三江口)에는 다른 나라로 떠나는 항구가 있어서 무역에 종사하는 사람들이 많이 머물렀었지."

"아마도 대사 나으리께서는 영파를 왔다갔다 하시면서 무역을 하실거구마. 그러니 우리들도 열심히 도자기를 만들어사 써."

"우리가 만든 도자기를 대사 나으리께서 일본이나 당나라로 수출하실 것이여."

"도자기는 당나라나 신라나 다 귀한 물건이니께 잘 만들어봐사제."

도공들은 가마가 완성되자 당나라에서 배워온 기술로 도자기를 만들기 시작했고, 가마에 불을 때는 날이면 천태산 계곡과 훈정강 위로 연기가 가득 찼다.

장보고는 강진 뿐 아니라 해남 화원면 신덕리 일대에도 도공들을 보내 청자를 만들었다. 그곳에 60여 기에 달하는 청자 생산단지를 조성했으며, 영암 구림리 일대에도 청자생산단지를 조성해 놓았다.

장보고는 이렇듯 청해진과 가까운 곳에 생산단지를 조성한 것은 그만한 이유가 있어서였다. 무엇보다도 지리적으로 국제 해상 문화교류의 요충지였기 때문이었다. 조선후기 이중환의 『택리지』에는 신라시대에 당나라를 왕래하던 사신선(使臣船)과 물건을 실은 상선들이 모두 구림리에서 출발했다고 전해지고 있는데, 그 모습이 꼬리에 꼬리를 물고 왕래했다고 한다. 그러니까 장보고 때부터 구림리는 항구의 면모를 갖추고 있었다.

그런데 흥덕왕 7년 봄에 큰 기근이 일어났다. 한 해만이 아니라 두 해가 연거푸 가뭄으로 시달려야만 했다. 가뭄이 심해지면 자연 곡식을 거둬들일 수가 없는 흉년 또한 두 해를 겪어야만 했다. 백성들은 초근목피로 연명을 해야 했고 민심이 갈수록 흉흉해졌는데, 자식을 내다 파는 사람들까지 생겨났다. 그러나 대구의 청자도요지는 하루도 쉬지 않고 청자 만들기에 여념이 없었다. 그것은 장보고가 모든 물자를 충분히 건네주고 있었으므로 도공들은 날마다 청자만 만들면 그만이었다. 그만큼 장보고는 해상왕으로서 눈부시게 활동을 하고 있었다.

그러나 기근이 일어나자 다시 도적떼들이 사방에서 일어나면서 또다시 노비상인까지 생겨났다. 신라가 얼마나 힘들게 그 시절을 보냈는가는 『삼국사기』의 기록으로 알 수 있다.

'흥덕대왕 7년(832) 봄과 여름의 가뭄으로 왕이 정전(正殿)을 피하고 별전에서 잠을 잤다. 일상 음식도 상선(常膳)을 없애고 중

외에 죄수들을 풀어주었다. 8월에 기근과 흉년으로 도처에 도적들이 일어나자 10월에 왕이 사자를 보내 백성을 안무(安撫)케 했다.'

홍덕왕은 백성들이 몹시 힘들어했을 때 군주로서 할 바를 한 것이었다. 스스로 몸가짐을 낮추어 잠자는 곳도 별도의 집으로 옮길 만큼 근신했다. 먹는 음식도 귀하고 맛난 것은 피했으며 가지 수를 줄이는 등 잠자는 것과 먹는 것을 달리했던 것이다. 죄수들을 방면해 주는 것도 하늘의 뜻을 거스르지 않겠다는 조치였고, 백성들을 안무케 했던 것도 군주로서 당연한 일로 여겼다. 그 다음해도 큰 기근과 가뭄이 일어나 두 해 연속 백성들은 도탄에 빠져 길거리에는 죽은 이의 시체가 보일 정도였다. 사방에서 썩은 냄새가 진동했다.

그런데 바로 어린 계집애들이 배가 고파 산이나 들에 나가서 풀뿌리를 캐 씹어 먹다가 행방불명이 되었다는 소문이 나돌기 시작했다. 백성들은 비록 굶어죽어도 집에서 죽어야 한다는 심정으로 자식들을 집 밖으로 나가지 못하도록 단속을 한다는 소문이었다.

이같은 사실은 장보고의 귀에도 들어갔다. 장보고는 보고를 듣자마자 노발대발했다.

"어떻게 이런 일이 생길 수 있단 말인가! 쥐새끼 한 마리 빠져나가지 못하도록 모든 배를 단속하고 있는데 말이다!"

흥분을 감추지 못한 장보고는 당장이라도 노비상인이 잡히면 한 칼로 베어버릴 듯 서슬이 시퍼랬다.

이날 밤, 장보고는 장수들을 불어모아 회의를 시작했다. 분노에 이글거리는 장보고를 바라보는 장수들은 머리를 숙인 채 아무런 말도 하지 못했다.

"내가 4년 전에 당나라에서 돌아와 흥덕대왕을 알현했을 때 지금 당나라 해적들이 우리 신라 사람을 잡아다 노비로 파는 일이 횡행하고 있으니 대왕께서는 청해에 진을 설치해서 해적들의 노략질을 막아야 한다고 아뢰었다. 이에 흥덕대왕은 나라의 앞날을 생각하고 흔쾌히 1만 명의 군사를 거느릴 수 있도록 성은을 베푸셨다. 그리하여 나 청해진 대사는 흥덕대왕의 성은에 보답하기 위해 신라 서남 일대의 해적들을 말끔히 소탕하였다. 그렇게 하기를 이제 겨우 4년. 4년 만에 어떻게 신라의 어린 계집들이 행방불명이 되고 해적들에게 끌려간단 말인가? 해적들이 어린 계집들을 잡아가는 걸 보니 필시 노리개감으로 팔려고 하는 것 같은데, 그동안 물샐 틈 없이 이 바다를 지켜온 청해진의 체면이 말이 아니게 되었다. 대체 이와 같은 일이 일어날 수 있는 일인가?"

장보고는 지휘봉으로 탁자를 때려가며 호령을 했다.

그도 그럴 것이 그동안 해적들에 대한 장보고의 체벌은 상상도 할 수 없을 만큼 가혹했다. 아예 육지에서는 살 수 없도록 무인도에 가두어버렸는데, 설령 살아남는다 해도 죽은 목숨이나 다름이 없었고, 살아서는 육지의 땅을 밟을 수 없었다. 사방 천지를 둘러보아도 거친 파도뿐인 무인고도는 해적들에 대한 무서운 체벌이었다. 청해진에서 먼 바다로 나가면 무인도는 셀 수 없을 만큼 많았기 때문에 얼마든지 절해고도의 유리안치는 가능했다.

그런데 그토록 가혹하게 체벌을 가하고 1만의 군사력으로 거미줄처럼 치밀하게 펼쳐진 방어망을 뚫고 신라의 계집애들이 잡혀갔다는 것은 장보고로서는 기가 막힐 일이었다. 자존심도 몹시 상했다.

"이는 청해진을 우습게 알고 한 짓이다. 나 청해진 대사를 우습게 알고 한 짓이다. 병마사(兵馬使)는 입출입하는 모든 배를 검문 검색할 때 배 밑창까지 샅샅이 하도록 하라. 이번에 잡힌 해적은 외딴 섬에 가두지 않고 단칼에 목을 벨 것이다."

장보고는 절도사 이창진에게 단단히 명을 내렸다. 이런 엄청난 일이 또 다시 반복된다면 청해진 대사로서 흥덕왕을 뵐 면목이 없을 터였다. 지금까지 단 한 건도 없이 바다를 잘 지켜온 청해진 대사의 얼굴에 먹칠을 하는 일이었다.

이날 장보고는 밤이 이슥하도록 홀로 술을 마셨다. 주도면밀하게 각 포구마다 배를 띄워서 어떤 배도 그냥 지나치지 못하도록 해온 장보고였다.

'내가 청해진 대사로 부임한 지 여섯 달 뒤에 당나라에서는 신라노비 매매 금지령을 내렸었다. 그런데 당나라에서도 그리 하거늘 우리 신라인들이 노비매매를 한다는 게 말이 되는가?'

청해진과 가까운 강진과 완도에도 여러 포구가 있었다. 강진에는 구십포(九十浦), 남원포(南垣浦), 마량(馬梁), 미산포구가 있었다.

강진의 현에서 마량까지 구십리를 뜻하는 것으로 근자에는 구강포(九江浦)라고도 하는데, 구십포는 탐진강의 입구이자 9개의 내(川)의 물이 합쳐져 유래된 이름이다. 탐라(耽羅)의 사자가 신라에 조공할 때 배를 여기에 머물렀으므로 이름을 탐진이라 했다고 『신증동국여지승람』에 기록되어 있다. 또 근원은 월출산에서 나와 남쪽으로 흘러 현 서쪽의 물과 합쳐져 구십포가 된다고 하였다.

남원포는 현재 마량면 원초리 원포마을로 『신증동국여지승람』에 의하면 '현(縣) 남쪽 57리에 있다'고 하였다. 마량은 완도, 고금도와 약산도로 건너가는 나루로 '마들목' '마들' '마두'라고도 했다.

미산포구는 현재 강진군 대구면에 있는 곳으로 신라청자를 만든 후 운반하는 포구였다.

완도의 가리포 포구는 완도읍 군내리 일대이다. 조선시대 중종 때에도 가리포진을 설치해서 왜구들을 효과적으로 막아냈다.

장보고는 또 해남 화원반도의 끄트머리에 있는 당포(唐浦)를 국제 항구로 이용했다. 당포는 전통 도기의 생산지이자 초기청자를 만들어낸 화원면과 인접해 있다는 점에서 신라시대에 당나라를 왕래했던 많은 사신선과 상선이 있었다. 최치원이 지었다는 서동사(瑞東寺)란 절이 있고, 당나라로 가는 길목에는 비금도와 우이도 등지에 최치원과 관련된 설화가 전해지고 있기 때문에 당나라와 중요한 항로였다.

본디 포구란 바다와 육지가 만나는 접속지였다. 또한 인간이 바다와 교섭하는 통로이자 관문이었기 때문에 역사적으로 바다를 장악한 자는 세계를 제패하는 길이기도 했다.

그래서 장보고는 청해진을 본진으로 신라와 당나라 · 일본을 잇는 해상교통로의 요지를 지키고 있는 셈이었다. 당나라 산동

반도에서 황해안을 건너 랴오둥 반도 연안을 돌아 압록강 하구, 혹은 그 남쪽의 연안지역으로 이르는 연안항로, 산동 반도에서 출발하여 황해를 지나 강화도에 이르러 연안의 각 하구로 통했던 횡단항로, 당나라에서 동남으로 항해하여 흑산도 근해에 이르러 다시 한반도 각 포구로 이어지는 사단항로를 이용했다. 한 걸음 더 나아가 대한해협을 지나 일본에까지 가기도 했다. 남해와 황해의 해상권을 장악하는 한편 해적을 말끔히 소탕했고 무역을 활발하게 했던 청해진은 국제무역의 중심지로 발돋음했던 것이다.

9세기 무렵 신라는 탁월한 조선술과 항해술이 있었는데, 이는 청해진을 중심으로 한 많은 섬 사람들의 오랜 바다에 대한 경험 때문이었다. 장보고는 이러한 지혜와 경험을 빌려 신라와 당나라만이 아니라 일본을 대신해서 조공선(朝貢船)을 운행하였고 일본의 견당선(遣唐船)도 운행하였는데, 이뿐만 아니라 유학생과 승려, 사신 등의 왕래 수송을 도맡았기 때문에 신라와 당나라, 일본의 무역을 청해진에서 독점할 수 있었다.

장보고선단이 당나라와의 교역을 위해서 가장 많이 애용한 항로는 황해 횡단항로였다. 그러면서 당나라 땅 교통요지에 신라방 또는 구당신라소를 경영해 좀 더 안정적인 항해를 하였다.

2

여기에서 서남해 해상이 주는 무게는 어떠한가를 알아볼 필요가 있다. 841년 장보고가 암살당한 후 청해진은 10년이 지난

851년 와해되면서 벽골군(碧骨郡, 현 전북 김제)으로 강제 이주되었다. 그리고 염장에 의해 장보고가 암살되자 바로 암살자 염장이 10년간 청해진을 이끌었다.

하지만 청해진의 장본인인 장보고의 죽음에 의해 서남해 해양세력은 어떻게 흘러갔을까.

서남해 지방은 장보고에 의해 질서가 유지되었지만 청해진이 무너짐으로 인해 해양능력은 현저히 위축되었다. 그러나 장보고에 이어 능창(能昌)이란 인물이 부각된다. 능창은 해전에 능했으므로 수달이란 별명이 있을 정도였고 서남해 해양세력을 결집한 중심세력이었다. 『고려사』에서는 다음과 같이 능창을 언급하고 있다.

‘왕건은 드디어 광주 서남계(西南界) 반남현(潘南縣) 포구에 이르러 첩자를 적의 경계에 놓았더니 압해현(壓海縣)의 적수 능창이 해도(海島) 출신으로 수전(水戰)을 잘하여 수달(水獺)이라고 하였는데, 도망친 자들을 불러 모으고 드디어 갈초도(葛草島)의 소적(小賊)들과 결탁하여 태조(王建)가 이르기를 기다려 그를 맞아 해치고자 하였다. 태조가 여러 장수들에게 말하기를 “능창은 이미 내가 올 것을 알고서 반드시 도적과 함께 변란을 꾀할 것이니 적도(賊徒)가 비록 소수이긴 하더라도 만약에 힘을 아우르고 세력을 합하여 앞을 막고 뒤를 끊으면 승부는 알 수 없는 노릇이니 헤엄을 잘 치는 자 십여 인으로 하여금 갑옷을 입고 창을 가지고 작은 배로 밤중에 갈초도 나룻가로 나아가 왕래하며 일을 꾸미는 자를 사로잡아서 그 꾀하는 일을 막아야 할 것이다”라 하니 제장

(諸將)이 모두 이 말을 따랐다. 과연 조그만 배 한 척을 잡고 보니 바로 능창이었다. 왕건은 궁예에게 잡아 보냈더니 궁예는 크게 기뻐하여 능창의 얼굴에 침을 뱉고 말하기를 "해적들은 모두가 너를 추대하여 괴수라고 하였으나 이제 포로가 되었으니 어찌 나의 신묘한 계책이 아니겠느냐"하며 여러 사람 앞에서 목을 베었다.'

능창은 만만한 상대가 아니었음을 알 수 있는 것은 왕건 스스로 '승부를 알 수 없는 노릇'이라고 말했기 때문이다. 그러나 일부 학자들은 능창이야말로 견훤과 가까운 인물로 말하고 있는데 어쨌든 그가 압해도의 산성 등을 살펴볼 때 그가 해상세력 중 하나였음을 알 수 있다.

왕건이 도서 해양세력을 잠재우기 위해 서남해 원정에 나섰을 때 진도와 압해도 인근의 작은 섬 고이도를 먼저 위복시키자 견훤과 능창의 저항은 실로 필사적이었다. 견훤은 왕건이 나주 세력과 규합할 수 없도록 영산강 하류에 전함을 배치하고 막고자 했다. 그러나 왕건은 적벽대전에서 제갈공명이 화공법을 써서 조조군을 이겼던 것처럼 바람을 이용한 화공법으로 견훤의 군사를 물리쳤다. 견훤이 작은 배로 간신히 도망쳤고 이 해전의 승리로 삼한 땅의 대부분을 차지하는 쾌거를 이루었는데, 나주와 합류한 후 돌아가는 도중에 능창과 부딪쳤지만 생포함으로써 왕건이 후삼국을 통일하고 고려를 세우는데 중요한 기반이 되었다.

왕건과 합류한 나주의 오다련(吳多憐)도 대대로 터를 잡고 살아온 호족이었다. 『신증동국여지승람』에 의하면 왕건이 오다련의 딸을 처음 만난 곳이 완사천(浣紗泉)이라는 우물이었다고 전해지고 있다. 오다련의 딸은 장화왕후가 되었는데, 실제 『고려사』에서도 왕건이 오다련을 만난 장면을 기록하고 있다.

'태조(王建)가 수군장군(水軍將軍)이 되어 나주에 출전을 하게 되었는데 목포에 배를 정박하고자 천상(川上)을 보니 오색구름의 기운이 서려있는지라 가보니 후(后)가 포(布)를 빨고 있었다. 이에 태조가 동침을 하였다.'

견훤은 서남해 지방에 대한 집착이 매우 컸지만 서남해 지방 사람들 역시 끝까지 저항으로 맞섰고, 끝내는 궁예의 장수였던 왕건이 파고들어 승리로 이끌었다.

장보고 사후에도 한 나라가 죽고 살 정도로 전략적 위치였기 때문에 왕건, 견훤이 삼국통일이란 시대적 상황 앞에서 치열한 싸움이 계속되었던 것이다.

이렇듯 서남해 지방을 장악한 장보고는 국제적으로 무역을 하기 시작했는데, 장보고의 '교관선'은 무역상단으로서 그 위세를 드날리기 시작했기 때문에 바야흐로 해상왕 장보고의 시대가 전개되고 있었다.

당시 세계의 중심은 당나라와 로마였다. 동방의 물품은 당나라를 통해 서역으로 전달되었고, 서역의 물품 역시 육상과 실크로드를 통해 당나라로 들어오는 시대였다. 장보고는 중국의 장안과 양주까지 흘러들어온 물품을 신라와 일본으로 이어주는 역할을 했던 것이다.

더구나 장보고는 당나라와 신라와 일본을 비롯해서 이슬람, 동남아 각 국의 특색 있는 보석류, 약제류, 생필품, 향수, 경전, 주역 등의 서적, 유명한 화가의 그림, 불화 등이었으므로 단순한 생필품이나 기호품만이 아닌 사회 전반에 걸친 물품들이었다.

당시 신라에서는 '남해박래품'을 구하였는데 그 물품을 나열해 보면 다음과 같았다. 풍견 · 금라 · 백견 · 금은기 · 예복 · 자기 · 대모 · 약제 · 차 · 주 · 서적 · 악기 · 밀랍 · 전화 · 공작 · 앵무 등이었다. 그에 반해 당나라 강남 해상들이 신라에서 구입해 간 물건은 금 · 은 · 동 · 천마 · 복령 · 모피 · 황칠 · 유황 · 능라 · 백지 · 부채 · 인삼 · 천마 등이었는데 인삼과 천마는 당나라 사람들이 매우 선호하는 품목이었다.

장보고가 흥덕왕을 처음 알현했을 때 불화 한 점이 선물 꾸러미에 포함된 것을 보고 흥덕왕은 놀라움을 금치 못했던 것도 물품 하나하나에 충격을 주기에 충분했다. 당시 장보고는 여러 선물을 흥덕왕에게 올렸는데, 그 중 하나가 수월관음도였다.

"이 불화가 어떤 불화이냐?"

"당나라에서 유명한 화가가 그린 수월관음도입니다. 왜 수월(水月)이라고 했겠습니까? 물은 만물의 근원이기 때문이옵니다."

"참으로 훌륭한 불화인지고. 수월관음의 모습이 신비롭지 않느냐? 어두운 밤에 물이 있고 달이 있는 곳에 백색 사라를 입고 계신 수월관음의 모습이 꿈결처럼 보이는구나."

"그러하옵니다. 『화엄경』「입법계품」에는 선재동자가 관음보살이 있는 곳을 찾아가 가르침을 받는 정경이 있사옵니다. 진리를 추구하는 선재동자는 문수보살로부터 법문을 듣고 아뇩다라

삼먁삼보리심(석가모니가 성취했던 無上正等覺)의 마음을 내게 되었습니다. 선재동자는 쉰셋의 선지식을 차례로 만나 문수보살이 가르쳐준 대로 매번 똑같은 질문을 하게 되었습니다. 그리하여 선재동자는 관음보살의 발 아래 엎드려 절하고 보살이 어떻게 보살의 행을 배우며 어떻게 보살의 도를 닦는지 말씀하여 달라고 말합니다. 이때 관음보살은 다음과 같이 말씀하셨나이다. 모든 중생을 구원하려 하노니 모든 중생이 험난한 길에서 공포를 여의며, 번뇌의 공포를 여의며, 미혹한 공포를 여의며, 빈궁의 공포를 여의며, 죽음의 공포를 여의며, 사랑하는 이와 이별할 공포를 여의며, 근심 걱정의 공포를 여윌지어다 하셨나이다. 또한 여러 중생이 나를 생각하거나 나의 이름을 일컫거나 나의 몸을 보거나 하면 모든 공포에서 면하게 될 것이다, 라고 하셨나이다."

"짐이 그대에게 좋은 법문을 듣는구나."

흥덕왕이 고개를 크게 끄덕거리며 웃었다. 장보고가 말을 이어 나갔다.

"대왕마마. 수(水)는 물을 말함이옵고 월(月)은 달을 말함이온데 달과 물은 떼려야 뗄 수 없는 관계이옵니다. 세상의 모든 물은 달에 의해 지배를 받고 있나이다. 대왕마마께서 수월관음도를 친견(親見)하셨듯이 수월관음도에 보이는 물은 연못이나 강이 아니옵고 바다이옵니다. 그러므로 관음은 물의 여신, 즉 수신(水神)이옵니다. 일체 중생이 위험하고 고난에 처했을 때 지심으로 관세음을 부르면 그 음성을 들으시고 여러 모습으로 두루 모두에게 응해주십니다. 마치 달이 여러 물에 두루 나타나는 것 같아서 수월장엄(水月莊嚴)이라고 일컫나이다."

"그런데 짐이 이 수월관음도를 바라보니 분명 당당한 모습에서 남성일 것이라고 느껴지는데 찬찬히 바라보면 반드시 남성이 아닐 거라는 생각이 드는구나. 봉황이 있는 화려한 보관이며 목걸이 등이 그것을 말해주고 있질 않느냐?"

"당연한 말씀이옵니다. 달은 여성적인 것에 반해 태양은 남성적이옵니다. 그러므로 달은 음(陰)이 되고 해는 양(陽) 되옵니다. 수월관음도에서는 달빛을 무심코 지나쳐서는 안 되옵니다. 달빛이 바다를 내리비추고 있사온데 그 반사되는 달빛이 동굴 안을 비춤으로 해서 신비한 분위기를 만들어내고 있사옵니다. 대왕마마! '월인천강지곡(月印千江之曲)'이란 말이 있사옵니다. 부처님께서 백억세계에 화신(化身)하심은 달이 천 개나 되는 강에 비침과 같다는 말이옵니다. 그러므로 관음보살은 여성이 맞사옵니다."

"짐은 참으로 훌륭한 선물을 받았다. 이 나라 신라도 분명 관세음보살의 보살핌으로 크게 융성해져야겠지. 문무대왕께서는 삼국통일의 위업을 달성하신 후 죽어서도 나라를 지키는 용이 되겠다고 해서 대왕암에 묻히셨고, 낙산사 홍련암을 지었을 때에도 용이 되신 문무대왕께서 오갈 수 있도록 했는데 그 절 또한 관음보살을 모시는 사찰이 아니더냐."

"그렇사옵니다. 문무대왕의 호국정신이 있기에 신라는 반드시 부강한 나라가 될 것이옵니다. 관음보살 보문품 제25에 나와 있는 경문입니다만, 만일 백천만억의 중생이 금 · 은 · 자거 마노 · 산호 · 호박 · 진주 등의 보배를 구하기 위해 큰 바다에 들어갔을 때 가령 폭풍이 불어서 그 배가 표류하여 멀리 나찰귀 나라에 떨어지게 되었을지라도 만일 한 사람이라도 관음보살의 명호를 부르면 이 모든 사람들이 다 나찰의 환난을 벗어나게 되리라, 하였사옵니다."

장보고의 말에 홍덕왕은 크게 웃고 나서 어검 한 자루를 내려주며 말했다.

"그대는 이 검으로 모든 바다를 지키라. 해적들을 물리치라. 어떤 자도 용서해서는 안 될 것이다."

"분부 명심하겠나이다."

장보고는 홍덕왕이 얼마나 강한 의지를 갖고 있는가를 절절이 느낄 수 있었다. 나라에도 없는 벼슬을 만들어 제수하는가 하면 1만 명의 군사를 거느릴 수 있는 파격적인 권한을 준 것이었다.

이는 파격 중에 파격이었다. 백성을 위하고 나라를 위하는 일에도 제도를 뛰어넘는 파격적인 인물이었기에 백성을 대하는 데 있어서도 인간적이었다. 홍덕왕 때의 얘기가 『삼국유사』에 다음과 같이 전해져 내려오고 있다.

'홍덕왕 때의 일로서 손순(孫順)이란 사람이 모양리(牟梁里)란 곳에서 살고 있었는데, 학산(鶴山)이란 애비가 죽자 처와 함께 놉일을 해가며 노모를 봉양했다. 운오(運烏)라는 노모가 어린 손자에게 자주 음식을 빼앗기곤 하는 모습을 본 손순은 민망하고 송구스러워 자기 처에게 이렇게 말했다.

"아이는 또 낳을 수 있지만 노모는 또 얻을 수 없소. 아이가 노모의 음식을 자주 빼앗아 먹으니 노모에게 차마 못할 짓이오. 그러니 이 아이를 묻어버리고 노모의 배를 채우는 게 낫겠소."

손순은 아이를 등에 업고 취산(醉山) 북쪽으로 가서 땅을 파기 시작했는데 땅 속에서 홀연히 기이한 석종(石鐘)을 발견했다. 손순 부부는 기이한 일이라 여기며 석종을 나뭇가지에 걸어놓고 두드려 보았다. 그런데 그 석종의 소리가 은은하면서도 청원(淸遠)했다. 처가 손순에게 말했다.

"이 석종을 얻은 것은 이 아이의 복과 같소, 그러니 아이를 묻지 맙시다."

손순 또한 처의 말이 옳다 생각하여 아이를 업고 다시 집으로 돌아왔다. 그리고 석종을 들보에 매달아놓고 두드리자 그 소리가 흥덕왕의 귀에까지 들어갔다. 흥덕왕이 신하들에게 명했다.

"속히 종이 울리는 집을 찾으라. 종소리가 예사로운 소리가 아니구나."

왕의 신하가 손순의 집에 가서 사실을 알아보고 흥덕왕에게 보고를 했다.

"옛날에 곽거(郭巨)란 사람이 아들을 땅에 파묻었을 때 하늘에서 금솥을 내렸느니. 지금 손순이 아들을 땅에 묻으려니 땅에서 석종이 나왔도다. 이 두 효도는 천지에 같은 귀감이 아니겠느냐? 손순에게 집 한 채를 주고 메벼 50석을 주어 지극한 효심을 널리 알리라."

그러나 손순은 살던 집을 희사하여 절을 지으니 그 절을 홍효사(弘孝寺)라 칭하고 석종을 안치하였다.'

장보고는 이렇듯 훌륭하고 아름다운 성품을 지닌 흥덕왕으로부터 청해진 대사란 벼슬을 받고 해적을 말끔히 소탕하여 왔는데 다시금 해적이 나타났다는 보고에 잠을 이룰 수가 없었다. 술을 마셔도 오히려 정신이 말똥말똥했다. 그렇듯 해상을 장악하고 해적을 소탕한 지금, 비록 나라에 기근과 가뭄이 심했다고는 하지만 또 다시 도적이 들끓고 노비상인이 생겨났다는 것은 용서할 수 없는 일이었다.

날이 밝자 장보고는 예하 장수들을 모아놓고 거듭 엄명을 내렸다.

"다시 나타난 해적은 반드시 계집애를 납치해서 노비로 팔기도 하려니와 귀중한 물품 등도 훔쳐서 노략질까지 했을 게 틀림없다. 앞으로는 모든 배들을 조사할 때 배 밑창까지 샅샅이 뒤져야 한다."

장수들은 두 눈을 부릅뜨고 명을 내리는 장보고의 매서운 눈길에 절로 고개가 움츠려들었다.

청해진이 하루아침에 살벌한 기운으로 가득 찼다. 청해진을 거쳐 당나라로 가는 모든 선박들은 예전처럼 하지 않고 철저하게 조사되었다. 1만 명의 군사를 거느린 청해진 대사로서 해양사업 제국을 건설한 해상왕답게 해적의 완전소탕을 위해 개미새끼 하나 얼씬 못하게 철통 경계를 펼친 것이다. 섬에서 태어났지만 일찍 바다를 건너 당나라로 간 다음 군인으로 출세했던 장보고는 탐험정신이 뛰어났기에 그동안 해적을 물리칠 수 있었다. 탐험정신이 뛰어난 사람이 아니고서는 해적이 없는 신라는 없었을 것이었다. 어떤 사람이든 편히 살려 하고 안주하고자 했지만 그는 죽음을 무릅쓰고 당나라를 건너갔으니 탐험정신이 없고서는 할 수 없는 일이었다.

그 탐험정신은 이미 당나라에서도 큰 공을 세웠고 다시 신라로 돌아와 청해진을 설치하는 것으로 그 면모를 나타내고 있었다. 진골귀족이 아닌 평범한 신분이면서도 전무후무한 특별한 직책을 맡아 모든 바다를 누비고 있는 장보고였다.

나라가 어렵고 지배계급이 흔들릴 때 당나라로 건너가 동포들의 어려운 삶을 직접 두 눈으로 목격하면서 해적들이 판을 치면서 노예무역을 하고 있는 모습을 보며 분노했고 사회개혁을 위해 몸을 바친 장보고였던 것이다.

그는 해양력을 바탕으로 동아지중해의 전역을 무대로 해양이라는 시스템 속에서 유기적으로 운영했고, 동아지중해의 물질을 잘 알고 있는 신라인들을 조직화하고 항선(航線)의 관리를 일원화시켰다. 그러므로 일본인들이 신라 배를 이용했고 국가사절들조차 신라 배를 이용할 수밖에 없었던 것은 항로를 장악했기 때문이었다.

장보고가 장학한 항로는 청해진을 중심으로 황해의 서안, 한반도의 서해안, 남해안, 그리고 제주도, 일본 큐슈의 하까다, 큐슈 북서부의 우사 지역을 거점으로 황해북부와 동해북부를 제외한 동아지중해의 해상권을 장악한 것이다. 그리하여 바다를 다스리는 자가 세계를 지배한다는 진리를 몸소 실천한 해상왕이자 무역왕이 되었다.

신라가 바다에 대한 관심을 갖게 된 것은 바다로부터 침입해오는 해양세력 때문이었다. 백성을 성가시게 하는 해양세력을 그대로 방치했다간 국가를 위태롭게 할 수도 있는 일이었다. 『삼국사기』에는 왜가 혁거세왕(赫居世王) 8년(기원전 50)부터 지증왕 원년(500)까지 30여 차례나 신라를 침범했다고 기록되어 있다. 왜는 백성을 약탈하고 민가를 불태웠으니 신라로서는 기가 막힐 일이었다.

나라가 세워지자마자 왜의 침입은 말할 것도 없고 해양세력에 의해 주민들이 침입을 받게 되자 신라로서는 그 대책을 세우지 않을 수 없었다.

자비왕 10년(467) 때는 전함을 수리하는 일을 시작했는데 그것은 왜가 월성을 포위한 후 신라 백성 1천여 명을 붙잡아갔기 때문이었다. 국력을 기울여 선박수리소를 설치 운영했고 지증왕 6년(505)에는 선박에 대한 획기적인 도약의 기틀을 마련했다. 수세적인 신라가 바야흐로 선박에 대한 제조기술과 항해술의 발전을 통해 공세적인 자세로 바뀐 신라는 급기야 지증왕 13년(512)에는 이사부가 우산국을 정벌하는 쾌거를 이루기도 했다. 지금의 울릉도인 우산국을 정벌하기 위해서는 상당한 선박의 구조와 항해술이 없이는 불가능한 일이었다.

이같은 일을 겪으면서 신라는 진평왕 5년(583)에는 선박의 운영을 총괄하는 선부서(船府署)를 만들어 병부(兵部)의 지휘를 받도록 했다. 수군(水軍)의 비중을 크게 둔 것이었다.

신라가 비약적으로 선박기술과 항해술의 발전을 가져왔다는 것은 『일본서기』에도 나와 있다. 눌지왕 10년(426) 응신(應神) 31년에 일본 병고현(兵庫縣)에 정박해 있던 배가 신라 사신의 실수로 소실되자 왜는 심히 신라를 원망했다. 그러자 신라는 즉시 선박기술이 뛰어난 장인을 파견해 배를 만들게 했는데 그만큼 조선술이 발전되었음을 입증하는 일이 아닐 수 없다.

장보고의 선단이 해상을 주름잡을 수 있었던 것은 이러한 신라의 선박기술과 항해의 경험이 토대가 되었는데, 당연히 배가 튼튼했기에 가능한 일이었다.

그러나 배를 만드는 데는 기술력도 중요하지만 조선목(造船木)이 풍부해야 했다. 우선 청해진이 있는 곳을 중심으로 주변에서 쉽게 목재를 구입할 수 있었는데, 13세기 여몽연합군이 일본을 정벌할 때에도 5백여 척의 군선을 만든 곳이 천관산 동쪽의 관산읍 죽청리였다. 침몰된 여몽연합군의 전함이 발견되었을 때 길이가 12미터였다고 하는데, 그만한 배 5백여 척을 청해진과 가까운 관산읍에서 만들어졌다는 사실을 통해 배를 건조하는데는 별 어려움이 없었던 것이다.

조선시대 봉산제도는 궁전의 재목과 전함, 또는 조운선을 만들기 위해 벌채를 금하는 제도였는데 청해진이 있는 강진이 가장 많이 봉산으로 지정되었다. 강진의 경우 봉산 26처, 진도와 해남보다 두 배 가량이 되었고 장흥과 보성은 각각 4곳이었다. 관동의 태백산, 오대산, 설악산, 관북의 칠보산을 다 합쳐도 15곳인데 비해 청해진 주변의 이름은 5곳이나 되었다.

신라선.

일본 사람들은 신라선을 바람과 파도에 잘 견디기 때문에 일본이나 당나라 배보다 안전하다고 인식할 정도였다. 이러한 신라선을 이용해 동아시아의 중요한 역사적 공간이었던 황해를 적극 활용하여 중국과의 교류를 이뤄냈으니 결국은 중국의 선진문물을 가져올 수가 있었다. 황해를 신라의 바다로 만든 것이었다.

안전한 항해를 위해서는 배 밑창에 돌을 싣고 다녔는데, 김수로왕 부인 허황후의 장유사 석탑 전설도 그렇고 해남 미황사 석선(石船)연기설이 생겨났다. 장보고 무역선단은 이렇듯 밑창에 돌을 싣는 대신 도자기를 싣고 다녔기 때문에 도자기 제작은 이래저래 수익적 차원에서 매우 좋은 호재였다.

청해진에서 동아시아 항로의 주역으로 활동할 수 있었던 것은 바다를 통과하는 길목에서 물씨 · 해류 · 바람을 잘 이용할 줄 알았고 나아가 뛰어난 조선술과 조직력을 갖추었기 때문에 가능한 일이었다. 장보고선단은 페르시아 · 아랍 상인들이 활동하였던 동남아시아 · 인도항로를 9세기 이후 동아시아 항로와 연결시킴으로써 서와 동의 무역망을 하나로 통합한 것을 들 수 있는데, 이런 이유로 청해진은 단순히 동아시아 항로의 중심지였을 뿐 아니라 동남아시아 · 인도항로와 신라 그리고 일본을 연결하는 중요한 고리가 되었던 곳이다.

장보고가 해적 소탕을 위해 각별히 신경을 쓰자 간헐적으로 일어났던 해적들의 약탈이 그림자도 발견할 수 없을 만큼 말끔히 사라졌다. 장보고의 결연한 의지에 해적들은 자취를 감춰버린 것이었다.

장보고는 기근 탓으로 생긴 도적들과 노비상인이 사라지자 더욱 청자 생산에 몰두했다. 청자를 직접 만드는 대구 당전을 오가며 도공들을 독려하기도 했고, 생산된 것은 선단에 맡겨 무역을 시켰다. 청자가 생산될 때마다 장보고의 가슴은 벅차오르기만 했다.

제5장
권력

1

흥덕왕은 장화부인을 잃고 난 후부터 매사에 재미가 없었다. 당연히 정사에 게을러졌고 늘 시름에 빠진 날이 많았다.

게다가 지진이 일어나 대궐의 건물이 흔들릴 때마다 궁녀들은 아우성을 치며 이리 뛰고 저리 뛰었다. 지진이 일어나면 쓰러진 집에서 불이 일어나 백성들은 두려움에 몸을 떨었다.

지진으로 인해 나라에 변고가 일어난 것은 임금의 와병 때문이라고 믿고 조정에서는 각 사원에서 기도를 올리게 하였다. 중 구덕(丘德)이 당나라로부터 경전을 가져왔으므로 도승(度僧) 150명을 허가해 준 일이 있었는데, 바로 그 중들이 밤낮으로 기도를 올렸지만 흥덕왕은 차도가 보이지 않았다.

문제는 장화부인과의 사별이었다. 장화부인이 떠난 후 가뭄과 기근, 지진 등으로 자연재해가 그치지 않아 민심이 흉흉했다. 왕으로 즉위하던 해에 장화부인이 세상을 떠났으므로 재위 기간 동안 편한 나날이 없었던 것이었다. 신하들은 새로 왕후를 맞이할 것을 권했지만 흥덕왕은 앵무새와 비교하면서 고개를 흔들었다.

흥덕왕은 즉위를 하자마자 당나라에 다녀온 사신으로부터 앵무새 한 쌍을 받았다. 얼마 가지 못해 암놈이 죽자 수놈이 슬피 울기 시작했다. 흥덕왕은 앵무새가 불쌍해 거울을 걸어주었다. 그러자 수놈이 짝인 줄 알고 쪼아대다가 금방 거울임을 알고 계속 울더니 이내 죽고 말았다.

"외로운 척조(隻鳥)도 짝을 잃은 슬픔이 있거늘 하물며 배필을 잃고서랴. 어찌 차마 무정하게 재취를 할까보냐."

흥덕왕은 이렇게 말하며 시녀까지도 가까이 하지 못하도록 했다. 그리고 앵무새의 처지를 생각해 노래까지 지으며 장화부인을 그리워하는 것이었다.

흥덕왕은 참으로 고단한 왕위를 이어가고 있었다. 장화부인이 떠난 뒤로 더욱 나라는 어려움만 더해갔던 것이다.

한편, 장보고는 당나라에서 청해진을 찾아온 정년으로 인해 기쁨이 넘쳤다. 함께 당나라에 있을 때 장보고는 이미 무령군에서 빠져나와 장사에 재미를 붙이고 있었고, 정년은 군문에 그대로 몸담고 있었다. 서로 힘을 합쳐 장사를 하자고 권해도 정년은 자신의 생각과는 다르다며 고개를 흔들었다. 조음도에서 당나라로 가면서부터 생각이 같았고 행동을 함께 했으며 한날 죽어도 여한이 없을 만큼 피붙이처럼 살아온 정년이었지만 헤어질 때는 원수처럼 냉정히 갈라섰던 것이다.

그런데 바로 그런 정년이 찾아오다니…….

"아니, 아우 정년이 아닌가?"

장보고는 꿈에도 생각지 못했던 정년이 불쑥 나타나자 두 눈을 의심했다.

"추위와 굶주림으로 살았습니다. 이는 전쟁에서 깨끗이 죽는 것보다 못할 것 같아 죽으려면 고향에 가서 죽는 것에 비하랴, 하고 형님을 찾아왔습니다."

"잘 왔네, 잘 왔어."

장보고는 정년을 껴안으며 눈물까지 흘렸다. 이날 밤 장보고는 술판을 벌여놓고 정년에게 술을 따라주며 말했다.

"당나라를 떠날 때 나는 장변, 장건영, 이순행 등과 뜻을 같이 해서 군문을 떠나려 했었지. 그러나 아우는 끝내 군문에 남겠다고 하여 그만 헤어지고 말았지 않았는가?"

정년은 단숨에 술을 들이키며 한숨을 내쉬었다.

"형님은 신라로 돌아가 귀하신 몸이 되셨지요. 청해진 대사로 발탁되시니 이보다 더한 광영이 어딨겠습니까? 그러나 저는 관직에서 떨어져 나와 굶주림과 추위에 떨며 사주의 연수현에서 살고 있었습니다."

"좌우지간 다시 만나게 되니 세상에 새로 태어난 기분이네."

두 사람은 밤늦도록 술을 마시며 회포를 풀었다. 끊임없이 대화를 나누는 두 사람을 위해서인지 밤새도록 파도소리가 높았다.

"형님! 본래 우리는 천민이 아니었습니까?"

"그래서 우리가 당나라로 갔던 게 아닌가?"

장보고가 다시 정년에게 술을 따라주었다. 정년은 장보고가 따라주는 술을 마다하지 않고 거푸 마셔댔다.

"제가 당나라에 계속 있었더라면 틀림없이 짐승의 밥이나 되었을 것입니다. 그러니 형님께서 이렇게 크게 되셨으니 고향으로 내려오길 천만번 잘했다는 생각입니다."

"내 비록 1만 명의 군사를 거느리는 청해진 대사가 되었지만 자네가 날 찾아오니 천군만마를 얻은 것 같네."

"과찬의 말씀입니다. 저를 이렇게 환대해 주시니 몸 둘 바를 모르겠습니다."

다음날, 장보고는 아예 장수들을 모아놓고 연회를 베풀었다.

"정년이! 내 앞으로 할 일이 많다네. 그러니 자네가 날 도와주어야 되지 않겠는가."

정년은 장보고의 말에 참으로 감복했다. 당나라에서 군관의 벼슬도 맛보았지만 오랜 유랑의 비참한 세월도 맛보았던 정년이었다. 그런데 고향에 와서 크게 출세를 한 장보고를 측근에서 모실 수 있다는 사실에 정년은 그저 꿈을 꾸는 듯한 기분이었다.

당나라 시인 두목은 그의 『번천문집』 권6 「장보고 · 정년전」에는 이렇게 기록하고 있다.

'신라 사람 장보고와 정년은 신라로부터 당나라의 서주에 와서 군중 소장이 되었다. 장보고는 30세이며 정년은 그보다 10세 연하였다. 두 사람은 싸움을 잘하여 말을 타고 창을 휘두를 때 그들의 본국에서는 물론 서주에서도 당할 사람이 없었다. 또 정년은 잠수를 잘하여 50리를 가도 숨이 막히지 않았다. 두 사람은 용맹과 건장함을 견주었으나 장보고는 다소 정년에게 미치지 못하였다.

장보고는 나이가 위라는 이유로 또 정년은 무예가 능하다는 까닭으로 서로 상대의 아래 있기를 꺼려했다. 뒤에 장보고는 신라로 돌아가서 흥덕왕을 배알하고 "중국 도처에 신라인들이 잡혀와서 노비가 되어 있습니다. 만약 청해에 진을 설치한다면 해적들이 신라 사람들을 잡아갈 수 없을 것입니다."라고 아뢰자 흥덕왕은 장보고에게 1만의 군사를 주어 바다를 지키게 하였다.

이후 태화(太和 827-835)부터는 신라인을 잡아가는 해적들이 없어졌다. 그런데 장보고가 청해진 대사가 되었을 때 정년은 실직하여 당나라 서주의 연수현에서 굶주림과 추위에 허덕이고 있었다. 어느 날 정년은 연수의 무장인 마원규를 찾아가 의논하기를 "신라로 돌아가 장보고 아래에 몸을 맡기겠다."고 하자, 원규는 "자네와 보고는 서로 원한을 품고 있는 사이인데 어찌 그에게 몸을 맡기려 하는가."하고 물었다. 그러자 정년은 "기한으로 죽는 것보다 싸워 죽는 편이 낫고 하물며 그것도 고향에서 죽으니 바랄 것이 없다."라고 했다.'

정년을 위한 연회는 하루에 끝나지 않고 사흘간이나 계속되었다. 파격적인 대접이었고 두 사람의 관계가 얼마나 깊다는 것을 청해진에 알리는 일이기도 했다. 연회는 푸짐한 술과 안주에 기녀들까지 동원되어 청해진이 생기고 처음으로 열린 화려한 연회였다.

"대사님! 그동안 대사님께서는 많은 업적을 세우셨습니다. 청해진 성곽을 견고히 만드셨고, 해적을 소탕하셨으며, 활발히 무역을 해오셨습니다. 한두 가지 이루신 게 아닌 대사님이십니다."

장건영 장수를 비롯한 몇 몇 장수들이 만취된 상태에서도 여전히 웃음을 머금고 있는 장보고 곁으로 다가와 말했다.

"그야 여러 장수들이 있었기에 이룩한 일이 아닌가?"

"그것이 아니라 그토록 많은 일을 해 오신 대사님이시지만 사흘째 연회를 베풀면서 오늘처럼 기뻐하시는 모습은 처음 봅니다."

"암, 기쁘고말고. 다른 사람도 아닌 정년이 날 찾아왔으니 어찌 기쁘지 않겠는가? 남모르게 기다리면서 지내왔는데 가슴속의 멍울이 싹 가시는 것 같아 기쁜 것일세. 하하하!"

장보고가 다시 술잔을 치켜들며 웃었다.

"감축드리옵니다."

"감축드리옵니다."

장수들 역시 파안대소하며 장보고와 함께 기쁨을 누렸다.

그런데 시난고난 앓던 흥덕왕이 끝내 눈을 감고 말았다. 왕이 세상을 떠나자 그 뒤를 잇는 임금은 누가 될 것인가를 놓고 신라 조정은 치열한 암투가 번지기 시작했다. 왜냐하면 흥덕왕의 아들에게 이어지는 게 당연했지만 나이가 어려 국사를 볼 형편이 못 되었기 때문이었다. 그래서 먼저 물망에 오른 사람은 흥덕왕의 종제(從弟)이자 상대등으로 있는 김균정(金均貞)이었고, 또 다른 사람은 헌정(憲貞)의 아들 제륭(悌隆)이었다.

조정은 두 패로 나눠졌고 군사 또한 두 패로 나뉘어져 일촉즉발의 분위기가 탱탱했다.

그러나 날이 지날수록 제륭에 대한 세력이 커져감에 따라 조정 중신들은 눈치보기에 급급했다. 김균정으로 본다면 아들 김우징이 시중 벼슬을 하지 않는 것이 몹시 불리한 처지였다. 아버지 김균정이 상대등으로 있는 이상 김우징은 시중 벼슬을 내려놓을 밖에 없었다. 조정에서 부자지간이 설치며 지낼 수는 없었기 때문이었는데, 김우징이 조정에 몸담고 있었더라면 자연스레 아버지 김균정이 왕위 계승을 하였을 것이었다.

김우징 대신 시중 벼슬을 맡은 이가 김명(金明)이었는데, 흥덕왕이 세상을 떠난 공석의 실권은 바로 그에게 있었다. 왕위를 계승한다는 것은 한두 사람의 의견으로 할 수는 없는 일이어서 원로 중신들의 발언이 무게가 실릴 수밖에 없었다.

그런데 김명은 김우징에게 큰 세력을 갖게 하기는 싫었다. 그래서 제륭에게 줄을 서는 태도를 취하자 가장 먼저 호응을 해 온 사람은 아찬 이홍(利弘)과 배훤백(裵萱佰) 등이었다.

그들은 우선 군사들로 하여금 대궐을 점거해 놓고 경계를 물샐틈 없이 해놓고 있었다. 선수를 놓친 것은 김균정과 김우징이었다. 김우징은 밤중을 기하여 거사를 일으켰으면 했으나 김균정은 반대했다. 명분이 약하다는 거였다.

다음날, 김균정 일행은 궐문으로 다가가 궐안으로 들어가려고 했다. 이때 김명은 숨겨놓은 궁노수들로 하여금 김균정을 쏘아 맞추도록 명했다.

쉬잇-.

그러나 날아간 화살은 김균정을 맞추지 못했고 그 곁을 따르던 김양(金陽)의 어깻죽지를 맞혔다. 무열왕의 9세손인 김양은 고성태수(固城太守)의 지방관과 중원대윤(中原大尹), 무주도독(武州都督) 등을 지낸 사람이었는데, 평소 김균정과 김우징을 따랐다. 그래서 함께 궐안으로 들어가려다가 그만 화살을 맞고 말았다. 김양은 화살을 뽑아버린 후 칼을 휘둘렀고 김우징 역시 필사적으로 마구 밀려오는 군졸들을 베어냈지만 역부족이었다. 끝내 군졸들은 문을 굳게 닫아걸고 열어주지 않았고, 이러다간 아버지 김균정의 뒤를 이어 김양과 자신이 죽을 수 있겠다고 생각한 김우징은 도망을 치지 않을 수 없었다.

결국 김균정은 살해되고 말았다. 그리고 제륭이 즉위하여 희강왕(僖康王)이 되었다. 희강왕은 즉위하기가 무섭게 정변에 공을 세운 김명을 상대등으로 삼고, 김명의 장인인 아찬 이홍을 시중으로 삼아 권력을 굳건히 하였다.

김균정의 장례식은 나라의 중신을 지낸 사람치고 참으로 초라했다. 그러나 백성들 사이에는 불법으로 왕권을 잡았다는 소문이 자자했고, 그것을 모를 이 없는 김명은 아예 김우징까지 죽이려고 마음을 먹었다. 김우징을 없애버려야만 불안의 싹을 잘라버리는 일이었고 백성들의 입을 틀어막는 일이기도 했다.

이때 김우징에게 김양으로부터 한 장의 서찰이 전해져 왔다. 사태가 위급하므로 당장 식솔들을 데리고 청해진으로 가야 한다는 내용이었다. 김양이 서찰을 보낼 때에는 몸을 숨기기 위해 김해의 한 야산에서 지내고 있었다. 비록 야산에서 몸을 숨기는 신세였으나 김우징의 안전을 생각한 나머지 서찰을 보낸 것이었다.

'한 목숨 구하기 위해 집을 떠나는구나. 구천에 계신 아버님은 뭐라 말씀하실 것인가.'

김우징은 밤길을 도와 황산진에 도착한 다음 배를 타고 보름만에 청해진까지 가면서 울분을 씹어 삼켰다.

"청해진 대사! 천하의 역적들이 아버님을 죽이고 제륭을 왕위에 앉혔으니 통분한 마음이 하늘을 찌를듯 하오. 그러니 이 원수를 갚아주시오."

김우징은 장보고 앞에서 울먹이며 간절한 목소리로 호소를 했다. 그도 그럴 것이 여러 좋은 벼슬을 하면서 아버지 김균정이 왕의 자리에 오르는 것이 순리였음에도 오히려 아버지는 목숨을 잃고 자신마저 쫓기는 신세였기 때문이었다. 게다가 청해진까지 보름에 걸쳐 도망쳐 오면서 한 순간에 초라해진 자신의 몰골에 스스로 목숨을 끊고 싶은 충동마저 일었다.

그런데 김양의 말대로 막상 청해진에 와 보니 군세가 만만치 않다는 것을 느낄 수 있었다.

"신라 조정에서 화백회의를 거쳐 추대를 한 일이라 어찌 제가 나설 수가 있겠나이까? 우선 여기서 지내시도록 하십시오. 그런데 이곳은 지내시기가 불편할 것이어서 뭐라고 말씀드려야 좋을지 모르겠나이다."

장보고는 함께 온 식솔들을 편히 쉬게 하고 김우징과 함께 청해진을 둘러보았다. 김우징은 청해진의 규모를 보면서 놀라움 그것이었다. 해상의 도적들을 없애기 위해 세운 청해진은 반드시 도적들의 제거 뿐 아니라 상선을 움직여 해상무역을 활발히 하고 있었기 때문이었다.

"청해진의 규모를 보니 참으로 든든합니다. 우리 신라가 이만큼 힘을 갖게 된 것은 다 대사가 있기 때문입니다."

김우징은 깊은 감동을 느낀 나머지 칭찬을 아끼지 않았다.

"그렇지 않습니다. 제가 원했던 대로 조정에서 대사직을 제수

해주신 덕택이 아니겠나이까?"

장보고는 공손하게 김우징의 공을 치켜세웠다. 그리고 사현(射峴)재 앞에 군사들을 대열케 했는데, 그 모습을 지켜본 김우징은 절로 감탄이 흘러나왔다. 1만 명의 군사였기 때문에 그 숫자도 엄청났지만 그들의 활 솜씨나 창 솜씨가 뛰어났기 때문이었다. 서라벌의 군사들보다 더 하면 더 했지 조금도 낮은 수준이 아니었다.

"제가 군사들을 사열케 한 것은 힘을 내시라는 뜻에서였나이다. 보시다시피 청해진의 군사는 백전백승의 기백과 사기로 움직이고 있나이다."

"그렇다마다요. 대사가 이곳에 있으므로 우리 신라가 지켜지고 있다는 생각이 듭니다."

"나으리. 나으리가 여기에 계시는 동안 정성을 다해 모시겠사옵니다. 맘 편히 지내십시오."

"장 대사의 은혜는 반드시 갚도록 하겠소. 나라를 망치게 한 역적들을 처결한 다음 은혜를 갚으리다. 장 대사를 찾아오길 백번이고 잘했다는 생각이오."

"이곳은 얼마든지 나으리께서 지낼만한 곳이고, 언젠가는 나으리의 억울함도 풀 수 있을 것이옵니다."

김우징은 며칠 동안 장보고와 함께 지내며 상황봉을 올라가 많은 섬들을 내려다보기도 하고 군사들을 대동한 다음 대구에 가서 청자가마를 구경하기도 했다.

"장 대사! 말로만 듣던 청자를 이곳에서 만드는구려."

김우징은 대구에 가서 도공들이 청자를 빚어내는 모습을 보고 거듭 놀라움을 금치 못했다. 곳곳에 자리한 청자가마터에서는 청자를 굽는 연기가 피어올랐고, 작업장에서는 많은 도공들이 청자 그릇을 만들고 있었다. 김우징은 청해진의 장보고 대사를 찾았다가 뜻하지 않게 청자를 만드는 현장을 보게 된 것이었다.

"이렇듯 좋은 그릇들은 우리 신라의 안압지(雁鴨池)에서 사용했으면 좋을 듯 싶소. 그리하면 모든 조정 중신들이 우리 신라가 얼마나 융성한 나라로 발전하는지 피부로 느낄 것이오."

김우징이 말한 안압지에 대한 명칭은 『삼국사기』나 『삼국유사』에 그 기록이 없지만 『동국여지승람』에는 자세히 기술되어 있다. 그러나 『삼국사기』 문무왕(文武王) 14년(674) 2월초에 '궁궐 내에 연못을 파고 산을 만들고, 화초를 파종하고 귀중한 수금을 길렀다'는 대목이 있다. 월성(月城) 북동쪽에 인접한 안압지는 크고 작은 섬이 3개나 되어서 아름다운 풍광을 자아내는 곳이었는데, 김우징은 그 안압지를 청자와 연결시켜 말하고 있었다.

장보고는 그 말이 무엇을 뜻하는지 대번에 느낄 수 있었다. 언젠가는 안압지에서 이곳의 청자 도자기를 사용하며 새로운 세상을 만들어보자는 의미라는 것을.

"그럴 날이 머지않아 올 것이옵니다. 이곳에서 청자완을 만들고 있으므로 많은 사람들이 한꺼번에 안압지에서 즐길 수 있을 것이옵니다."

"장 대사! 장 대사는 어떻게 이곳 대구의 땅이 청자를 만들기에 좋다는 것을 알았소?"

"그야 월주요 청자를 우리 신라에서도 만들어야 한다는 생각에서 아주 적합한 땅을 찾았나이다. 흥덕대왕께서 살아계실 때에 말씀드린 바 있어 잘 알고 계시겠지만 당나라에서 가장 최고급품인 월주요에서 생산된 청자를 이곳에서 만들고 있나이다."

"바로 그곳에서 생산기술을 신라로 가져온 것이 맞지요?"

"그렇습니다. 이 청자는 서라벌로 보내기도 하지만 일본 후쿠오카와 당나라 닝보로 역수출을 하고 있나이다."

"그런데 종류가 다양하구려."

김우징은 청자완 하나를 손으로 들어보이며 말했다.

"이곳에서 만드는 것은 불상류(佛像類)와 와전류(瓦塼類), 건축을 할 때 사용하는 부재류(部材類), 그리고 생활용품류, 도자기류 등을 생산하고 있나이다."

"흥덕대왕이 오래토록 사셨더라면 얼마나 좋아하셨을꼬. 흥덕대왕께서는 개혁군주로서 해상 강국의 꿈을 꿨던 분이 아니었소?"

"저도 항상 흥덕대왕께서 이루고자 했던 꿈을 생각하며 지내고 있나이다. 청해(淸海)란 말이 바다를 맑게 한다는 뜻처럼 해적을 물리쳐 바다를 평정하고, 청자를 만들어 무역을 활발하게 하여 나라를 부강케 하는 것이 저의 뜻이나이다."

"참으로 대단한 대사가 아니오. 그런데 대사는 닻을 내리는 곳마다 절을 짓는다는 말을 들었는데 불심이 대단하지 않고서야 할 수 없는 일이 아니오?"

김우징이 갑자기 말을 바꾸어 장보고의 사찰 건립에 대해 물었다. 사실 장보고는 불교의 후원자였고 불교를 통해 사업을 확장시켜왔다.

"그러하나이다. 당나라의 산동성에 법화원을 설립했고, 이곳 청해진이 있는 곳과 제주도에 절을 지었나이다."

"법흥왕 때 이차돈이 불교를 공인할 수 있도록 순교(殉敎)한 이후로 장 대사가 불교를 크게 번창시키는 것 같소."

김우징은 천태산 위로 연기를 솔솔 뿜어내는 청자가마를 바라보며 이차돈의 말을 꺼냈다.

이차돈(異次頓).

그는 『삼국유사』에 염촉(厭髑)이라는 다른 이름으로 소개되어 있다. 『삼국사기』에도 그 기록을 찾을 수 있는데 내용은 다음과 같다.

'왕녀가 갑자기 병으로 위독하니 왕이 호자(胡子)로 하여금 향을 사르고 축원을 드리게 하였더니 왕녀의 병이 곧 낫는지라, 왕이 매우 기뻐하여 예물을 후히 주었다. 호자는 나와 모례(毛禮)를 보고 얻은 물건을 주며 말하기를, 나는 이제 갈 곳이 있다 하고 작별을 하더니 얼마 아니하여 간 곳을 알 수 없었다. 비처왕(毗處王) 때에 이르러서는 아도(阿道)란 화상(和尙)이 부하(部下) 3명과 함께 역시 모례의 집에 왔었는데, 그의 모습이 묵호자(墨胡子)와 비슷하였고, 몇 년을 머물러 있다가 앓지도 않고 죽었다. 그 부하 3명이 남아 있어 경률(經律)을 강독하니 왕왕 신자가 생겼다. 이에 이르러 법흥왕 또한 불교를 일으키려 하니, 군신은 믿지 아니하고 입으로 떠들기만 하므로 왕은 주저하였다. 근신(近臣) 이차돈이 말하기를 "청컨대 신의 목을 베어 중의(衆議)를 정하소서." 하니, 왕은 말하기를 "본시 도(道)를 일으키자는 것이 근본인데 무고한 사람을 죽일 수는 없다."고 하였다. 이차돈이 대답하기를, "만일 도를 행할 수 있다면 신은 죽어도 유감이 없습니다." 하였다. 이에 왕은 군신들을 불러 모으니 모두 말하기를, "지금 보건대 중들은 머리를 깎고 이상한 옷을 입었으며 언론(言論)이 기괴하고 거짓스러워 보통의 도가 아니오니, 지금 만일 이것을 그대로 내버려 둔다면 혹 후회가 있을지 모릅니다. 신들은 비록 중죄(重罪)를 입을지라도 감히 어명을 받들지 못하겠습니다."고 하였다. 그러나 이차돈만은 홀로 말하기를, "지금 군신의 말은 옳지 못합니다. 대개 비상(非常)한 사람이 있은 연후에 비상한 일이 있나니, 듣건대 불교는 그 뜻이 깊다 하오니 불가불 믿어야 하겠습니다."고 하였다. 왕이 말하기를 "여러 사람의 말은 깨뜨릴 수 없고 너 혼자 의론이 다르니 둘 다 좇을 수는 없다."하고 드디어 그를 형리에게 내리어 장차 목을 베려고 할 때 이차돈이 죽음에 임하여 말하기를, "나는 불법을 위하여 형을 받으니 불(佛)이 만일 신령(神靈)이 있다면 내가 죽은 뒤에 반드시 이상한 일이 있으리라."하였다. 그를 베자, 잘라진 데서 피가 용솟음치는데 핏빛이 젖과 같이 희였다. 여러 사람이 보고 괴히 여겨 다시는 불사(佛事)를 반대하지 아니하였다.'

이차돈의 순교에 의해 불교를 받아들인 뒤로 신라는 불교가 융성해졌는데, 장보고 또한 절을 많이 짓고 있는 것을 김우징은 지적한 것이었다.

장보고와 김우징이 청해진에서 의기투합을 하며 함께 지내고 있을 때 상대등 김명은 시나브로 왕권에 대한 욕심이 생겨났다. 김명 자신의 공으로 제륭이 희강왕으로 왕위에 올랐지만 끝까지 충성을 하기보다는 왕위 자리를 빼앗고 싶었던 것이다.

김명은 장인 이홍을 찾아가 은밀한 밀담을 나누며 권력에의 꿈을 말했다. 그러자 이홍 역시 그러한 김명의 속을 알아차리고 자신도 뜻을 함께한다며 응수를 했다. 김명과 이홍의 힘으로 왕위에 오른 희강왕이 배훤백 같은 신하와 가까이 지내는 것 같아 울화통까지 생길 지경이었다.

어느 날 김명은 배훤백에게 하인을 보내 집에서 술 한 잔을 하자고 연락했다. 그러나 배훤백이 한걸음으로 오기는커녕 병을 칭탁하고 오지를 않는 것이었다.

김명은 화가 부글부글 끓었다. 이는 명백히 자신을 우습게 보지 않고서는 있을 수 없는 일이었다. 한때는 자신과 손을 잡았던 그가 어떻게 앓지도 않는 병을 핑계로 오질 않는단 말인가.

그 후로 궁궐에서 잔치가 벌어지던 날, 분위기가 무르익어갔을 때 화살 한 대가 여지없이 배훤백의 가슴을 파고들었다. 잔치는 삽시간에 아수라장이 되고 말았다. 배훤백을 죽임으로써 희강왕에 대한 협박을 서슴지 않은 김명과 이홍이었다.

희강왕은 역모임을 알아차렸다. 하지만 누가 왜 배훤백의 가슴에 화살을 박았는지 알아보지도 않고 서로 꽁무니만 빼기에 바빴다.

김명과 이홍은 희강왕에게 자신들의 불찰이었다고 말했지만 희강왕은 두 어깨와 두 다리가 땅 속으로 빠져드는 느낌이었다. 이미 배훤백이 피를 흘리며 쓰러졌을 때 조정 중신들이 다 달아나는 것을 목격한 이상, 배훤백을 쏜 화살이 자신에게 오지 말란 법이 없었다.

희강왕은 김명 일행이 물러간 후 홀로 생각에 잠겼다. 이제 신라의 조정은 김명과 이홍의 손에 놀아날 게 뻔했다. 말이 왕이지 왕의 권위는 없어지고 국사는 그 두 사람이 좌지우지 할 것이었다.

희강왕은 죽었으면 죽었지 허수아비나 꼭두각시는 되기 싫었다. 또 그렇게 산다 해도 배휜백처럼 죽지 말라는 법도 없었다. 김명과 이홍의 두 눈에서 권력을 탐하는 불꽃이 이글거리는 것을 느꼈기 때문이었다. 그들은 권력이라면 어느 누구든지 죽이고도 남음이 있는 사람이라는 것을 확신할 수 있었다.

희강왕은 스스로 목숨을 끊어야겠다고 결심했다. 누구나 사람은 한 번 태어나면 한 번 죽게 되었다고 생각하며 끈을 문고리에 걸었다.

생자필멸(生者必滅).

살아있는 사람은 반드시 죽음을 면치 못한다는 말은 부처님의 말씀이 아닌가. 또 일생일사(一生一死)란 말도 한 번의 태어남이 있으면 한 번의 죽음이 있다는 것이 아닌가.

그렇다면 백년 미만의 몸뚱이를 가지고 천년이나 만년이나 살 것처럼 눈 앞의 권력을 위해 아등바등할 필요가 없다는 생각이었다. 옥좌에 앉아있는 나를 죽이고 그들이 왕에 오르고 권력을 쥔다한들 그 세월이 권불십년(權不十年)이라는 생각이 들자 구차하게 목숨을 애걸할 필요가 없었다.

희강왕이 협박에 못 이겨 자진을 하고 나자 김명이 스스로 왕위에 올랐다. 그리고 일러 민애왕(閔哀王)이라 했다. 신라의 왕이 뒤바뀐 것이었다.

2

한편, 김해 땅 야산에서 숨어 지내던 김양은 이제야 기회가 왔다고 생각했다. 김명이 선왕을 살해하고 왕위에 올랐다는 사실은 역적이나 다름없었다. 당장 의병을 모으니 그 수가 3천 명이었다.

김양은 청해진으로 달려가 장보고와 함께 있던 김우징을 만났다.

"제가 김해에서 3천 명의 의병을 모았습니다. 그러하니 서라벌로 진격해서 왕위에 오른 김명을 죽여야 합니다. 이번 기회를 잡지 못하면 영영 우리는 서라벌로 돌아갈 수가 없습니다."

"그러나 훈련된 군사가 아닌 의병으로는 위험한 일. 우리의 목적을 이루기 위해서는 약하다고 할 수밖에."

"지금 백성들의 원망은 하늘을 찌를 듯합니다. 당장 쳐들어가야만 성공을 할 수 있을 것입니다."

김양은 김우징이 선뜻 나서지 않자 마음이 초조해지기 시작했다. 그런 김양에게 김우징이 말했다.

"거사란 함부로 하는 일이 아니오. 장 대사와 의논을 하고 나서 결정을 하는 것이 좋을 듯하오."

김우징은 김양을 다독인 다음 장보고를 향해 입을 열었다.

"김명이란 자는 왕을 죽이고 스스로 왕이 되었으니 하늘 아래 함께 할 수 없는 자이오. 바라건대 장군의 군사들을 빌려 천하의 원수를 갚게 해주시오."

김우징의 얼굴은 붉으락푸르락 분노에 차 있었다. 그러자 장보고가 고개를 끄덕이고 나서 자신 있게 대답했다.

"옛말에 의분을 느껴서 용맹을 쓴다는 말이 있나이다. 저야말로 용렬한 사람이긴 하지만 명을 따라 서라벌을 칠 것입니다."

장보고는 정년에게 5천 명의 군사를 맡기고 서라벌을 진격하도록 했다.

"정년 아우가 군사들을 이끌고 반드시 승리를 할 수 있도록 해주게."

"알겠습니다, 형님."

여러 장수들이 있었지만 정년만큼 믿을 만한 심복은 없었다. 청해진의 군사가 육지를 향해 떠났을 때 다시 돌아오지 말라는 법은 없는 법이어서 정년에게 맡긴 것이었다.

"원수를 갚고 나면 내 반드시 그 은공을 갚으리다."

김우징은 장보고의 손을 잡으며 말했다.

김우징이 장보고에게 은공을 갚겠다는 말은 장보고의 딸과 혼인을 하겠다는 뜻이었다. 며칠 전, 김우징은 장보고를 확실한 아군으로 만들기 위해 딸과 혼인을 하겠다고 약속까지 한 터였다. 김우징의 제안은 실로 엄청난 것이었다. 만일 김우징과 장보고의 딸이 혼인을 한다면 이는 상상도 할 수 없는 일이었다.

상전벽해(桑田碧海).

뽕나무 밭이 푸른 바다가 된다는 말처럼 장보고의 딸은 미천한 신분에서 벗어나 일약 왕족의 신분이 되는 것이었다.

"장 대사. 나는 장 대사의 딸 의영(義英)과 혼인을 하였으면 하오. 내 청해진에 와서 지내며 몇 번 보았는데 참으로 총명하고 아름다운 용모를 지녔다고 생각했소."

"천만의 말씀입니다. 제 신분은 미천한 까닭으로 어찌 신라의 진골 출신인 김공과 제 딸이 혼인을 할 수 있겠나이까?"

장보고의 말은 사실이었다. 장보고 자신도 미천한 신분의 한계를 느끼고 당나라로 떠났던 것이 아니었던가. 그래서 마침내 군중 소장이 되었고, 다시 신라로 돌아와서는 청해진 대사를 맡아 해적들을 소탕시키고 해상왕으로서 그 위용을 나타내고 있지만 근본은 어디까지나 미천한 해도인이었다.

그러나 장보고는 청해진 인근에 월주청자의 번조지인 명주의 여요현(余姚縣) 상림호(上林湖) 가마 등에서 기술을 습득한 신라인들을 신라로 데리고 와 청자를 구워내게 하는 업적을 쌓고 있었다. 이는 신라토기 가마에서 청자를 구워내 신라사회의 생활문화를 완전히 탈바꿈시키는 일이었다. 또한 장보고 선단을 통해 중요 무역품을 판매하는 해상무역의 중심지에 장보고가 우뚝 서 있었다.

하지만 신라 골품제인 진골과 성골이 아니고서는 감히 뛰어넘을 수 없는 벽이 혼인이었다. 진골과 성골의 귀족들이 근친혼을 고수해가면서까지 신분제도를 철저히 지키고 있는 상황에서 천민출신 장보고의 딸과 혼인을 한다는 것은 어불성설이었다.

『삼국유사』에도 이와 같은 기록이 남아 있다.

'나에게는 이 세상을 같이 살아갈 수 없는 원수가 있다. 네가 만일 나를 위해서 이를 없애 준다면 내가 왕위에 오른 뒤에 네 딸을 맞아 왕비로 삼겠다.

궁파(장보고)가 이를 허락하니 마음과 힘을 같이하여 군사를 일

으켜 서울로 쳐들어가서 그 일을 성취하였다.'

그랬다. 김우징은 일단 장보고의 마음을 얻는 것이 급선무였다. 나중 왕이 되어서는 신하들의 만류에 그만 혼인을 접었지만 당시는 두 사람이 의기투합했던 것이다. 김우징은 원수 김명을 죽이고 전쟁에 승리한다면 바로 왕이 되는 일이었다. 장보고 또한 해상왕으로서 그 위세를 떨치고 있었지만 신분만큼은 어쩔 수 없었으나 장차 김우징이 왕이 된다면 자신의 딸은 왕비가 되는 일이었다. 왕이 되고 왕비가 되는 일에 두 사람은 마음을 합친 것이었다.

그러나 서라벌을 치고자 장보고가 정년에게 군사를 맡겼을 때 장보고의 부인은 한사코 만류했다.

"여보. 우리가 지금 누리고 있는 것만도 왕후장상이 누리는 것보다 더 낫습니다. 당나라와 일본을 왔다 갔다 하며 별아 별 보물을 얻는 것도 그렇고, 특히 귀한 도자기를 만들어 부(富)를 누리고 있는데 무엇이 부족해서 군사를 일으키려 합니까?"

그러자 장보고는 고개를 흔들었다.

"내가 당나라에 가서 출세를 한 것도 다 기회를 붙잡기 위해서였네. 내가 처음부터 왕후장상이 되려고 했던 것은 아니었지만, 그러나 출세를 위해서 당나라엘 간 것이 아니었던가?"

"물론 당신이 당나라에 가서 출세를 한 것은 사실이지요. 그리고 신라로 돌아와서 청해진 대사가 된 것은 대단한 일입지요. 그러나 왕을 시해하는 일에 앞장을 선다는 것은 아무리 생각해 보아도 하늘의 뜻을 어기는 것만 같습니다."

“무슨 소리! 초패왕이었던 항우도 젊은 시절에 진시황의 행렬을 보고 ‘내가 저놈을 죽여 황제가 되리라’하고 말했던 것 아닌가. 놀란 삼촌이 ‘조카, 무슨 말을 그리 하는가?’ 하고 묻자 항우는 이렇게 말했다지. ‘삼촌, 왕후장상의 씨가 따로 있답니까?’하고 말이지.”

“그러나 여보! 우리가 이 정도 사는 것은 왕후장상이나 다름이 없습니다. 그러니 제발 청해진이나 잘 지키면서 나라에 충성하는 것으로 사십시다.”

이때 장보고는 화를 벌컥 냈다.

“내가 왕후장상이나 바라는 사람이 아니네. 나으리께서 내게 내 딸을 왕비로 맞이하겠다고 먼저 약조를 한 일이네. 내 딸이 왕비가 되면 우리는 천민출신을 깨끗이 씻어내고 왕의 장인이 될 판인데 어찌 반대를 하는가?”

“어느 누가 그 좋은 일을 마다하겠습니까? 그러나 세상사 모든 일 중에서 자식 때문에 망하는 사람이 한두 사람이 아닙니다.”

“자식 때문에 망하다니? 그게 무슨 말인가?”

“북제(北齊) 사람 안지추가 지은 안씨 가훈에 이런 말이 있습니다. 안씨 가훈에서는 사람이 자식을 사랑하는데 균일할 수가 없어서 예부터 자식으로 인한 폐단이 많았다고 말하고 있습니다. 현준(賢俊)한 자는 상을 주면서 사랑을 하고 싶을 것이고, 어리석고 둔한 자라 할지라도 사랑하지 않는 사람이 없다는 것입니다. 여기에서 부모들은 사랑에만 빠지는 경향이 생기게 되는 것인데, 결국 측량할 수 없는 화를 초래한다는 것입니다. 그리하여 적게는 부모를 죽이고 가정을 망치며, 크게는 군중(軍中)을 소란케 하고 나라를 망하게 하는 것이라 했습니다."

"내가 먼저 꺼냈던 일도 아니고, 나으리가 먼저 제안한 일이라니까. 산소 등에 꽃이 피는 일을 어찌 그렇게만 생각하는가? 이 일을 딸이 알면 상심이 클 터이니 그만 입을 다물어야겠어."

장보고는 단호하게 부인의 말을 무시했다.

청해진에서 출발한 군사의 이름은 평동군(平東軍)이었다. 김우징이 평동군의 총사령관급이라면 김양은 평동장군이 되었고, 정년은 평동군의 수장이었다. 그리고 정년 밑에는 장건영, 이순행 등의 효장이 있었고, 김양의 수족 같은 부하로는 염장이 있었다.

한 해가 다가는 12월.

김우징이 무주(武州:武珍州)에 다다르자 민애왕은 대감 김민주(金敏周)로 하여금 영전(迎戰)케 하였고, 이때 김양은 낙금, 이순행을 시켜 기병 3천 명으로 돌격케 했다.

그러나 신라의 관군이자 선봉대였던 김민주의 군사는 만만하지 않았다. 더구나 그들의 군사는 1만 명이었고 이쪽은 5천 명이었으니 승패를 장담할 수 없었다.

하지만 김우징의 군대는 기마병이 있었다. 일찍이 장보고는 기마의 중요성을 알고 있었고, 그래서 청해진의 모든 군사가 말을 타고 싸울 수 있도록 했기 때문에 전세는 뻔했다. 김우징이 청해진에 피신해 왔을 때 처음 목격하고 마음 든든히 여겼던 것도 장보고의 기마병이었다. 그 기마병의 분투로 결국 김민주가 이끄는 군대는 패하고 수장이었던 김민주는 목숨을 잃고 말았다.

새해가 되자 김우징은 서라벌을 향해 무섭게 진격을 개시했다. 이미 철야현에서 첫 번째 싸움을 이긴 김우징 군대는 사기가 충천할 수밖에 없었다.

대왕 민애왕은 김흔(金昕)에게 10만의 군사를 주어 청해진 군사와 싸우게 하였다. 5천 명의 평동군과 10만 명의 관군이 대치하게 되자 여기에서 김양의 비범한 전술이 힘을 발휘했다. 그것은 관군을 교란시키는 전술이었는데, 교란 전술로 김흔의 군사는 쑥대밭이 되었고 그는 사로잡히는 치욕까지 겪어야 했다.

관군 10만 명을 무찌른 평동군이 서라벌 중심부로 진격하자 민애왕은 사태의 위급함을 알아차리고 대궐에서 외따로 떨어진 월유댁(月遊宅)으로 어가를 옮겼다. 그러나 그곳까지 쳐들어간 김양의 군사에 의해 무참히 살해되고 말았다.

민애왕과 김명이 죽자 왕권을 거머쥔 김우징이 왕위에 오르니 그가 신무왕(神武王)이다.

신무왕은 왕위에 오르자마자 가장 먼저 해야 할 일이 논공행상이었다. 누구보다도 큰 공을 세운 사람은 장보고였다. 장보고는 신무왕이 되기 전 가장 어려운 때 도와준 은인이었다. 만일 장보고가 없었더라면 김우징은 영원히 왕위에 오르기는커녕 비참하게 죽음을 맞이했을 것이었다.

"사신을 청해 땅으로 보내서 장보고 대사를 감의군사(感義軍使)로 봉하는 한편 식읍(食邑) 이천 호(二千 戶)를 준다는 칙서를 전달하도록 하라."

신무왕의 사신은 말발굽을 세차게 굴리며 단걸음으로 청해진에 도착한 다음 칙서를 전달했다.

이제 장보고 대사의 새 시대가 열리는 순간이었다. 감의군사로 봉한다는 것도 좋고 식읍 이천 호를 준다는 것도 좋지만 가장 마음 설레게 하는 것은 신무왕의 장인이 된다는 점이었다.

왕의 장인.

이는 한 집안의 광영이 아닐 수 없었다. 왕의 장인이 되는 날, 장보고의 집안은 귀족 중에 귀족이요, 진골 중에 진골이 되는 일이었다. 그러므로 감의군사로 봉해지고 식읍 이천 호를 얻게 되는 일보다 더한 일이 왕의 장인이 되는 일이었다.

왕의 장인이 된다는 것은 신분의 급상승을 말함이었다. 태어날 때부터 성도 없이 미천한 신분으로 태어났기에 무예에 출중했으나 과거를 보지 못했고, 그래서 당나라로 떠난 장보고였다. 왕의 장인이 되는 날, 그것은 왕후장상의 씨가 따로 없다는 것을 여실히 입증하는 일이기도 했다.

그러나 권력과 왕위를 찬탈하기 위해 장보고의 군사를 이용하면서 장보고의 딸과 혼인할 것을 맹세했던 신무왕은, 막상 왕위에 오르자 고민이 생겼다. 그에게 감의군사와 이천 호를 내려준 것까지는 당연한 논공행상이 되겠지만, 장보고가 왕의 장인이 될 경우 왕의 자리에 앉아 있는 자신의 꼬락서니가 우습게 될 것 같아서였다.

'분명 허수아비 왕이 될 게 틀림없어.'

신무왕의 고민은 점점 깊어만 갔다. 아직 조정 중신들에게 알리지 않은 극비밀의 혼사약속이었다. 그러나 약속을 한 이상 지켜져야 할 일이었다.

만일, 장보고가 왕의 장인이 되는 날 세상인심은 하루아침에 뒤바뀔 수도 있는 일이었다. 해적들을 완전히 소탕해 백성들의 마음을 편하게 한 것이 그 첫째요, 당나라에서 자기 기술을 도입해 청해진과 가까운 곳에서 많은 도공들로 하여금 그릇을 빚게 하고 무역선단을 이끌어 해상교역을 활발히 하고 있다는 것이 둘째요, 지난번 전투에서도 두 눈으로 똑똑히 보았듯이 용맹과 전투력을 지닌 1만 군사를 휘하에 두고 있다는 점이 셋째였다. 무엇보다도 해적들의 완전 소탕으로 백성들의 인심을 크게 얻고 있다는 점은 신무왕으로서는 두려운 일이기도 하였다.

신무왕은 일단 뒤로 미루어보자는 심사에서 경응(慶膺) 세자와 장보고의 딸을 혼인시키는 것으로 마음을 정했다. 어차피 자신은 나이를 먹을 만큼 먹어서 후사를 기약하기도 어려운 일이었다. 그래서 왕위에 오르기가 무섭게 세자로 삼은 경응과 혼약을 맺으면 장보고와의 약속을 지킬 뿐 아니라 그의 공을 인정해 주는 일이 될 것이라고 생각했다.

신무왕의 세자와 혼약을 하는 일에 장보고도 쾌히 승낙을 했다. 당장 왕비가 되지 않더라도 나중 세자가 보위에 오르면 딸은 자연스럽게 왕비가 될 것이었다.

그런데 왕위에 오른 지 반 년도 못되어 신무왕은 승하하고 말았다. 참으로 권력무상이요, 인생무상이었다. 아무리 인생이 아침 이슬처럼 짧다 해도 한 나라의 군주가 된 지 반 년도 못되어 저승으로 간다는 것은 너무나 억울할 일이었다.

신무왕이 갑작스레 병이 들어 눕게 된 것은 이홍(利弘)의 저주 때문이었을까.

『삼국사기』에서는 신무왕에 대해 이렇게 기록하고 있다.

'이홍이 화를 두려워하여 처자를 버리고 산림(山林)으로 도망가니 왕이 기병을 보내어 추포(追捕)하여 죽였다. 왕이 병들어 누웠는데 꿈에 이홍이 활을 쏘아 왕의 등을 맞혔다. 꿈을 깨자 왕은 등에 종기가 나서 이 달 23일에 돌아가니 시호를 신무(神武)라 하고 제형산(弟兄山) 서북쪽에 장사하였다.'

신무왕은 꿈에서 깨어났어도 등에 화살을 맞은 것 같은 느낌이었고 그것은 결국 종기로 나타났다. 시의(侍醫)가 곧장 찾아와 처방을 하였는데도 쉽게 가라앉기는커녕 날이 갈수록 심해졌다.

신무왕이 왕위에 오른 후에도 왠지 불길한 기분마저 들고 있을 때 산중으로 도망갔던 이홍이 잡혀왔다는 보고가 들어왔다. 밖으로 나가보니 조정 중신들이 나열한 가운데 그는 대궐 앞마당에 포승줄로 묶인 채 무릎을 꿇고 있었다. 막상 그를 대면하자 꿈속의 일이 떠오르면서 사지가 떨려왔다. 이홍은 살려달라고 빌기는커녕 눈을 부릅뜨고 신무왕을 노려보았다.

'꿈속에서처럼 저놈 손에 내가 죽기 전에 죽여야겠다.'

신무왕은 벌떡 일어나서 지엄하게 분부를 내렸다.

"대역 죄인이니 당장 끌고가서 목을 베도록 하라!"

장졸들이 꿇어앉아 있는 이홍을 일으켜 세우자 그가 벽력같이 소리를 질렀다.

"이놈아! 너 역시 왕을 죽이고 그 자리에 앉았으니 너라고 해서 다른 것이 하나도 없다. 나는 이렇게 죽어간다만 너 역시 오래 가지 못할 것이다!"

김명의 장인이었던 이홍. 그는 김명을 도와 왕을 죽이고 아버지 김균정을 죽인 자였다.

그런데 이홍이 죽을 때 했던 말대로 신무왕 역시 민애왕을 죽이고 왕의 자리에 앉았으므로 골육상쟁은 계속 이어진 셈이었다. 그러므로 『삼국사기』에서도 다음과 같이 기록하였다.

'사신(史臣)이 논하여 말하기를, 구양자(歐陽子)의 논(論)에 "노(魯)의 환공(桓公:은공의 異母弟)은 은공(隱公)을 죽이고 자립(自立)한 자며, 선공(宣公:魯文公 庶子)은 자적(子赤:魯文公 太子)을 죽이고 자립한 자며, 정(鄭)의 여공(厲公:名은 突이니 忽의 異母弟)은 세자 홀(忽:鄭莊公子 昭公)을 쫓아내고 자립한 자며, 위(衛)의 공손표(公孫剽:殤公)는 그 임금 간(衎:衛獻公)을 쫓아 자립한 자이어니와, 성인(聖人:孔子)이 춘추(春秋:魯의 史記)에다 그들의 임금 노릇한 것을 빼지 아니한 것은 각각 그 실상을 전하여 후세 사람들이 알고 믿게 함이다. 이 네 임금의 죄는 귀를 가릴 수 없는 것이니 사람의 악한 짓이 거의 그칠 만도 하다."고 하였다. 신라의 언승(彥昇:憲德王)은 애장왕(哀莊王)을 시(弑)하여 즉위하고, 김명(金明:閔哀王)은 희강왕(僖康王:悌隆)을 시(弑)하고 즉위하고, 우징(祐徵:神武王)은 민애왕을 시(弑)하고 즉위하였으며, 지금 그 사실을 다 적어 두는 것도 또한 춘추(春秋)의 뜻이라 하겠다.'

신라는 『삼국사기』에도 기록해 놓았듯이 왕을 죽이고 왕이 되는 피바람의 역사였다. 그리하여 장보고의 힘으로 왕이 된 김우징도 민애왕을 시해하고 왕이 되었으나 몇 달을 넘기지 못하고 승하하고 만 것이었다. 참으로 세계사에도 없는 골육상쟁이요 권력투쟁이었다. 헌덕왕은 애장왕을 죽이고 왕이 되었고, 민애왕은 희강왕을 죽이고 왕이 되었으며, 신무왕은 민애왕을 죽이고 왕이 되었으니 이 네 임금은 귀를 가릴 수 없는 악한 짓이었던 것이다.

신무왕에 이어 태자가 즉위하니 문성왕(文聖王)이었다. 문성왕은 즉위하던 해 8월에 교서를 내렸다. 문성왕 역시 장보고의 존재를 무시할 수 없었고 오히려 떠받들어야 할 입장이었다.

"청해진 대사 장보고는 일찍이 병력(兵力)으로써 성고(聖考:신무왕)을 도와 선조(희강왕)의 거적(巨賊:민애왕 김명 등)을 멸하였으니 그 공열(功烈)을 어찌 잊을 수 있으랴."

하고 장보고를 진해장군(鎭海將軍)으로 삼고 겸하여 장복(章服)을 내렸다. 장복이라 함은 다른 사람과 구별하기 쉽게 특별한 기호(記號)를 붙인 의복이었으므로 진해장군의 칭호와 함께 귀족의 반열에 오른 것이었다.

그리고 7년(845) 봄 3월에 청해진 대사 장보고의 딸을 아내로 맞이하여 둘째 왕비로 삼으려 하였으나 조정 신하들의 의견이 분분했다.

"대왕마마. 장보고는 비록 해도(海島) 출신이라고는 하나 그가 나라를 위해 세운 공은 크옵니다. 더구나 조정에 각종 귀한 물건을 보냈는가 하면 나라에 기근이 일어나면 곡식을 보내 백성들을 나눠주었습니다. 그런 장보고와의 약속을 어긴다면 우리 조정이 반대했다는 탓을 들을 것입니다. 장보고가 있음은 해서 해적에 대해 걱정이 없고, 나라의 국방에 조금도 소홀함이 없을 것인즉, 충성을 의심했다간 반드시 그 결말이 좋게 끝나지 않을 것 같사옵니다. 원컨대 조정에서는 그동안의 공로를 인정해 준다는 뜻으로 그의 딸을 맞아들이심이 마땅할 것이옵니다."

진심으로 나라를 걱정하는 말이었다.

그러나 뜻을 달리하는 중신들은 장보고의 존재에 두려움을 느낀 나머지 반대 의견을 냈다.

"부부의 도리는 사람의 큰 윤리이옵니다. 그러므로 하(夏) 나라는 도산씨(塗山氏)로 인하여 흥하였고, 은(殷)나라는 신씨(신氏)로 인하여 번창하였으며, 주(周)나라는 포사(褒姒) 때문에 망하였고, 진(晉)나라는 여희(驪姬) 때문에 어지러웠습니다. 그러한즉 나라의 존망은 여기에 있는 것이니 신중해야 할 일이 아니겠사옵니까? 지금 장보고는 섬사람(海島人)인데, 그의 딸이 어찌 왕실의 배우자가 될 수 있겠사옵니까?"

문성왕은 괴로웠다. 선왕을 도와 크게 공을 세운 장보고의 딸을 왕비로 맞이하면 될 일인데 굳이 반대하는 저의를 알다가도 모를 일이라고 고개를 흔들었다. 이와 같은 사태는 청해진에 있는 장보고에게 보고되었다. 청해진 군사들과 함께 서라벌에 있는 정년으로부터 음신(音信)이 날아온 것이었다.

'형님. 몹시 기다리고 있을 형님을 생각하며 짧은 글월을 올립니다. 어찌된 영문인지 문성대왕은 아직도 결단을 내리지 못하고 있습니다. 그것은 조정 대신들의 의견이 엇갈리다 보니 그리 된 것 같습니다. 상심이 크시겠습니다만 일이 진척이 없어 우선 이쪽 사정을 알려드립니다. 상황이 변하는 대로 다시 연락드리겠습니다.'

장보고는 글을 읽고 나서 어금니를 오도독 갈았다.

내가 언제부터 내 딸을 왕비로 맞아달라고 애걸복걸이라도 했단 말인가. 그것은 문성왕의 아버지 김우징이 먼 길을 찾아와서 일신을 의탁하며 원수를 갚아달라고 했고, 단순히 개인적 원수가 아닌 왕권을 농락한 조정 대신들을 척결하고 왕위로 올려준 감사의 표시가 아니었던가. 그러나 그 일이 여의치 않자 아들인 신왕과 다시 혼인을 맺게 해준 것까지는 조금도 싫어할 일이 아니겠지만 어찌하여 조정 대신들이 자신들의 부귀영화만 생각하고 중상모략을 한단 말인가. 이는 필시 신분이 낮은 천민이라는 이유에서일 것이었다.

'여보. 지금 우리가 누리고 있는 것만도 왕후장상보다 낫습니다.'

문득 부인이 했던 말이 떠올랐다.

부인의 말은 골백번 맞는 말이었다. 당나라에서 신라로 귀환했을 때 흥덕왕은 군사 1만을 주어 청해진 대사로 제수하였고, 김우징은 신무왕이 되자 감의군사란 칭호와 함께 식읍 이천 호를 내렸으며, 새로이 왕이 된 문성왕은 장복을 하사하면서 진해장군이란 직책을 내렸으니 집안의 광영이요, 왕후장상이 부러울 일이 아니었다.

그러나.

딸이 왕후가 되고 안 되고의 문제가 아니었다. 청해진 군사로 하여금 역적 죄인인 왕을 폐위시키고 지금의 조정 중신들의 세상을 만들어주었더니 사냥을 마친 사냥꾼이 사냥개를 잡아먹으려고 전전긍긍하는 모습이 아닌가.

더구나 왕실과의 혼약임에도 함부로 약속을 어긴다면 어찌 일국의 왕실이라 할 수 있겠으며 대왕이라 할 수 있으리. 그것도 두 번씩이나 약속을 해놓고 일을 진척시키기는커녕 모략이나 꾸미고 있는 조정 중신들을 생각해볼 때 분통이 터질 일이었다.

아마도 그들은 귀족도 아닌 장보고의 딸을 왕비로 삼는다면 권력을 송두리째 빼앗긴 채 개가 지붕 위의 닭을 쳐다보는 꼴이 될까봐 두려워하고 있을 게 뻔했다. 1만의 막강한 군사가 있는 왕의 장인 장보고와 장보고의 딸이 왕비가 되었을 때 신라의 모든 권력이 장보고에게 가지 말란 법은 없을 것이라고 생각하는 모양이었다.

『삼국사기』에서는 이렇게 기록하고 있다.

'청해진의 대사 장보고는 자기의 딸이 왕비로서 들이지 아니한 것을 원망하여 진(鎭)에 거(據)하여 반기(叛旗)를 들었다. 조정에서는 그를 치자니 혹 불측(不測)의 환(患)이 있을지 모르고 또 그대로 내버려두자니 그 죄는 용서할 수 없으므로, 우려(憂慮)에 쌓여 어찌할 바를 몰랐다.'

장보고는 정년에게 한 걸음으로 달려가 부둥켜안고 밤새도록 술을 마시고 싶은 충동이 일었다. 끝까지 형을 생각해주는 고맙고 믿음직한 동생이었다. 그렇게 신뢰할 수 있는 정년이 있는 한 청해진의 군사를 질풍노도처럼 몰고 가 서라벌을 휩쓸어버리면 될 일이었다. 청해진의 군사와 서라벌에 있는 정년의 군사가 합세하면 천하무적이 될 것이었다.

그리하여 혀만 살아 움직이며 한평생 성골이니 진골이니 신분이나 내세우고 사는 나쁜 사람들. 그러나 이제 이 장보고가 가만히 엎드려 있지를 않을 것이다.

그날 밤, 장보고는 밤새도록 고민하고 분통을 터뜨리며 이를 갈았다. 그리고 다음날, 정년에게 답장을 썼다. 앞으로 보름간의 여유를 두고 서라벌로 가겠다는 내용이었다. 음신을 받아본 정년은 군사를 일으키겠다는 내용이 담겨 있어서 설마했던 일이 사실로 나타난다는 것에 뭐라고 형용할 수 없는 마음이었다.

장보고가 자신에게 군사를 일으켜 나라를 엎어버리겠다는 거사를 말하는 것은 필시 형제애를 믿기 때문일 것이었다. 어려서는 함께 조음도 바닷가에서 자랐고, 다시 당나라에 건너가 출세를 했으며, 나중 정년이 청해진으로 내려와서는 청해진의 기마병을 데리고 김우징을 왕위로 추대까지 하질 않았던가.

정년은 즉시 군마를 정비하고 만반의 준비에 들어갔다. 보름 뒤면 장보고가 군사를 이끌고 쳐들어 올 것이었다.

'이제 우리 형님께서는 또다시 새로운 역사를 쓰실 것이다. 우리 형님의 충성을 모르고 의심하고 시기하며 행여나 자신들의 영화를 영구토록 누리지 못할까봐 전전긍긍하면서 딴 주머니를 찬 중앙 귀족들을 싹 쓸어버리실 것이다.'

정년은 장보고를 돕기 위해 만반의 전투태세를 갖추느라 하루하루를 바쁘게 보냈다.